Diccionario
de Arte

Pintores del siglo XIX

© 2001, Editorial LIBSA
San Rafael, 4
28108. Alcobendas, Madrid
Tel. (34) 91 657 25 80
Fax (34) 91 657 25 83
e-mail: libsa@libsa.es
www.libsa.es

ISBN: 84-7630-842-6
Depósito legal: B. 44178 – 2000

Impreso en España / *Printed in Spain*

Diccionario
de Arte

Pintores del siglo
XIX

LIBSA

INTRODUCCIÓN

El siglo XIX, en cuanto a autores, obras y movimientos artísticos se refiere, ha sido, sin duda, uno de los más prolíficos de la historia del arte.

Éste es el motivo fundamental por el cual la editorial Libsa, con su *Diccionario de pintores*, ha querido acercar al gran público este importantísimo período cultural.

Para la elaboración de este diccionario se ha seguido un amplio criterio de selección, tanto para elegir a los autores y sus países de origen, como para determinar sus diferentes etapas creativas. Y así aparecen artistas como Goya, a caballo entre los siglos XVIII y XIX, o Bernard, que casi roza el XX. Sin embargo, el cuerpo general del libro está formado por aquellos autores cuya obra ha sido realizada en el siglo que da título al libro.

En esta obra, organizada a modo de diccionario, se hace una reseña de las biografías de los artistas más influyentes de esta época, completando esta información con algunas de las obras más representativas. También se hace una mención especial a las diferentes escuelas y movimientos artísticos que vieron la luz en ese período: el Neoclasicismo, el Realismo, el Romanticismo, la corriente de los Nazarenos o el Impresionismo.

La disposición de los autores por orden alfabético y la claridad de los textos facilitan enormemente la consulta de la obra. Además, la reseña dedicada a cada autor es los suficientemente amplia como para poder situarlo en su época, descubrir cuáles fueron los autores que más han influido en su estilo y si han creado escuela. También, en muchos casos, se analizan las diferentes obras y se informa sobre qué museo las alberga.

Las referencias cruzadas a otros autores o movimientos, marcadas en negrita, facilitan la información, pues, siguiéndolas, es posible recrear todo un movimiento o una época.

En cuanto a las ilustraciones, debemos indicar que hemos seleccionado las imágenes más conocidas o que mejor representan al artista tratado y, cuando éste es lo suficientemente importante, su biografía se ilustra con mayor riqueza.

Deseamos invitar al lector a recorrer este museo imaginario en forma de libro, donde están expuestas obras de extraordinaria belleza y donde, además, podrá obtener mucha información sobre uno de los períodos más ricos e importantes del arte de todos los tiempos.

ABBATI, Giuseppe

(Nápoles, 1836-Florencia, 1868)

Pintor italiano. Hijo de un pintor de interiores, se trasladó a Venecia en 1846, en cuya Academia estudió; allí conoce a D'Ancona y **Signorini** y desarrolla parte de su obra. En 1852 marcha a Nápoles y seis años más tarde a Florencia. En principio se dedica fundamentalmente a la pintura de interiores, hasta que, tras luchar con Garibaldi, con el que volverá a pelear en otras campañas, en 1862 y 1866, comienza a asistir al Café Miguelangelo y entra a formar parte de la corriente pictórica de los **Macchiaioli**. Sus cuadros son entonces de gran plasticidad, debida a la enorme simpleza constructiva y a los acusados contrastes de luz y color, conseguidos mediante las manchas de color, especialmente de tonos blancos, como en los bloques de piedra de *El claustro*. Algo posteriores son sus paisajes realistas, de Piagenta y Castiglioncello, fruto de su observación de la naturaleza y de sus efectos lumínicos, en los que representa las orillas del Arno, las playas de Livorno, etc., con un estilo ya plenamente "macchiaioli", en los que las figuras más oscuras resaltan sobre un fondo luminoso. Obras importantes son *El Arno por Casaccia, Claustro, Mujer de gris* y *El pintor Pointeau.*

AGASSE, Jacques-Laurent

(Ginebra, 1767-1849)

Pintor suizo. Formado artísticamente en París, con **David** y Carle Vernet, en 1800 se instala en Londres, donde, debido a sus ele-

Paisaje de Castiglioncello.
Giuseppe Abbati.

gantes cuadros de paisajes con animales, sobre todo perros y caballos, se convierte en el continuador de la obra de George Stubbs, y donde su producción tuvo una muy buena acogida por parte del público inglés, incluido el monarca Jorge V (*El puente de Westminster*, 1818). Su estilo se caracteriza por el realismo con que pinta, mostrando un gran conocimiento anatómico de los animales, debido a sus estudios de veterinaria y a su gran sentido plás-

La vendedora de flores.
Jacques-Laurent Agasse.

tico. También realizó algún retrato, como el de *John Gubbins Newton y su hermana Mary.*

AGRICOLA, Filippo

(Urbino, 1795-Roma, 1857)

Pintor italiano. Discípulo de su padre, profesor de dibujo, y de **Vicenzo Camuccini** y Gaspare Landi, es uno de los más destacado pintores italianos del primer tercio de siglo seguidores del estilo de **David**. Además de la influencia de este pintor, que se manifiesta en su obra por una cierta frialdad, y de la de Camuccini, evidente en el cla-

roscuro, se añade a su estilo el de los grandes maestros del siglo XVI, sobre todo Rafael, cuyas obras estudió. Realizó cuadros de tema histórico, religioso y mitológico, este último el género más notable de todos en su producción, así como retratos. Su éxito fue tan grande que a los 26 años de edad entró a formar parte de la Academia de San Lucas y desde 1854 a 1855 fue director de la misma. Entre sus mejores obras hay que señalar *Mario meditando en las ruinas de Cartago* —con la que a los diecisiete años ganó el concurso napoleónico—, *Las damas del Tiziano, Hija de la condesa de Cortari, El Tasso en el Hospicio de San Onofre, Poeta Monti, Príncipe de Dinamarca, Constanza Perticari*.

ALENZA NIETO, LEONARDO

(Madrid, 1807-1845)

Pintor romántico español y uno de los escasos seguidores de **Goya**. Pese a recibir una sólida formación en la Academia de Bellas Artes de San Fernando, siendo discípulo de Juan Antonio de Ribera y **José de Madrazo**, se aleja pronto del estilo y los contenidos historicistas imperantes, así como de los encargos oficiales del periodo fernandino. Fascinado por la temática costumbrista, sus temas se inspiran en la vida cotidiana y en las escenas populares dentro de la línea del casticismo y el estilo abocetado goyesco. Obras como *La azotaina* o *El Borracho* son significativas de su carácter espontáneo, colorista y popular, pero sobre todo de su profundo conocimiento de la obra de Goya. En su célebre *Suicida* demuestra ser uno de los mejores representantes del **romanticismo**

Retrato de Constanza Monti Perticari.
FILIPPO AGRICOLA.

español. A sus numerosos retratos de personajes de humilde posición social hay que sumar su labor de ilustrador y dibujante de tipos populares. Una de sus obras más ambiciosas y personales —hoy perdida y que sólo conocemos por un dibujo—, es *El café de Levante*, considerada la cumbre del romanticismo madrileño. Su temprana muerte y escasa producción, permiten con

justicia calificarle como un pintor de gran talento malogrado.

ALLSTON, WASHINGTON

(Waccamaw, 1779-Cambridge, 1843)

Pintor estadounidense, es uno de los pioneros y exponentes más importantes de la pintura romántica americana. Todo el conjunto de su obra, composiciones dedicadas preferentemente a la temática histórica y bíblica, tiene decisiva incidencia en el desarrollo posterior de la plástica pictórica norteamericana. Estudiante en Newport y, posteriormente, en Harvard, su formación artística se inicia en Charlestown y continúa en la Royal Academy de Londres, a partir de 1801. Una estancia en París, desde 1803 a 1804, le permite conocer las obras maestras del Museo del

El diluvio.
WASHINGTON ALLSTON.

A

Louvre y contactar con importantes artistas. Del viaje a Roma que realiza en esta época data uno de sus primeros cuadros conocidos, *El sueño de Jacob* (1804), significativo de la influencia que recibe al descubrir la pintura veneciana de Tiziano, Tintoretto y Veronés. De su trayectoria pictórica también es

La promesa de la fuente.
SIR LAWRENCE ALMA-TADEMA.

destacable la admiración que siente por el arte clásico, probablemente «redescubierto» a través de su amistad con el escultor neoclásico Thorwaldsen. De vuelta a América en 1809, se dedica a realizar una extensa obra pictórica de temas extraídos del Antiguo Testamento, y tras una nueva visita a Europa, se establece en Boston, donde pasa la mayor parte de su vida. Entre sus obras, llenas de efectos dramáticos y sorprendente colorido, destacan *El profeta Jeremías*, *Saúl y la Pitonisa*, *Dante y Beatriz* y, sobre todo, *El Festín de Baltasar*, grandiosa composición que inicia en 1817 y deja inacabada a su muerte. Son de gran interés los retratos que realiza a algunos amigos, como el del poeta Coleridge.

ALMA-TADEMA, SIR
LAWRENCE

(Drontyp, 1836-Wiesbaden, 1912)

Pintor de origen holandés nacionalizado británico (y residió en Londres desde 1870). Primero estudia

Danza pírrica.
SIR LAWRENCE ALMA-TADEMA.

con **Wappers** en la Academia de Pintura de Amberes y después es discípulo de **Leys**, junto con quien realizó frescos para decorar el Ayuntamiento de Amberes (1859). Debido a su profundo conocimiento de la Antigüedad, desde 1863 se dedica a la pintura de género «arqueológico», pintando numerosísimas escenas de la Antigüedad grecolatina, en un estilo académico, dentro del **realismo** burgués y con una ejecución impecable y gran meticulosidad en su tratamiento de las telas, muebles, bronces, etc.; los tonos claros y la distribución uniforme de la luz recuerdan a los antiguos maestros holandeses cuya producción se caracterizaba por la teatralidad y a veces exceso de efectismo. También pintó cuadros de género en pequeño formato y de gran calidad, como *La guardiana del baño* o *La lectura de Homero*, en los que mantiene su correcto dibujo y su rico y brillante colorido, así como buenas acuarelas. Este modo de hacer le acarreó una gran fama que no sobreviviría a su muerte, aunque el reconocimiento de sus contemporáneos se reflejó en el título nobiliario de sir que le fue concedido y la Orden del Mérito Británica. Sus cuadros tuvieron tanto éxito que llegaron a alcanzar cifras altísimas y serían reproducidos en grabados y aguafuertes. Entre su obras destacan *Las diez plagas de Egipto* (1836), *La danza pírrica* (1869), *Esclava guardiana del baño de mujeres en Roma*, *Las rosas de Heliogábalo* y *Mujeres galo-romanas*.

AMERLING, FRIEDRICH VON

(Viena, 1803-1887)

Pintor austriaco, su estilo y temática se encuadra dentro del denominado estilo «Biedermeier». Inicia sus estudios en la Academia de Viena y los continúa en la de Praga. Su viaje a Londres, donde trabaja con el pintor **Thomas Lawrence**,

Condesa Nákó.
FRIEDRICH VON AMERLING.

le hace descubrir la elegancia de la retratística inglesa que aplicará a sus creaciones. Continúa un periplo viajero por París y Munich antes de volver a Viena. En esta ciudad presenta dos obras, *Dido en la hoguera* y *Moisés en el desierto*, cuadros premiados por la Academia. Sin embargo, no son las composiciones históricas y religiosas la aportación fundamental de este pintor, sino su producción de retratos que se inicia a raíz de un encargo del emperador Francisco I. El retrato que realiza al monarca le acredita ante la sociedad vienesa. *La familia del conde Breunner-Enkrevoirth* (1834) y *El señor Rudolf Artharcer con sus hijos* (1837) son dos buenos ejemplos de su quehacer pictórico, basado en el retrato elegante y rutinario de la alta clase media y de sus confortables moradas burguesas. Realiza dos viajes a Italia, el primero en 1831 y el último en 1841. Después de éste, Amerling se dedica fundamentalmente a elaborar escenas de género y de carácter costumbrista, como lo muestran algunos de sus últimos cuadros, *El mendigo* o *Niño pescador*.

ANGLADA CAMARASA, HERMENEGILDO

(Barcelona, 1871-Pollença, Mallorca, 1959)

Máximo representante de la pintura catalana posmodernista, alcanza gran éxito en el primer tercio del siglo XX. Su formación se inicia en la Escuela de Bellas Artes de Barcelona bajo las enseñanzas de Modesto Urgell, pintor que le encamina por los temas de paisajes. Gracias a la asignación económica de un familiar, se instala en París para pro-

El pino de Formentor.
HERMENEGILDO ANGLADA CAMARASA.

seguir su formación en la Academia Julien, con los pintores Jean Paul Laurens y Benjamín Constant; y en la academia Calarossi, con René Prinet y L. A. Girardot. Estos estu-

El señor Arthaber y sus hijos.
FRIEDRICH VON AMERLING.

A

El hambre de Madrid.
JOSÉ APARICIO INGLADA.

dios transforman radicalmente su pintura y comienza a recrear escenas y rincones urbanos de la capital gala con un estilo ligado al simbolismo. Regresa a España en 1895 y dos años después vuelve a París. Allí la vida nocturna y los cabarets marcan la inspiración de sus lienzos y de su gran objetivo pictórico: los estudios de luz artificial, inte-

rés que resuelve con un brillante colorido y una pincelada sinuosa. Ejemplo de ello es *Efecto de Lámpara*, obra que expone en 1898 en el Salón de los Independientes, con una acogida muy favorable por parte de la crítica. Sus composiciones parisienses le deparan un gran éxito cuando las expone en la Sala Parés de Barcelona en 1900. *Café de París*, *Jardín de París*, *Caballo y gallo* o *El pavo blanco*, obras de los primeros años del siglo XX, son claros

exponentes de los rasgos que determinan su producción: una emotiva exaltación del color y la luz y una actitud estética rebelde e inconformista. Su especial estilo, alejado del arte más tradicional y comercial, no sólo asombra al público catalán, sino también a toda la burguesía internacional a través de su participación en los más prestigiosos certámenes europeos (como el de Berlín, 1907, o Londres, 1909) y americanos. Aborda también cierta temática costumbrista, como campesinos, gitanos y desnudos, a los que imprime un tratamiento modernista de vanguardia. La primera guerra mundial acaba con sus continuas estancias en París y se establece en Mallorca, en la pequeña población de Pollença, localidad donde muere y que le inspiran sus últimos trabajos: pintura paisajista muy colorista y refinada de la que es claro exponente *Almendros en flor*, de 1917. En 1954, la Academia de San Fernando, de Madrid, le nombra académico de honor.

APARICIO INGLADA, JOSÉ

(Alicante, 1773-Madrid, 1838)

Pintor neoclásico formado en Valencia, continúa sus estudios en la Academia de San Fernando de Madrid y, a partir de 1799, en París dentro del taller de **David** y coincidiendo con Juan Antonio de Ribera y **José de Madrazo**. A su regreso difunde los principios y normas del **neoclasicismo** en el

Retrato del general Dasaix.
ANDREA APPIANI.

El desembarco de Fernando VII en la isla de León.
JOSÉ APARICIO INGLADA.

ámbito madrileño a través de una pintura que, sin embargo, se encuadra dentro de una tradición académica, dibujística y fría. Nombrado pintor de cámara del rey Fernando VII, en 1815, llega a ser director de la Academia de San Fernando. El género histórico y el tema patriótico guiaron la temática de sus cuadros más importantes. *El hambre de Madrid* (1818) y *El desembarco de Fernando VII en la isla de León* (1827), son ejemplos de una obra un tanto desfasada, una pintura de contenido histórico claramente efectista y apologética.

APPIANI, ANDREA

(Milán, 1754-1817)

Pintor italiano, el más importante de los pertenecientes al **neoclasicismo** romántico en ese país. En su obra se pueden distinguir dos etapas, en la primera de las cuales, que se extiende hasta 1796, su pintura tiene un carácter idílico, y en ella

se ve la influencia de Rafael y Corregio, a los que conoce en un viaje de estudios por varias ciudades italianas. Sus primeros trabajos son los que realizó para el archiduque Fernando de Austria, entre ellos la decoración con frescos de tema mitológico de su palacio de Monza (1789), en el que con armonía y una técnica ligera, desarrolla el tema de *Amor y Psique*. Otro gran conjunto decorativo de esta primera etapa es el de Santa María presso San Celso (1792-1795). La segunda época comienza cuando es nombrado pintor oficial de Napoleón I, primer italiano en conseguir ese cargo; para él realiza varios retratos, en los que se ensalza la figura del emperador y que poseen más calidad que sus frescos. En 1801 viaja a París, donde pinta en un estilo catalogado de neoclasicismo romántico, muy pictórico ya, el *Carro de fuego*, con claras reminiscencias

Aves blancas.
JOHN JAMES AUDUBON.

sar de su energía, el excesivo acabado, propio del neoclasicismo, hace que pequen de frialdad, cosa que no sucede en sus bocetos, de gran fuerza expresiva y espontaneidad.

AUDUBON, JOHN JAMES

(Haití, 1785-Nueva York, 1851)

Pintor franco-americano. Desde 1896 hasta 1897 fue discípulo de **David**. En 1803 se traslada a Estados Unidos para evitar entrar en el ejército de Napoleón; allí vivió de los retratos que pintaba y de su labor docente como profesor de dibujo. Entre 1827 y 1838 realizó 435 ilustraciones de aguatintas en color para una gran obra que escribió él mismo, sobre pájaros americanos, editada en Londres y que se convirtió en una obra clave para la ornitología. Comenzó una segunda sobre vivíparos cuadrúpedos, que continuaron sus hijos, al perder él

Eugène de Beauharnais.
ANDREA APPIANI.

manieristas. No obstante, trabajó casi siempre en Milán, donde decora el Palacio Real (1808), en el que, con referencias mitológicas y cristianas, se exalta la figura del emperador y su éxitos militares, con un dibujo muy cuidado, pero falto de fuerza y sentido del movimiento. También produce numerosos cuadros de tema mitológico (*Pluto y Proserpina; Ganímedes a los pies de Júpiter y Juno; Céfalo y la Aurora; Cólera de Aquiles,* etc.) y otros retratos (*Carolina Angiolini; Mariana Waldtein*). En alguno de ellos, a pe-

Garceta nevada.
JOHN JAMES AUDUBON.

la vista. En su pintura, a pesar del realismo inherente a su carácter científico, se aprecia un cierto toque romántico.

AVENDAÑO MARTÍNEZ, SERAFÍN

(Vigo, 1838-Valladolid, 1916)

Pintor español especializado en pintura de paisajes. Su evolución parte de una tradición romántica que acaba enlazando con el regionalismo pictórico característico del primer tercio del siglo XX. Estudia en Madrid con **Genaro Pérez Villaamil** en la Escuela de Bellas Artes de San Fernando. En 1863 obtiene una beca para la Academia Española en Roma, donde se especializa en pintura de paisaje. En Italia, donde permanece más de veinticinco años, expone en diversas ciudades consolidándose como pintor y grabador y realizando paisajes dentro de un estilo naturalista y de gran luminosidad. Desde 1859 a 1861 recorre Estados Unidos y, con posterioridad, viaja a Suiza, Francia e Inglaterra. En 1891, año en que retorna a España, es un pintor plenamente reconocido. Durante un tiempo se refugia en su Vigo natal; consagrado a plasmar la naturaleza de su tierra, inicia una interpretación más realista de esos ambientes, como en *Paisaje de invierno* (1891) o *Paisaje otoñal* (1910), al tiempo que recrea escenas costumbristas, como la conocida *Procesión en un pueblo* (1895).

Garcetas.
JOHN JAMES AUDUBON.

BARABÁS, MIKLÓS

(Markusfafva, Siebenbürgen, 1810-Budapest, 1898)

Pintor y dibujante húngaro. Artista muy prolífico y popular, ya desde muy temprana edad se sentía atraído hacia la pintura. En 1829 comienza sus estudios en la Escuela de Bellas Artes de Viena, junto con Johan Ender, continuándolos en Budapest desde 1836 a 1838, donde realiza abundante obra. Tras un viaje por Italia, país en el que estudia la pintura de los maestros antiguos, se instala de forma permanente en Viena, donde fue muy estimado como retratista. Su estilo es duro, de hábil ejecución y gran fuerza expresiva, aunque con alguna incorrección técnica. Algunos autores le consideran mejor dibujante que pintor, siendo sus retratos a lápiz excepcionales. Además de retratos, entre los que destaca el que realizó a Liszt, que se encuentra en la Pinacoteca Histórica de Budapest, también tiene vistas de núcleos rurales (alguna de las cuales se reproducirán en litografías), interiores y escenas costumbristas del medio rural. Debido al tratamiento dado a la perspectiva de uno de sus cuadros, fue nombrado miembro de la Academia de Ciencias de Budapest.

BARBASÁN LAGUERUELA, MARIANO

(Zaragoza, 1864-1924)

Pintor español dedicado a la pintura de paisajes. Estudia en Valencia y en 1888 consigue una subvención

En el estudio.
MIKLÓS BARABÁS.

para estudiar en Roma. En esta ciudad pinta un gran cuadro de asunto histórico, *Pedro III en el collado de las Panizas*, temática que abandona para dedicarse a pintar paisajes y escenas de la vida rural, dentro de un **realismo** que a través de su estilo vibrante y colorista muestra cierta influencia del **impresionismo.**

La villa de Avray.
JEAN-BAPTISTE-CAMILLE COROT

El Ángelus.
JEAN-FRANÇOIS MILLET.

BARBIZÓN, ESCUELA DE

Término con el que se denomina a un grupo de pintores que, en torno a 1848, se agrupan en el pueblo francés del mismo nombre y sus alrededores, cerca del bosque de Fontainebleau. También se conoce como Escuela de Fontainebleau y su producción está considerada como la más vigorosa corriente paisajista de la Francia del siglo XIX. Elabora con notable precisión una pintura al aire libre, bajo la minuciosa observación de ambientes naturales, y rechaza la composición académica y neoclásica. De factura suelta, son en su mayoría paisajes de llanuras, árboles y bosques. Los pintores más representativos son **Jean-Baptiste-Camille Corot**, aunque el organizador, dirigente del grupo y teórico es **Théodore Rousseau**. Entre otras figuras que destacan cabe señalar a Jules Dupré, con una obra caracterizada por el empleo sombrío de la luz, y a **Jean-François Millet**, auténtico renovador por su temática peculiar, exaltadora del mundo campesino y de los trabajadores rurales. **Charles-François Daubigny** es también un miembro destacado del grupo, especializado en paisajes ribereños, así como el pintor francés de origen español **Virgilio Narciso Díaz de la Peña**.

BARKER, THOMAS

(Pontypool, Gales, 1769-Bath, 1847)

Pintor inglés. Su aprendizaje lo realizó a base de estudiar y copiar a

Paisaje arbolado.
THOMAS BARKER.

los grandes maestros de la pintura. Desde 1791 a 1794 permanece en Italia y allí continúa con su formación con el fin de perfeccionar su técnica, estableciéndose a la vuelta a su país natal en Bath, ciudad en la que desarrollaría casi toda su actividad pictórica y en la que alcanza la notoriedad y por lo que recibió un buen número de encargos, siendo el *Recogedor de leña y su perro*,

B

La siega del heno.
JULES BASTIEN-LEPAGE.

de 1873, la primera obra que le proporcionó el éxito. En su pintura cultivó las escenas costumbristas, los paisajes románticos, con influencia de Gainsborough, y el retrato, aunque también trabajó como copista, e incluso se inició como fresquista en la decoración de su casa, *La masacre de los turcos cerca de Scio* (1824-1825). Alguna de sus obras sirvió para realizar la decoración en la cerámica de Worcester.

Retrato de Renoir.
FRÉDÉRIC BAZILLE.

BASTIEN-LEPAGE, JULES

(Damvillers, 1848-París, 1884)

Pintor francés. Alumno de **Cabanel**, estuvo influido por el naturalismo, manteniéndose dentro de la línea estilística de **Gustave Courbet** y **Jean-François Millet**. Representó de modo fundamental la vida rural en cuadros impregnados de un cierto aire sentimental y que se acercan al **impresionismo** francés, sobre todo por la utilización de colores claros en un intento de conseguir la sensación de «plein-aire», de la atmósfera de los impresionistas, sin renunciar al dibujo, como se puede apreciar en *Los segadores* (1877) y *Los Henos* (1877). Esta forma de tratar el mundo campestre le dio una gran fama que traspasó fronteras de su país y tuvo influencia en varios pintores, fundamentalmente de Francia, Inglaterra y Escocia. También cultivó el retrato, destacando en este género los de Juana de Arco, Juliette Drouet y Sara Bernhardt.

BAZILLE, FRÉDÉRIC

(Montpellier, 1841-Beaune-La Rolande, 1870)

Pintor francés, asiste a los orígenes del **impresionismo**, pero su corta vida le impide conocer el auge de este movimiento pictórico. Pertenece a una familia acomodada de la burguesía protestante y estudia medicina en Montpellier. En 1862, cuando marcha a París para realizar el doctorado, lo deja todo y se dedica apasionadamente a la pintura. Trágico empeño, pues muere a los 29 años de edad. Ingresa en el taller de **Gleyre**, toma contacto con los círculos artísticos y conoce a **Renoir** y **Monet**. Su obra está dedicada al paisaje, al bodegón y al retrato; sin embargo, su investigación se centra en la figura humana al aire libre, integrada en el ambiente y el paisaje. Ejemplo de este interés son *El vestido rosa*, de 1864, y la que se considera su obra maestra, *Reunión de familia*, también conocida como *La familia del artista en Montpellier*, de la que hace dos versiones y que expone en el Salón de 1868. Son composiciones muy estructuradas y de pinceladas muy amplias en las que las figuras parecen estar ante

B

Reunión de familia.
FRÉDÉRIC BAZILLE.

el objetivo de un fotógrafo. También le interesa la representación del desnudo al aire libre –muestra de ello es *Escena de verano* (1869)–, un tema que practican casi todos los impresionistas. El estilo de Bazille se aleja un tanto de éstos al reconsiderar la forma y los volúmenes como elementos integrantes de sus cuadros, un aspecto que obviaron los impresionistas. Cuadro magistral y revelador del contexto intelectual y artístico en el que se integra es el conocido *Estudio* o *El taller del artista*, en el que aparece él mismo en el momento de ser pintado por Monet, junto a los pintores **Manet** y Renoir, el escritor Émile Zola y

Autorretrato.
FRÉDÉRIC BAZILLE

El baño.
FRÉDÉRIC BAZILLE.

el músico Edmond Maître. La guerra franco-prusiana cercena su vida y trunca una prometedora carrera artística.

Vista del pueblo.
FRÉDÉRIC BAZILLE.

BEARDSLEY, AUBREY VINCENT

(Brighton, 1872-Menton, 1898)

Dibujante e ilustrador británico, perteneciente al modernismo simbolista. Fue autodidacto en su aprendizaje del dibujo, que perfeccionó observando a Durero, Miguel Ángel y Botticelli, así como con la

Isolda.
AUBREY VINCENT BEARDSLEY.

ISOLDE

que incorpora la de la cerámica helenística y la de las estampas japonesas, especialmente en sus composiciones simples y atrevidas (que contrastan con la rica ornamentación que introduce en algunos detalles), con grandes espacios blancos y negros, líneas curvilíneas de gran movimiento y fuertes contrastes entre sombra y luz. En sus producciones, para las que busca como fuente principal de inspiración el pasado, renuncia totalmente al concepto convencional de perspectiva y proporción. Su estilo, que tuvo una gran trascendencia en el diseño gráfico de todo el mundo, le sitúa en ese movimiento esteticista europeo de final de siglo. Además de ilustrador de libros, que fue su faceta más notable, también fue caricaturista en varias publicaciones, diseñó carteles y escribió prosa y poesía, algunos de cuyos libros ilustró él mismo, como *Historia de Venus y Tannhäuser*, editada en 1907. Toda su obra la desarrolló en tan sólo seis años, ya que murió muy joven de tuberculosis, a los 25 años, pero ha pasado a la historia del arte como el más importante ilustrador modernista simbolista británico. Fue director artístico de la revista *The Yellow Book*.

influencia de los prerrafaelistas. Su primer encargo como ilustrador, a los 21 años, es *La muerte del rey Arturo* (1893), obra de Mallory, con unos 500 dibujos, que consiguió un gran éxito por su carácter innovador y estético, lo que le abrió las puertas a los siguientes encargos: *Salomé*, de Oscar Wilde (1894); *The Works of Edgar Allan Poe* (1894-1895); *Lisístrata* (1896), de Aristófanes; *Rape of the Lock*, de Pope (1896); *Volpone*, de Ben Jhonson (1898), o *El oro del Rhin*, de Wagner. En su obra trata temas fantásticos y a veces eróticos en un estilo delicado, sensible e imaginativo, en el que se aprecia abiertamente la influencia de los prerrafaelistas, sobre todo la de Burnes Jones, a la

BENVENUTI, PIETRO

(Arezzo, 1769-Florencia, 1844)

Pintor italiano dentro de la corriente neoclásica. Estudió en Roma con Asmus Jacob Carstens y **Camuccini** y recibió un fuerte influjo de **David**. En 1803 fue nombrado director de la Academia de

Bellas Artes de Florencia, donde permaneció durante largo tiempo, hasta tres años antes de su fallecimiento. Pintó retratos, en los que destacó por encima del resto de su obra, que también encuentra un lugar para los temas religioso, histórico y mitológico. La influencia de David en su producción pictórica de historia se percibe en *Juramento de fidelidad de los sajones*, que muestra una composición muy cercana a las que utilizaba el pintor francés. De su temática mitológica hay que citar sus frescos en el Palacio Pitti, y en otra temática, la religiosa, sus frescos en la Capilla Médicis de Florencia. Otras obras importantes son *Boda de Hércules y Hebe, La corte de Elisa Bociocchi, Autorretrato* y *La princesa Luigina Corsini-Scotto*.

BERNARD, ÉMILE

(Lille, 1868-París, 1941)

Pintor, grabador e ilustrador francés, se le incluye dentro de la corriente del simbolismo pictórico y se le considera el inventor del sintetismo o cloisonismo. Amigo de **Van Gogh**, es también discípulo y rival de **Gauguin**. Hasta 1886 pinta dentro de un estilo neoimpresionista siguiendo el proceso científico de los divisionistas o la técnica del puntillismo. Convencido de que son las ideas propias las que tienen que dominar a la técnica, destruye toda su obra anterior y abandona París. Se instala en Pont-Aven, en la región de Bretaña, donde trabaja con Gauguin, y comienza a perseguir un estilo pictórico de fuertes perfiles que enmarcan un colorido liso, fórmula del cloisonismo. Su cuadro *La Magdalena en el bosque del amor* es uno de los más representativos de su obra. Dirige la revista *La renovation esthétique* y pu-

La Magdalena en el bosque del amor. ÉMILE BERNARD.

El Manzanares.
AURELIANO BERUETE MORET.

blica numerosos escritos sobre Gauguin, **Cézanne** y Van Gogh.

BERUETE MORET, AURELIANO

(Madrid, 1845-1912)

Crítico y pintor de paisajes, su obra es clave en la evolución del paisajismo español de finales del siglo XIX. De familia acomodada, se licencia en Derecho y, en 1874, emprende los estudios de pintura en la Academia de San Fernando de Madrid. Aquí recibe la influencia de su maestro y amigo **Carlos de Haes**, quien le hace inclinarse hacia el paisaje. Con él inicia su periplo viajero por diversas regiones españolas en busca de panorámicas y vistas. Los alrededores de Madrid, la sierra de Guadarrama y la meseta castellana conforman las obras de la década de 1870, unos paisajes de gran **realismo** y con peculiares connotaciones morales e ideológicas, propias de la corriente regeneracionista. En 1878 consigue el tercer premio de la Exposición Nacional con *Orillas del Manzanares* y es invitado a participar en la Exposición Universal de París. La Escuela de Barbizón y su amistad con **Martín Rico**, quien le acerca al **impresionismo**, dan a un giro a sus paisajes. La luz y el color pasan a ser los objetivos fundamentales de Beruete, cuya obra adquiere de forma progresiva un reconocimiento internacional. Como crítico demuestra una agudeza y erudición admirables, destacando sus monografías sobre Velázquez y **Goya**.

Desde 1902 viaja incansablemente por varios países europeos que reafirman su técnica impresionista y su interés por los valores atmosféricos, rasgos que se aprecian en obras como *Toledo desde los cigarrales*, *La tapia del Pardo* o *Madrid desde la pradera de San Isidro*. Aprovechó sus numerosos viajes para enriquecer su afamada colección de obras de arte clásico.

BIERSTADT, ALBERT

(Solingen, 1830-Nueva York, 1902)

Pintor estadounidense de origen alemán. Estudió en la Academia de Düsseldorf, pero su formación fue genuinamente americana. Tras viajar por Italia y Suiza, se establece en Estados Unidos, donde, en 1860, entró a formar parte de la

National Academy de Nueva York. Es considerado el máximo representante de los paisajistas del oeste americano, con composiciones tratadas de modo grandioso y que muestran gran altura técnica en su ejecución, de línea precisa y pincelada poco pastosa, lo que produce cuadros de gran minuciosidad y detalle, como *Montañas Rocosas* (1863), *El valle Yosemite* (1866), *La sierra Nevada, California* (1868), *Cascadas de San Antonio* (1880) y *El río Merced*, entre otras.

BLAKE, WILLIAM

(Londres, 1757-1827)

Pintor, dibujante, grabador y poeta inglés, su múltiple y ambiciosa producción es resultado de un carácter místico, visionario, reñido por completo con cualquier convencionalismo religioso. La temática de su producción tiene mucho de profética y su estilo combina de

Cuatro indios.
ALBERT BIERSTADT.

Torbellinos de amor.
WILLIAM BLAKE.

forma muy original **neoclasicismo y romanticismo**. De familia muy modesta, las revelaciones místicas que experimenta siendo niño obligan a su padre a encaminarle hacia el dibujo y, más tarde, a la edad de 15 años, le coloca de aprendiz en el taller de un grabador, James Balire, con quien está durante siete años hasta alcanzar el grado de maestro. En estos primeros años realiza dibujos e ilustraciones de inspiración medieval, interesándose por la Biblia y las obras de Shakespeare,

Dante y Milton, así como por la pintura de Miguel Ángel, cuyo dominio del dibujo y rasgos monumentales influyen en su posterior producción. En 1778 ingresa en la Royal Academy y hace patente su postura al rechazar el óleo, el color y la realidad, y proclamar la inspiración, el entusiasmo y el dibujo como fundamento del arte. Esta postura le enfrenta al pintor Reynolds, para quien el color es la base de la realidad pictórica, enfrentamiento que repite la tradicional disputa entre la primacía del dibujo o del color. La posición clasicista de Blake, en este sentido, repercute en su carrera, sobre todo cuando expone en 1784 *José revela su identidad a sus hermanos*, acuarela rechazada por los académicos. Junto a sus ilustraciones y comentarios de la Biblia o de *La Divina Comedia*, entre otros textos, hay que destacar su obra escrita, como *Cantos de inocencia* (1789), *Matrimonio del cielo y el infierno* (1790) o *Cantos de experiencia* (1798), considerada por algunos como la cum-

La lapidación de Abraham.
WILLIAM BLAKE.

La tercera tentación.
WILLIAM BLAKE.

bre de la poesía inglesa. La conjunción de texto, poemas, dibujos e ilustraciones hace de su obra una renovadora combinación de pintura y poesía, de unidad simbólica entre palabra e imagen. Sus ilustraciones y acuarelas resultan difíciles de interpretar por lo simbólico de su cosmovisión, de su racionalismo irracional, por los símbolos y temas que sistemáticamente elige (religiosos, satánicos, literarios o fantasmagóricos). Estilísticamente rechaza el claroscuro, aunque su colorido –hace muchas impresiones en color para sus grabados– es delicado y rico en matices. Amigo del artista John Flaxman y de **Füssli**, muchos aspectos de su obra están en la línea de **Goya**. Blake es un artista que no viaja, a excepción de alguna estancia en la costa, en casa de Haley, su amigo poeta. Tan sólo tiene un protector y mecenas para quien trabaja, Thomas Butts. En 1809 expone su obra en Londres; rechazada por la crítica y el público, no le reporta ninguna venta, de manera que su obra esperará bastantes años hasta ser reconocida.

BLANCHARD, PHARAMOND

(Lyon, 1805-París, 1873)

Pintor e ilustrador francés. Se formó en la escuela de Bellas Artes de París con **Gros** y Chasselat. Su producción fundamentalmente trata escenas populares y algo de pintura de tema religioso e histórico. Fue un gran viajero, que conoció México, Rusia (país en el que realizó abundantes dibujos y acuarelas),

África y España. De su estancia en este país, hay que señalar que se encontraba en él con el encargo de comprar obras sacadas al mercado a partir del proceso desamortizador de los bienes eclesiásticos para pasar a formar parte de la colección de Luis Felipe de Orleans, que se pudieron contemplar desde 1838 en la galería que lleva su nombre, y

que tuvieron una gran repercusión en la producción artística de muchos jóvenes pintores franceses de la época. Participó como ilustrador en la "Colección Litográfica" a cargo de **José de Madrazo** para *La Illustration* de París. De su amplia producción destacan *Una corrida de toros, Los pobres del hospicio de San Bernardino, San Isidro Labrador, patrón de Madrid, El desarme de Veracruz, Una calle en Tánger* y *Salida de la escuadrilla para el combate de Veracruz.*

BLECHEN, KARL EDUARD

(Cottbus, 1798-Berlín, 1840)

Artista alemán, considerado uno de los mayores talentos de la generación inmediatamente posterior a la de **Friedrich**. Su producción fluctúa entre los dos polos que caracterizan la estética del siglo XIX, el del **realismo** y el del **romanticismo**.

Works Eberswall.
KARL EDUARD BLECHEN.

Construcción del puente del Demonio.
KARL EDUARD BLECHEN.

A los 24 años abandona su trabajo en un banco y marcha a la Academia de Berlín para estudiar pintura de paisaje. En un viaje a Dresde, en 1823, conoce a Friedrich, quien le influye de manera determinante en su concepción pictórica de la naturaleza. Sin embargo, su obra evoluciona al conocer también a Dhal, un pintor realista que le encamina a elaborar una obra «al aire libre». Esta tendencia se refuerza con motivo de su viaje a Italia en 1828, especialmente cuando visita Nápoles y otros parajes meridionales. Entonces sus paisajes se enmarcan en unos presupuestos estéticos muy cercanos al realismo, dentro de una experiencia paralela a la de **Corot**. *Monjes en el golfo de Nápoles* (h. 1829) y *En el parque de la Villa d'Este* (h. 1830) son cuadros significativos de su progresivo interés por la observación directa de la naturaleza, una objetividad a la que se suma la atención por los fenómenos cromáticos y visuales del paisaje, con unos efectos de luces que parecen un presagio del **impresionismo**. No obstante, nunca abandona el sentimiento y la exaltación propia de la época del romanticismo, como puede observarse en su cuadro *Construcción del puente del Demonio* (h. 1830-1833), considerado uno de los primeros paisajes industriales. Dibujante y excelente acuarelista, es profesor de la Academia de Berlín a partir de

1831, pero no consigue éxito comercial. Su carrera termina en 1835 a causa de una depresión que, en 1839, degenera en un estado de locura extrema. Muere un año después.

BÖCKLIN, ARNOLD

(Basilea, 1827-San Domenico di Fiesole, 1901)

Pintor suizo, pionero del simbolismo y uno de los artistas más criticados y admirados, a la vez, por el carácter imaginario y fabuloso de sus cuadros. Se forma en la Aca-

La isla de los muertos.
ARNOLD BÖCKLIN.

demia de Düsseldorf con el pintor Schirmer y, más tarde, en Ginebra y París. Viaja por Bélgica y Holanda, y reside varios años en Zurich. En 1850 va por primera vez a Italia, donde queda impresionado por los paisajes y los monumentos de la Antigüedad romana, elementos que incorpora a su obra. Hacia 1857 marcha a Munich, donde obtiene sus primeros éxitos, sobre todo después de que Luis I de Baviera le compre una de sus composiciones. Tras ejercer de profesor de pintura en Weimar, se traslada definitivamente a Italia, estableciéndose primero en Roma y luego en Florencia, donde reside hasta su muerte. De esta época son sus cuadros *El centauro y la ninfa* y *Los Campos Elíseos*, reveladores de su in-

terés por la mitología y los temas alegóricos de tono patético. La muerte es uno de sus símbolos más recurrentes, como demuestran las cinco versiones que, desde 1880, hizo de *La isla de los muertos*, una sombría invención enmarcada en un paisaje marítimo de compleja riqueza onírica. La inquietante atmósfera que le caracteriza también destaca en *Las ruinas a orillas del mar* (1880), *Vita somnium breve* (1888) y *A merced de las olas* (1883), cuadros que revelan, pese a su estilo académico y meticuloso, su gusto por una paleta muy rica en colorido y que en ocasiones resulta estridente. Obras como *La guerra* (1896) y *La Peste* (1898) son visiones apocalípticas que corresponden al último periodo de su vida.

B

Madame Vincent.
LOUIS-LEOPOLD BOILLY.

BOILLY, LOUIS-LEOPOLD

(La Bassée, 1761-París, 1845)

Pintor y litógrafo francés. Cultivó
las escenas de género, las galantes,
al gusto de la época, y el retrato,
con los de Robespierre y Marat.
Pinta primero en Arras y en 1784
se traslada a París, donde refleja la
vida social y cotidiana parisina, sin
eludir los aspectos más oscuros y
degradados de la misma, durante
las épocas de la Revolución y del
Imperio, como *Desengaños amorosos*
(h. 1789) o *Concierto improvisado.*
Son cuadros que consiguieron un
gran éxito, caracterizados por el
gran virtuosismo formal, claramente clasicista, pero en los que retrata con objetividad y minuciosidad, fruto de su atenta observación,
los ambientes ociosos, alegres y re-
lajados. También consiguió gran
popularidad con sus estampas coloreadas y sus dibujos humorísticos,
muchos de ellos caricaturas. Entre

Madame Lanthelme.
GIOVANNI BOLDINI.

sus numerosas obras, popularizadas por las litografías y grabados, destacan *Premio de la Armonía* (1790), *El triunfo de Marat* (1796), *Taller de un joven artista* (1800), *La llegada de las diligencias* (1803), *Las galerías del Palais Royal* (1804), *La marcha de los reclutas* (1808), *La entrada gratuita al ambigú* (1819) y *Distribución de víveres en los Campos Elíseos*.

BOLDINI, GIOVANNI

(Ferrara, 1842-París, 1931)

Pintor italiano. Se forma en la Escuela de Bellas Artes de Florencia con el grupo de los **Macchiaioli**, demostrando un talento precoz y brillante. Aunque compone algunos temas mundanos, se especializa en retratos y llega a ser el retratista de moda en Londres, ciudad en la que reside hasta 1872, año en que se traslada a París, donde continúa con gran éxito retratando a mujeres elegantes, artistas e intelectuales. Traba amistad con numerosos pintores impresionistas, pero se mantiene al margen de cualquier influencia. Sus retratos presentan un gran dinamismo de líneas y afinada composición, alcanzando extraordinaria sugestión. Destacan, entre otros, los de Giuseppe Verdi, **Adolf von Menzel** y **James A. M. Whistler**.

BONHEUR, ROSA

(Burdeos, 1822-By, 1899)

Pintora y escultora francesa, inició su formación de la mano paterna, del pintor Raymond Bonheur. Alcanzó el favor del público gracias a la acogida que su obra tuvo a partir

de sus exposiciones en el Salón de París desde 1841. Su temática preferida fue la representación de animales, aunque también se inclinó hacia la representación de la vida rural, en la que se percibe la influencia de **Constant Troyon**. De su obra hay que destacar de modo especial *Mercado de caballos* (1853), que le dio fama incluso fuera de su país y que fue ampliamente reproducida en grabados, acercándola por tanto al gran público. Debido a su popularidad, se le impuso la Gran Cruz de la Legión de Honor, distinción, hasta ese momento, reservada en exclusiva a los varones. Parte de su obra se encuentra en un pequeño museo que lleva su nombre en Fontainebleau.

BONINGTON, RICHARD P.

(Arnold, 1801-Londres, 1828)

Pintor inglés de paisajes, su obra supone un punto de conexión entre

La marquesa Casati.
GIOVANNI BOLDINI.

el paisaje inglés y el francés y un anuncio claro del naturalismo. Hijo de un profesor de dibujo, su familia se establece en 1817 en la localidad francesa de Calais. Allí se dedica a la práctica de lo que será su gran habilidad, la acuarela. En 1818 marcha a París y conoce a **Eugène Delacroix**, con quien forja una amistad que durará toda la vida. Estudia las obras maestras del Museo del Louvre y copia en acuarela los paisajes de la escuela holandesa y flamenca. Durante los años de 1821-1822 trabaja con **Gros** en la Escuela de Bellas Artes y dos años después expone en el Salón de París ganando su primera medalla. Junto a **John Constable**, es el artista inglés que más reconocimiento e interés despierta aquel año en los círculos artísticos y su importancia radica en haber llevado los paisajes en acuarela al arte francés. En 1824 realiza una serie

29

La laguna de Venecia.
RICHARD PARKES BONINGTON.

de litografías para un álbum sobre Normandía, *Viajes pintorescos y románticos por la Antigua Francia* (colección que se publica desde 1820 a 1878). Impulsado por esta empresa, se anima a llevar a cabo varios viajes, uno a Inglaterra y Escocia en 1825 con su amigo Delacroix y otro al norte de Francia para realizar paisajes tomados de las costas y puertos de Normandía. De este peregrinaje surgen algunas de sus obras más famosas, como *Frente a la costa inglesa* (1825) y *Escena en una playa de Normandía* (1826), acuarela y óleo, respectivamente, que reflejan su interés por los efectos atmosféricos de luz y color. El cielo es, pues, un protagonista

esencial en sus paisajes, ocupando gran parte de sus composiciones. Le interesa ante todo el color, siempre brillante y luminoso y con cierto énfasis en el claroscuro, un cromatismo de pincelada fluida y delicada que procede evidentemente de la técnica de la acuarela. Ejemplo de ello es *El parque de Versalles*, cuadro que como todos los que realiza surge de una pintura al natural. En 1826 se dirige a Italia, donde conoce las grandes obras de los maestros venecianos y, especialmente, la de Canaletto y los pintores de *vedute*, cuya técnica y colorido le impresionan. *La columna de San Marcos de Venecia* (h. 1826-1828), entre las numerosas vistas que hizo de la ciudad, se aleja del tradicional esquema barroco de *vedute* y recoge no una panorámica, sino puntos par-

ciales. Su vida es muy corta, ya que muere a los 27 años víctima de tuberculosis. Aunque hizo algún cuadro de temática histórica (*Enrique IV y el embajador de España*, 1827) influido por Delacroix, Bonnington pasa a la historia de la pintura por su concepción y técnica naturalista del paisaje, influyendo decisivamente en algunos pintores de la **Escuela de Barbizón** y en posteriores figuras del **impresionismo**.

BONNARD, PIERRE

(Fontenay-aux-Roses, 1867-Le Cannet, 1947)

Pintor francés, forma parte del grupo de pintores intimistas conocidos como los **Nabis**, junto con P. Seru-

Desnudo con lámpara.
PIERRE BONNARD.

B

sier, **Denis**, E. Vuillard y el escultor A. Maillol. Después de estudiar durante algunos años la carrera de Derecho, asiste a la Escuela de Bellas Artes de París y a la Academia Julien, y expone sus primeros cua-

dros en 1891. En ellos se advierte la síntesis de influencias de los impresionistas y de la obra de **Paul Gauguin** y **Henri Toulouse-Lautrec**. Conoce a Denis y forma el grupo de los Nabis que, en hebreo, quiere decir «profetas», y cuya estética valora ante todo la línea con una temática a caballo entre el **impre-

sionismo** y el simbolismo. Sus cuadros son pinturas intimistas con temas fácilmente reconocibles y agradables (interiores domésticos, desnudos, bodegones y algún paisaje), con colores planos pero en composiciones de gran sentido espacial. Desde la década de 1890 también ejerce como decorador teatral e ilustrador de libros. También diseña carteles, como el que realiza en 1894 para la *Revue Blanche*, revista en la que colaboraron muy a menudo los Nabis. A partir de 1900 se dedica de lleno a la pintura, siendo uno de los grandes renovadores del color. Entre sus obras destacan *Mujer con las piernas cruzadas* (1919), *Desnudo en un cuarto de baño* (1930) y *El desayuno* (1930).

BONNAT, Léon

(Bayona, 1833-Monchy-Saint-Éloi, 1922)

Pintor francés de estilo academicista y dentro del **realismo**. Inicialmente se dedico al tema reli-

gioso, en el que realizó composiciones como *San Nicolás del Campo, Cristo en la cruz* y *Martirio de San Dionisio*, para más tarde, hacia 1870, practicar el retrato naturalista de sociedad, entre cuyos modelos se encuentran gentes que sobresalen en el campo de la cultura, de la ciencia y de la vida social, como Pasteur, Puvis de Chavannes, Victor Hugo, etc. Su estilo está claramente dentro del realismo academicista, pero fuertemente influido por el tenebrismo de la escuela española del siglo XVII, país al que viajó y que le dio la oportunidad de estudiar a los grandes maestros de la pintura española, y de modo especial a Ribera, resultando de ello cuadros sombríos con marcados claroscuros, tanto en la

Autorretrato.
LÉON BONNAT.

El desayuno.
PIERRE BONNARD.

pintura religiosa como en el retrato, género este último en el que su apurada técnica produce un realismo casi fotográfico. También practicó la pintura histórica y mitológica. Todo ello le llevó amasar una gran cantidad de dinero, que dedicó a la creación de una colección de obras de arte que más tarde legaría a la ciudad de Bayona. En su estudio se formaron autores tan conocidos e importantes como **Toulouse-Lautrec**, Jean Beraud y otros.

BORDALO PINHEIRO, COLUMBANO

(Cacilhas, 1857-1929)

Pintor portugués perteneciente al **realismo**, aunque inicialmente muestra las influencias de su padre, también pintor, sobre todo en los pequeños cuadros de escenas de género, que realiza antes de situarse en la línea realista, como muestra en su obra dedicada a reflejar la sociedad de su época y en la que destaca el tratamiento caricaturesco que de ella hace (*El baile* o *El sarao*, ambas de 1880), sobre todo en sus retratos. En 1881 realiza un viaje a París, a donde acude para formarse con **Carolus-Duran**, y puede contemplar a los maestros que tienen su obra expuesta en los museos de la ciudad, y a su vuelta trae los nuevos modos de pintar, por lo que se le considera, junto con José Malhoa, el introductor en la pintura portuguesa del estilo naturalista. La cervecería lisboeta El León se convierte en el lugar de cita de artistas preocupados por los diferentes as-

Madame Pasca.
LEÓN BONNAT.

B

Playa-51.
Eugène Boudin

pectos que conforman la nueva corriente pictórica del realismo, de la que nace el "Grupo de El León", en recuerdo del mencionado local, cuyas figuras fundamentales son Bordalo y Malhoa. Realiza el excelente retrato colectivo del mencionado grupo, datado en 1885, donde cada artista se halla psicológicamente caracterizado, y que representa un ejemplo claro de la nueva tendencia pictórica, el naturalismo. En su obra, en la que emplea una pasta espesa y tonos sordos, que le sirven para expresarse con dureza en sus, a veces, agresivos retratos, se

percibe la influencia de los pintores españoles y holandeses del siglo XVII, especialmente en su pintura de género y religiosa *(Cristo crucificado)*, así como en sus bodegones. Su importancia se ve reflejada en la medalla de oro que recibió con motivo de la Exposición Universal celebrada en París en 1900. Otras obras destacadas son *Ramalho Ortigao* (1880), *A Luva Cinzenta* (1881), *Invitación al vals, Soirée chez Lui* (1882) y *Antero de Quental* (1889). También realizó decorados, como el que hizo sobre las paredes y techos en el Teatro María II en 1894.

BOSBOOM, Johannes

(La Haya, 1817-1891)

Pintor holandés especializado en la realización de frescos y destacado paisajista. Comienza a formarse en el taller del pintor Johannes van Hove, donde entra como aprendiz, y su trayectoria artística está marcada por una profunda religiosidad, inspiradora de sus obras maestras. En 1836 recibe una medalla de oro por una de sus vistas rurales. Durante estos primeros años viaja por Alemania y Francia, registrando todo tipo de paisajes y estilos arquitectónicos en dibujos y estudios que le sirven como bocetos para sus pinturas. Desde 1851 residió en La Haya y

ridad. Se dedicó especialmente a la pintura histórica, en la que ensalza la figura de Napoleón, aunque también pinta pequeños cuadritos de tema mitológico *(La danza de Amoroni)* y retratos, que será lo más interesante de su obra *(Autorretrato)*. En Milán participó en la

mienza con una modesta galería exponiendo los paisajes de otros pintores de su localidad y de la región normanda. A los 24 años conoce a **Millet**, quien despierta su vocación y le anima a pintar al aire libre. Los primeros paisajes los envía a una institución de su localidad natal, cuyo

se dedicó fundamentalmente a la pintura mural.

creación de las escuelas de Anatomía y Cerámica.

La emperatriz Eugenia.
EUGÈNE BOUDIN

BOSSI, GIUSEPPE

(Busto Arsicio, 1777-Milán, 1815)

Pintor, poeta, tratadista de arte y grabador italiano. Se formó en Roma con Antonio Canova; en la Academia de Milán con Knoller, Travessi y **Appiani**, y después en París. Perteneciente a la corriente neoclásica, su obra, bajo la influencia de **David**, consiguió la popula-

BOUDIN, EUGÈNE

(Honfleur, 1824-Deauville, 1898)

Pintor francés, su obra paisajística se puede considerar como un eslabón entre la **Escuela de Barbizón** y la pintura de los impresionistas, siendo un claro precursor de este grupo. Hijo de un piloto naval que cubría la navegación entre Honfleur y Le Havre, su relación con la pintura co-

Ayuntamiento le concede una ayuda económica para ir a estudiar a París. En esta ciudad permanece tres años y concentra su obra en captar el estuario del Sena, especializándose también en marinas y escenas portuarias. Sus medios predilectos son el pastel y la acuarela, aunque también utiliza el óleo. En sus obras destaca la sutileza que consigue en la representación de la luz y los cielos, verdaderos protagonistas de sus cuadros. En Honfleur forma un grupo de artistas, entre los que se incluyen **Johan Barthold Jongkind** y **Claude Monet**, un pintor sumamente influido por su técnica y composiciones. Recibe alabanzas del crítico y escritor Charles Baudelaire y participa en la primera exposición de los impresionistas (1874). *El puerto de Burdeos, Playa cerca de Trouville* y *Rocas en Trouville* son ejemplos bien ilustrativos de su producción.

El nacimiento de Venus.
WILLIAM BOUGUEREAU.

BOUGUEREAU, WILLIAM

(La Rochelle, 1825-1905)

Pintor francés perteneciente al **realismo** burgués. Formado en la Escuela de Bellas Artes de París, fue alumno de Picot y es uno de los más notables representantes del academicismo, estilo arraigado en Francia, por lo que su obra recibió numerosos galardones, siendo nombrado miembro de la Academia en 1876. Se dedicó preferentemente a

agradables composiciones de gran formato, de tema mitológico-alegórico, frecuentadas por desnudos femeninos, como se muestra en *La Juventud, El Amor* o *El Nacimiento de Venus*, en un estilo casi hiperrealista, totalmente alejado de cualquier corriente moderna. Entre el elevado número de obras que realizó, debido a su destreza magistral con el pincel, se encuentran también su notable *Autorretrato* y las pinturas murales, como las de la capilla de San Agustín de París (1866) o las del Gran Teatro de Burdeos. Tuvo muchos discípulos, como Perrault y Pellicer. Otras obras dignas de reseñar son *Virgen consoladora* (1877), *El emperador visitando a los inundados de Tarascón, Regreso de Tobías, Las Oréadas* y *Regina Angelorum*.

BRAEKELEER, HENRI DE

(Amberes, 1840-1888)

Pintor belga, vivamente influido por la escuela holandesa del siglo XVII, dentro de un estilo realista muy personal. Hijo de Ferdinand de Braekeleer –pintor de retratos y temas históricos–, se forma con él y con su tío **Henri Leys** desde muy temprana edad. Un viaje a Holanda y Alemania le pone en contacto con las obras maestras de los primitivos alemanes, flamencos y los pintores holandeses del siglo XVII. Expone por primera vez en su ciudad natal, en 1861, mostrando obras como *La lavandera*, composición que refleja un **realismo** meticuloso en una atmósfera intimista. Otros ejemplos son *Lección de catecismo* (1872) y *El*

La madre.
GEORGE-HENDRIK BREITNER.

maestro de escuela. Galardonado en exposiciones internacionales, en los últimos años de su vida recibe la influencia de **Manet** y de los impresionistas. Muere a los 48 años, internado en un psiquiátrico.

BREITNER, GEORGE-HENDRIK

(Rotterdam, 1857-Amsterdam, 1923)

Pintor holandés, cuya obra se inscribe dentro de la pintura realista que evoluciona hacia el **impresionismo**. Tras estudiar en la Academia de La Haya y, más tarde, en la de Delft, conoce la obra de **Maris**. Marcha a París en la década de 1880. En cuanto conoce la obra de **Manet** le admira incondicionalmente; no obstante, se dedica a pintar vistas urbanas conformando una personalidad singular. Su estilo recoge aspectos característicos de la pintura de la escuela holandesa del siglo XVII, especialmente de Hals y Rembrandt. Gran parte de sus cuadros son vistas urbanas de Amsterdam, como *Canal de Amsterdam*, y temas de cierto contenido social, como *La salida de los trabajadores*.

BRETT, JOHN

(Bletchingley, 1830-Putney, 1902)

Pintor inglés, es uno de los primeros y más notables seguidores del **prerrafaelismo**. Sus primeras

Artillería montada.
GEORGE-HENDRIK BREITNER.

obras también se vieron influido por **John Ruskin**, siendo algunas de ellas de alta calidad y ejecutadas en un estilo realista de gran virtuosismo y minuciosidad en los detalles, pero impregnadas de poesía, que desapareció en sus obras posteriores, también de un **realismo** minucioso, pero algo prosaicas. Desde 1870 elige como tema preferido para sus paisajes las costas del sur de Inglaterra, produciendo cuadros de gran luminosidad y ágil factura. Participó en la exposición de 1856 de los prerrafaelistas. En su producción destacan *El picapedrero* (1857-1858), tema tratado también por **Abbati** y **Courbet**, de

El valle de Aosta.
JOHN BRETT.

un realismo tan marcado que es hiperrealista; *Valle de Aosta* y *Reino de Gran Bretaña* (1880).

BRIULLOV, KARL PAVLOVICH

(San Petersburgo, 1799-Roma, 1852)

Pintor ruso perteneciente al **neoclasicismo** romántico. Es uno de los pintores más destacado de su país y a lo largo de su vida fue elegido miembro de diversas acade-

El último día de Pompeya.
KARL P. BRIULLOV.

Retrato del escritor N. V. Kukolnik.
KARL P. BRIULLOV.

Autorretrato.
KARL P. BRIULLOV.

mias como premio a la valía de su obra. Realizó su aprendizaje en la Academia de San Petersburgo, con **Andrei Ivanov** y **Alexei Egorov**, y continúa su formación, gracias a una beca, en Roma y Nápoles, donde realiza su obra más importante en el género de historia, *Último día de Pompeya* (1830-1833), cuadro plenamente romántico, y uno de las más representativas del **romanticismo**, tanto por su tema, la naturaleza desatada y el hombre a su merced, sujeto al destino, como por su composición, que refleja el instante mismo del derrumbamiento, de la tragedia, que le da ese típico sentimiento dramático y violento de las escenas románticas; igualmente, la iluminación de esta tela es muy efectista y teatral, indiscutiblemente romántica. También realizó pinturas murales, como las de la catedral de San Isaac, así como de género y notables retratos de aristócratas e intelectuales, de gran elegancia, como *La Condesa Samoila*, *La caballista* y *La Princesa Saltikova* y otros más intimistas, en los

La caballista.
KARL P. BRIULLOV.

Mediodía.
KARL P. BRIULLOV.

que la soledad y el aire ensoñador son los protagonistas, como el de *A. N. Strugovchikov* (1840) y su *Autorretrato* (1848). También fue excelente acuarelista, como su hermano Alexander Briullov.

BRODOWSKI, Antoni

(Varsovia, 1784-1832)

Pintor polaco. Estudió en París desde 1809, bajo la tutela de **François Gerard**, y de regreso a su

Los preciosos corderitos.
FORD MADOX BROWN.

país introdujo en su ciudad el clasicismo que él había aprendido en Francia, y fue nombrado profesor. Se dedicó a los retratos y al cuadro de historia. En 1819 realiza una exposición de su obra, con la que se da a conocer, siendo considerado como el más importante del momento en su país.

BROWN, Ford Madox

(Calais, 1821-Londres, 1893)

Eminente pintor inglés de la segunda mitad del siglo XIX; aunque nunca se integra plenamente, está ligado al grupo de los prerrafaelistas. Nace en Francia, en la localidad de Calais, y con 14 años su padre le lleva a estudiar arte en la Academia de Brujas (Bélgica). Posteriormente completa su formación artística en la Academia de Amberes. En 1840 se establece en París, donde estudia dibujo y copia a los maestros antiguos del Museo del Louvre. En 1845 viaja a Roma y de camino se detiene en Basilea (Suiza), donde descubre al pintor Hans Holbein, cuyo colorido brillante influye en su obra. En la capital italiana entra en contacto con el grupo de los **Nazarenos** alemanes, en especial con **Johann Friedrich Overbeck** y **Peter von Cornelius**, cuyos ideales espirituales sobre el arte inciden en el pensamiento estético de Brown. Un año después, en 1846, marcha a Inglaterra estableciéndose en Londres. Allí realiza dos de sus obras

Romeo y Julieta.
FORD MADOX BROWN.

Heydée descubre el cuerpo de Don Juan.
FORD MADOX BROWN.

más importantes: *El trabajo* (1852-1865), una ácida y crítica alusión a la sociedad victoriana de la época, y *La última mirada a Inglaterra* (1852-1856), una llamada de atención al desempleo y a la emigración masiva que se produce en la Inglaterra de la segunda mitad del siglo XIX. Su denuncia pictórica a las fuertes injusticias sociales y su postura antiacadémica le granjean una mala reputación y el poco aprecio y escaso reconocimiento entre sus contemporáneos. Nunca llega a mostrar sus obras en la Academia londinense. No obstante, se relaciona estrechamente con el grupo de los prerrafaelistas, especialmente con **Hunt**, **Burne-Jones** y **Rossetti**. Este último le influye a principios de la década de 1860 hasta el punto de dar un giro en su estilo y temática, dedicándose con preferencia a los temas románticos, históricos, medievales y sentimentales extraídos de la literatura más en boga del momento, como la de Walter Scott o la de lord Byron.

Alterna su pintura con ilustraciones para libros y diseños para muebles y vidrieras. En 1881 recibe el encargo de producir doce grandes frescos para el Ayuntamiento de Manchester, obra que finaliza en 1887 y que representa hechos históricos de la ciudad. Entre sus trabajos hay que destacar *Chaucer en la corte de Eduardo III* (1845-1851) y *Tarde de otoño inglesa* (1852-1854).

43

BRUNI, FEDOR A.

(Milán, 1799-San Petersburgo, 1875)

Pintor ruso de origen italiano. Se forma en la Academia de San Petersburgo, ciudad a la que viaja con su familia y en la que recibe la influencia de **Egorov** e **Ivanov**. En 1818 marcha a estudiar a Italia, donde permanecerá durante largo tiempo. En su obra prefiere la temática histórica de asuntos bíblicos y mitológicos con una clara inclinación romántica, llena de misterio y misticismo, representando la acción como imprevisible y llena de impulsividad, y alejándose del sentido neoclásico en el que predomina el equilibrio compositivo y la acción comprensible a todos, como se aprecia en *La muerte de Camila, hermana de Horacio* (1824) y *La serpiente de bronce* (1841). También decoró las catedrales de San Petersburgo y Moscú.

La muerte de Camila, hermana de Horacio (detalle).
FEDOR A. BRUNI.

B

BURNE-JONES, EDWARD COLEY

(Birmingham, 1833-Londres, 1898)

Pintor inglés prerrafaelista, cuya obra está inspirada en temas mitológico-alegóricos y leyendas históricas. Hijo de un dorador tallista, comienza a estudiar teología gracias a una beca de la Universidad de Oxford. Allí conoce a **William Morris**, amistad que dura toda su vida y cuyas ideas le entusiasman y le encaminan hacia el arte, abandonando sus estudios universitarios. En 1855 entra en el taller de su admirado artista **Dante Gabriel Rossetti**, con quien funda la Hermandad Prerrafaelista junto a Morris y **Hunt**. De esta asociación nace la amplia y variada obra de Burne-Jones, una producción que investiga las posibilidades de la artesanía, actividad que conocía muy bien por la labor de su padre y que dominará ampliamente en bocetos, dibujos, ilustraciones y, sobre todo, diseños para decoraciones interiores, alfombras, tapices, papel pintado, azulejos y muebles. Destaca su labor de vidriero, y ya en 1857 realiza una serie de vidrieras sobre temas clásicos para el Colegio de San Andrés en Bradfield. La alta calidad de su trabajo provoca un nuevo encargo de vitrales que realiza junto a William Morris. En 1859 viaja a Italia y reside una temporada en Milán y Venecia con el pintor inglés **John Ruskin**, su devoto amigo, estudiando a los pintores renacentistas por los que sentían veneración. La influencia del arte italiano se pone de manifiesto en sus obras pictóricas, como en *El espejo de Venus* o *La escalera de oro*. Su interés por los temas mitológicos se puede observar en el ciclo sobre el mito de Perseo que realiza al temple y que le encarga en 1875 un primer ministro británico. *El rey Cophetua y la hija del mendigo*, de 1884, es una de sus obras maestras. Inspirada en una balada de un autor coetáneo, Tennyson, está enmarcada en un interior medieval que gustaba mucho en aquel momento. El cuadro es llevado a la Exposición de París de 1889, donde obtiene un gran éxito y le consagra en los círculos oficiales. En 1890 es elegido miembro de la Royal Academy y cuatro años después recibe el título de barón. Para algunos historiadores, su actividad artesana es precursora del modernismo y sus ciclos pictóricos son la plasmación plástica de los dramas musicales de Richard Wagner.

Atlas transformado en piedra.
EDWARD COLEY BURNE-JONES.

CABANEL, ALEXANDRE

(Montpellier, 1823-París, 1899)

Pintor francés. Estudió en la escuela de Bellas Artes de París y es el más representativo de los pintores académicos franceses del momento adscritos a la corriente «pompier», junto con **Bouguereau**, con el que además dirigió los Salones anuales, excluyendo de ellos a los autores impresionistas. Fue el pintor predilecto de Napoleón III y su fama le llevó a ser miembro de la mayoría de las academias. Cultivó el retrato ateniéndose a los principios del academicismo, tan del gusto de la sociedad parisina, y retratando especialmente a mujeres, como *La condesa Keller* (1889). Pero también fue tema importante en su obra la alegoría, como en *Alegoría de los cinco sentidos* (1858) y *Alegoría de las horas* (1864), así como la pintura histórica (*Fedra,* 1880). Su estilo se caracteriza por su perfección técnica, su dibujo cuidado y acabado, así como por su colorido, a veces brillante, y por el sentimentalismo y ternura que traslucen sus pinturas. De su obra la más conocida es *El nacimiento de Venus* (1863), que recuerda a **Ingres** en su perfeccionismo y cuidado dibujo, y muestra sus buenas cualidades para reflejar el desnudo femenino de modo sugerente y seductor; fue muy celebrada en el Salón del mismo año y adquirida por Napoleón.

CAILLEBOTTE, GUSTAVE

(París, 1848-Gennevilliers, 1894)

Pintor francés, iniciado en el **realismo.** Su obra adopta progresivamente la temática impresionista, siendo además uno de los más importantes coleccionistas de cuadros de este movimiento. Después de la guerra franco-prusiana abandona la carrera de Derecho, que estudia por imposición de sus padres, para dedicarse a la pintura. Se inicia en el taller del pintor academicista **Léon Bonnat**, donde consigue una técnica virtuosa, de gran colorido, pero próxima a la pintura realista de **Corot**. Al ser rechazados sus cuadros en el Salón de 1875 decide exponer con los impresionistas en 1876. Interesado por la obra de estos pintores, se convierte en uno de sus grandes mecenas, comprando y

Los naranjos.
GUSTAVE CAILLEBOTTE.

El nacimiento de Venus.
ALEXANDRE CABANEL.

C

6

Los cepilladores de parqué.
GUSTAVE CAILLEBOTTE.

coleccionando numerosos cuadros hasta reunir una importante colección que lega al Estado francés en 1883. En su producción destacan paisajes, marinas y regatas, pero sobre todo las escenas de la realidad urbana de París, como *El puente de Europa* (1877), *Calle de París, tiempo lluvioso* (1877) y *En el café* (1880).

CALLCOTT, SIR AUGUST WALL

(Kensington, 1779-1884)

Pintor inglés. Tras realizar estudios de música se decide a dedicarse a la

Autorretrato.
GUSTAVE CAILLEBOTTE.

pintura, para lo cual toma lecciones de John Hoppner. Pronto se revela como un gran paisajista, cuyas obras, que reproducen espacios naturales de Holanda, España y Bélgica, adquieren gran notoriedad, convirtiéndose en el más conocido de los paisajistas del momento en su país. Su estilo va perdiendo progresivamente la espontaneidad y frescura de las primeras obras para acomodarse finalmente en una forma de hacer italianizante, que recuerda levemente a **Turner**. A veces se le ha llamado el «Claudio inglés», debido a que su factura recuerda a la de Claudio de Lorena y a **Richard Parker Bonington**. En 1806 es nombrado miembro de la Real

Academia de Londres y, debido a su fama, en 1837 se le concede el título de nobleza y en 1844 sucede a Segnier en el cargo de conservador de las colecciones reales. Entre sus obras hay que citar *Rafael y la Fornarina* (1837).

CAMUCCINI, VICENZO

(Roma, 1771-1844)

Pintor italiano, máximo representante oficial del **neoclasicismo** romano, dentro del espíritu de Mengs, que se capta sobre todo en

49

sus retratos. Estudió pintura, en principio, con Domenico Corvi y con Pompeio Batoni y, posteriormente, con **David**. Sus retratos son su especialidad (*Retrato de Pío VII*), junto con la pintura histórica (*Arquelao encomendando a Paris la custodia de Hécuba*, 1790). El colorido de sus cuadros es algo pobre y éstos pecan de frialdad, quizá debido a su excesivo acabado, lo que hace que pierda frescura, siendo, sin embargo lo mejor de su creación artística su potente dibujo, con marcados contrastes en el sombreado. En 1797 pinta su cuadro *La muerte del César,* que tuvo una muy buena acogida por parte de la crítica y que le ayudaría a conseguir los cargos de inspector general de los museos del Papa y de director de la Academia Napolitana de Roma.

CARNOVALI, GIOVANNI

(Montegrino, 1804-Cremona, 1873)

Pintor italiano, llamado también Il Piccio (El Pequeño), apodo que recibe siendo niño de su protector, el conde Spini. Su obra puede enmarcarse dentro del primer clasicismo romántico italiano. Demuestra desde joven grandes cualidades para la pintura, con un estilo y una técnica abocetada muy innovadora que aplica a sus pequeños cuadros de temas bíblicos y mitológicos. Algunas de sus obras, sobre todo los desnudos, como *La bañista* o *Jovencitas bañándose* (1868), revelan un *sfumato* y una transparencia de gran luminosidad. Algunos de sus paisajes recogen parajes tratados con un sentimiento romántico con man-

La dama del guante.
CHARLE-ÉMILE-AUGUSTE
CAROLUS-DURAND.

chas y densas pinceladas. Sin embargo, en su obra se han visto reminiscencias de la pintura barroca de la escuela boloñesa del siglo XVII y de los venecianos del XVIII. Sus retratos están considerados como lo mejor de su producción, entre ellos *Gina Caccia* y *Benedetta Carminati.*

Un bañista.
GIOVANNI CARNOVALI.

CAROLUS-DURAND, CHARLES-ÉMILE-AUGUSTE

(Lille, 1837-París, 1917)

Pintor francés. Estudió en París en la Academia Suiza y con el fin de seguir formándose viajó a España, donde tuvo la oportunidad de contemplar las obras de los grandes maestros españoles y en especial las de Velázquez; así mismo, se desplazó a Italia, a Venecia y Roma, ciudad esta última en la que en 1905 desempeña el cargo de director de Escuela Francesa. Como retratista, género al que se dedicó desde 1869 y en el que muestra una gran destreza y elegancia, alcanza una gran notoriedad, y en sus cuadros se aprecia de modo muy claro la influencia que recibió de la escuela española del siglo XVII y en particular de Velázquez, con figuras que se recortan y destacan sobre fondos neutros, como en el cuadro *La dama del guante* (1869), que, junto con otros retratos de mujeres, fueron los primeros que la proporcionaron fama. Pintor académico, fue uno de los principales representantes del estilo realista casi dentro del arte «pompier» y muy influido por **Courbet**, sobre todo en sus primeras obras, con una técnica muy meticulosa, donde el realismo se lleva al extremo. Otras obras suyas son *El asesinado* (1866) y *Gloria de María de Médicis* (1878).

CARRIÈRE, EUGÈNE

(Gournay, 1849-París, 1906)

Pintor y grabador francés, representa una pintura amable y dulce de retratos y escenas familiares de gran sensibilidad, envueltos en un am-

Mujer apoyada sobre una mesa.
EUGÈNE CARRIÈRE.

biente etéreo y de penumbra muy característico de su estilo. Inicia su formación artística en la Escuela de Bellas Artes de París. Durante una travesía por Londres conoce la obra de **Turner**. Cae prisionero en la guerra franco-prusiana de 1870 y es llevado a Alemania, donde se dedi-

ca a estudiar la obra de Rubens, de quien recoge la exaltación del color. Entre sus obras destacan *Maternidad* (1879) y *La familia*, uno de sus cuadros que mejor reflejan su estilo desvanecido y visionario de figuras en penumbra. Pinta a algunos de los personajes más interesantes del ambiente intelectual parisiense del momento, como Verlaine y **Gauguin**. Además, interviene como decorador de la Universidad de la Sorbona y del Ayuntamiento de París.

CASADO DEL ALISAL, José

(Villada, Palencia, 1832-Madrid, 1886)

Formado en la Academia de Bellas Artes de San Fernando y discípulo de **Federico de Madrazo**, es uno de los más destacados especialistas en la pintura de historia del siglo XIX español. En 1855 la concesión

de un subsidio le permite proseguir sus estudios en Roma, formación que completa en París, a partir de 1861, cuando se le prorroga la ayuda económica. Pertenece, pues, a la primera generación de pintores españoles formados en París. Para estas fechas, Casado del Alisal obtiene diversas medallas en las exposiciones nacionales: en 1860, por su cuadro *Los últimos momentos de Fernando IV el Emplazado* y, en 1864, por *La rendición de Bailén*, su obra más conocida, inspirada en *Las lanzas* de Velázquez, y la más representativa de su técnica fría y calculada que intenta conciliar el academicismo y los ideales románticos. Conocedor del éxito comercial de **Meissonier**, cultiva también la temática de género y el retrato, especialmente el de la alta sociedad (Isabel II, Alfonso XII,

La rendición de Bailén.
JOSÉ CASADO DEL ALISAL.

C

Espartero, Castelar o el conocido *Retrato de una dama francesa*). Su participación en diversas exposiciones europeas le granjea algunos premios, como la medalla de honor de Munich en 1883 por *El rey monje*. Al reconocimiento internacional y a las elogiosas críticas que recibe, hay que añadir su creciente prestigio en los círculos oficiales madrileños. Ocupa el cargo de profesor de la Academia de San Fernando de Madrid; desde 1873 a 1881 detenta el cargo de director de la Academia Española en Roma y, en 1885, es nombrado miembro académico de San Fernando. Otras importantes pinturas de tema histórico son *La campana de Huesca* y *El juramento de las cortes de Cádiz*.

CASAS I CARBÓ, RAMÓN

(Barcelona, 1866-1932)

Ilustrador, cartelista y gran dibujante, es uno de los pintores más representativos del **modernismo** catalán. Su formación artística se inicia a partir de 1877, cuando, con 11 años, ingresa en la Escuela de Bellas Artes

Al aire libre.
RAMÓN CASAS I CARBÓ.

primera vez en el Salón de París por su *Autorretrato vestido de torero*. Regresa a España en 1884 y se instala en Madrid con el fin de copiar a los grandes maestros del Museo del Prado. A partir de 1889 se da a conocer como un pintor innovador y de tendencias modernistas, pero su exposición en la Sala Parés de Barcelona no obtuvo los elogios de la crítica y fue tachada de trivial. Retorna a la capital de Francia en enero de 1890 y allí se reúne con **Santiago Rusiñol** y Maurice Utrillo, con quienes vive intensamente la bohemia de la época. La relación con los artistas franceses le empuja a emular la tendencia dominante: los cuadros de escenas urbanas como *Plain Air* o *Baile en el Moulin de la Galette*, escenas que también difundió a través de carteles, ilustraciones y dibujos con

de los desórdenes sociales que convulsionan la ciudad condal. Exponente de esta pintura social es también *La carga*, cuadro que obtiene la primera medalla de la Exposición Nacional de 1904. A partir de esta fecha hace frecuentes viajes a París y, esporádicamente, a Madrid, donde pinta el retrato ecuestre de Alfonso XIII. En el campo del retrato demuestra buenas aptitudes y novedoso estilo al apartarse de los convencionalismos tradicionales del género, tal y como refleja el *Retrato de Eric Satie*, cuadro que le sirve de vehículo para la difusión de su obra en Estados Unidos, país que visita desde 1908 requerido para pintar a personajes ilustres.

El té de las cinco.
MARY CASSAT.

6

de Lonja de Barcelona. A los 15 años se traslada a París, donde toma contacto con otros artistas catalanes sin llegar a integrarse en los círculos artísticos franceses. Sin embargo, asiste al taller de **Carolus-Durand** y dos años después es admitido por

trazo seguro y convincente. A partir de 1894 fija su residencia en Barcelona y forma parte de uno de los grupos bohemios más activos de la ciudad, el formado en torno a la cervecería Quatre Gats y cuyo nombre bautiza también la revista en la que Casas participa como dibujante publicitario. Una de sus obras más conocidas, *El garrote vil*, es producto

CASSAT, MARY

(Pittsburgh, 1845-Beaufresne, 1926)

Pintora norteamericana afincada en Francia. Amiga y compañera artística de **Berthe Morissot**, su producción es una aportación de gran importancia para la divulgación del **impresionismo** en Esta-

Madre lavando a su hijo.
MARY CASSAT.

dos Unidos, donde se encuentra la mayor parte de su producción. Incansable viajera, recorre toda Europa, incluida España, estudiando las obras de grandes maestros, como Rubens. Sin embargo, es el descubrimiento de la obra de **Corot** y, especialmente, de su cuadro *El entierro de Orlans*, obra incorporada entonces al Museo del Louvre, la causa de su despertar naturalista y afán «plainairista» (pintura al aire libre). Estudia con **Edgard Degás** y con **Edouard Manet**, magisterio que le encamina al impresionismo en 1877 y con cuyos artistas expone entre los años 1879 y 1886. Su obra presenta una gran delicadeza y abarca todas las técnicas, dominando con similar maestría la técnica del pastel como la del grabado y del óleo. Sus temas preferidos se dirigen a las maternidades, escenas familiares y niños. Entre sus cuadros destacan *Madre lavando a su hijo* (1880), *El té de las cinco* (1880) y *Muchacha peinándose* (1886).

Buffalo Bull.
GEORGE CATLIN.

CATLIN, George

(Wilkes-Barre, 1796-Jersey City, 1872)

Pintor estadounidense que se inicia como retratista, aunque su pericia se encuentra en los dibujos, las acuarelas y los diseños que realiza de la cultura indígena americana. Desde 1824 es miembro de la Academia de Bellas Artes de Filadelfia, ciudad en la que reside. En 1837 organiza una expedición a los estados del oeste para visitar las tribus autóctonas; allí vive casi diez años y realiza más de trescientos retratos y doscientas pinturas con un claro valor documental sobre la vida, los usos y las costumbres de los indios. Su obra es un claro testimonio de esta sociedad. Su

Muchacha arreglándose el pelo.
MARY CASSAT.

C

Bañistas.
PAUL CÉZANNE.

producción ha sido comparada con la del escritor Fenimare Cooper, aunque Catlin deja de lado fantasías literarias para ofrecer un testimonio verídico y excepcional para la historia etnográfica.

CLAVÉ I ROQUER, PELEGRÍN

(Barcelona, 1811-1880)

Pintor español. Formado en la Escuela de Bellas Artes de Barcelona, su obra es representativa de la tendencia nazarena que agrupa a una serie de pintores catalanes, de tintes espirituales y medievales, que se relacionan con los nazarenos alemanes afincados en Roma. A esta ciudad se traslada en 1834 con una beca de la Junta de Comercio bar-

celonesa y contacta con **Overbek**, líder del círculo nazareno. Se libera del rigor neoclásico al interesarse por los primitivos italianos y la obra de Rafael, como se refleja en *Parábola del Buen Samaritano y Sueño de Elías*. En 1845 viaja a México para reorganizar los estudios de pintura y asumir el cargo de director de la Academia de Bellas Artes de San Carlos. Su obra se diversifica entre los retratos de la clase dirigente mexicana, paisajes autóctonos y algún cuadro de tema histórico. En 1868, destituido de su cargo, vuelve a Barcelona, donde reside hasta su fallecimiento.

CÉZANNE, PAUL

(Aix-en-Provence, 1839-1906)

Pintor francés. Pertenece a la misma generación de los impresionis-

Mujer con cafetera.
PAUL CÉZANNE.

Cuatro estaciones.
PAUL CÉZANNE.

Martes de carnaval.
PAUL CÉZANNE.

tas, pero su obra presenta una preocupación diferente y una experimentación que la convierte en precursora inmediata de los «ismos» y
vanguardias del siglo XX, especialmente del cubismo. Hijo de un
acaudalado banquero de origen italiano, recibe una sólida formación
académica en el Colegio Bourbon
de su ciudad natal. Compañero de
estudios de Émile Zola, mantendrá con el célebre escritor una estrecha amistad hasta 1886, en que
rompen relaciones definitivamente.
Consigue convencer a su padre de
su vocación pictórica, abandonando
en 1860 los estudios de Derecho y
trasladándose a París para estudiar
en la Academia Suisse, de la que es
expulsado. No consigue ser acepta-
do en la Escuela de Bellas Artes y
regresa a Aix para asumir un puesto en el banco de su padre, trabajo
que abandona en 1862. Su vuelta a
París le proporciona buenas amis-
tadas con pintores impresionistas
como **Bazille**, **Renoir**, **Sisley** o
Monet, así como la oportunidad de
admirar a los maestros del Louvre.
A mediados de la década de 1860
sus cuadros ya reflejan su espiritualidad e intereses plásticos: más que
pintar esculpe el cuadro, utilizando la espátula y una abundante pasta pictórica. Su técnica no es com-
prendida y en 1866 es rechazado en
el salón parisiense, rechazo unáni-
me y sistemático —tras trece inten-
tos a lo largo de toda su carrera—
que le impide exponer y dar a
conocer su obra. La guerra franco-

Bodegón con frutas.
PAUL CÉZANNE.

En el parque de Château-Noir.
PAUL CÉZANNE.

6

C

Autorretrato.
PAUL CÉZANNE.

Jarrón azul.
PAUL CÉZANNE.

cidándose, es el detonante para romper tan entrañable amistad y dar un giro a su vida artística. Cézanne se recluye en una finca cercana a su ciudad natal para dedicarse a pintar. Los paisajes de los alrededores (*Montañas de Provenza,* 1886) y, sobre todo, *La Montaña de Saint-Victoire* (de la que realiza más de sesenta versiones) son sus temas predilectos, aunque también destacan sus famosos bodegones de botellas, frutos y cestas (*Bodegón,*

prusiana le empuja a instalarse en el *Midi* francés, primero cerca de Marsella y, entre 1873 y 1874, en Auvers. De esta época son dos cuadros inspirados en **Manet** (cuyo talento le impacta desde que pudo admirar sus cuadros en el Salón de los Rechazados de 1863): se trata de *Pastoral o Almuerzo sobre la hierba* (1870) y *Una moderna Olimpia* (1873). La amistad con los impresionistas le brinda la oportunidad de exponer sus cuadros, precisamente en la primera exposición del grupo, la de 1874, realizada en el

taller del fotógrafo Nadar. No obstante, Cézanne se separa pronto del grupo, ya que no le interesa tanto captar lo fugaz o el instante, ni la luz ni la atmósfera, sino todo aquello que considera esencial, material y permanente, lo que el hombre puede ver y tocar y requiere una construcción plástica y una síntesis estructural de la luz. De ahí su tendencia a las formas geométricas, a los tonos ocres que dominan su escaso colorido. De ahí, también, la trascendencia de su pintura en los artistas posteriores. La publicación de *L'Oeuvre*, de su amigo Zola, una novela en la que el protagonista es un pintor fracasado que acaba sui-

1878), así como desnudos femeninos. Son dignos de señalar sus cuadros *Leda y el cisne* (1886) y, sobre todo, *Bañistas* (1898-1905), así como los retratos que realiza al natural, como *Madame Cézanne* (1890-1892). En 1902 obtiene su primer gran éxito, gracias a la compra de uno de sus cuadros por parte de la Galería Nacional de Berlín, uno de los pocos que consigue vender en óptimas condiciones. La consagración se produce dos años antes de su muerte, cuando el Salón de Otoño de París dedica toda una sala a sus composiciones. Su obra genera insospechados horizontes para la pintura contemporánea, a la vez que resume la herencia del pasado, aquella que se inicia en el clasicismo del siglo XVII y que llega hasta el **realismo** de **Courbet** y Manet.

CHASSÉRIAU, Théodore

(Samaná, 1819-París, 1856)

Pintor francés. Considerado uno de los pintores figurativos de mayor importancia en la Francia del siglo XIX, su estilo es puente entre el **neoclasicismo** de **Ingres** y el **romanticismo** de **Delacroix**. Hijo de un cónsul francés –debido a la profesión de su padre nace accidentalmente en la República Dominicana–, comienza su formación a los 10 años, permaneciendo en el taller de Ingres durante doce años, de quien recibe una acusada influencia. Expone en el Salón de 1836 y se descubre como un excelente retratista, especialidad que demuestra en el retrato de su hermana, *Adela Chasseriau* (1836). En 1840 viaja a Roma y allí realiza el retrato *El dominico Lacordaire*, siguiendo la nitidez compositiva y que caracteriza a la pintura neoclásica, de contornos acentuados, perfiles muy dibujados y fuerte claroscuro. La severidad de su obra se suaviza, sin embargo, en los rasgos psicológicos que capta, más propios del romanticismo, y en la influencia que progresivamente adquiere de Delacroix, a quien admira por su cromatismo. Esta riqueza en el color empieza a surgir en sus cuadros, como en el que hace a la bailarina española Petra Cámara. Interesado por el desnudo femenino, mitiga la

Árabes abrevando sus caballos a las afueras de Constantinopla.
Théodore Chasseriau.

severidad neoclásica para crear un estilo propio, bien palpable en *La casta Susana* (1839) y en la renombrada *La toilette de Esther* (1842). Entre 1843 y 1845 su actividad se centra en la decoración mural de varias iglesias de París, y más tarde, entre 1844 y 1848, en el Palacio d'Orsay, donde realiza al fresco una serie de grandes composiciones dedicadas a temas sobre la paz y la guerra. El viaje que realiza a Argel, en 1846, acentúa sus rasgos románticos y se refuerza en él la influencia de Delacroix, a la vez que adquiere ciertos elementos orientalizantes, como en su cuadro *Interior*

del harén. Le interesa igualmente la estampa gráfica, ya que realiza una serie de grabados para una publicación de *Otelo*, de Shakespeare.

CHINNERY, George

(Tipperary, 1748-Macao, 1847)

Pintor británico. Discípulo de **West**, tras vivir unos años en Dublín, marchó al Próximo Oriente, a

Herrero de Macao.
GEORGE CHINNERY.

la India y a China, aprovechando que eran lugares con los que su país mantenía relaciones comerciales y políticas y en un intento por satisfacer su inclinación hacia lo exótico, tan de moda en ese momento. Allí pasaría gran parte de su vida, siendo por tanto el escenario donde desarrolló casi toda su actividad pictórica, convirtiéndose, como su propio nombre indica, en un experto en temas chinos. Realizó va-

Las cataratas de Tequendama.
FREDERICK EDWIN CHURCH.

Cascada en Catskille.
THOMAS COLE.

rios retratos, entre ellos su *Autorretrato*, pero su notoriedad se debe a los paisajes de esas tierras exóticas que realizó, así como a las numerosas escenas de la vida de lugares como Madrás, Cantón, Calcuta, Macao, etc. que pudo observar. Su obra, en la que empleó tanto el óleo, como la acuarela o el dibujo, fue expuesta en varias ocasiones en la Royal Academy.

CHURCH, FREDERICK EDWIN

(Hartford, Connecticut, 1826-Nueva York, 1900)

Pintor paisajista norteamericano. Sus viajes por todo el continente americano, Jamaica, Europa y Palestina contribuyeron en gran medida a la formación de su estilo pictórico; de hecho, muchos de sus lienzos más representativos tienen como tema paisajes contemplados en dichos viajes, tratados con su particular efectismo, valga como ejemplo su obra *El corazón de los Andes* (1859). Fue discípulo de **Thomas Cole**, del que se distanciaría en su concepción del paisaje, que se hace más naturalista y emplea una minuciosidad casi científica para representar la naturaleza, lo que hace que haya sido comparado con **William Turner** por su tratamiento de la luz y porque impregna sus cuadros de un cierto misticismo, como se aprecia en su pintura *Mañana en los trópicos* (1877). Entre sus obras, que alcanzaron un gran éxito tanto en América como en Europa, destacan una serie de cuadros titulada *El corazón de América*, dedicada a representar las tierras americanas, gran parte de ellas vírgenes o recién conquistadas, y *Las cataratas del Niágara* (1857), con una concepción monumental y abrumadora de la realidad.

COLE, THOMAS

(Bolton-le-Moors, 1801-Catskill, 1848)

Pintor estadounidense de origen británico, especializado en paisa-jes. Es fundador y destacado miembro de la denominada escuela del río Hudson (Hudson River School), una de las pocas, pero más interesantes, asociaciones de pintores estadounidenses del siglo XIX, cuya voluntad de pintar el paisaje agreste de su región parte de presupuestos académicos. De procedencia y familia inglesa, Cole inicia sus estudios artísticos a temprana edad en Inglaterra. En 1818, con diecisiete años, se traslada a Norteamérica, cerca de la región de Ohio, y estudia dibujo y la técnica del grabado en madera. Aunque ingresa en una academia de Filadelfia, su formación es eminentemente autodidacta. Los viajes que realiza a Nueva York y a los distintos estados de la nación en 1826 le sirven de ejercicio, base y trabajo preparatorio para sus posteriores composiciones realizadas en Catskill, un pueblo en la ribera del Hudson, nombre del río y de la escuela de paisajistas que funda con otros pintores y que difunde la pintura de paisaje por toda América. El éxito de su obra y de la de todo el grupo del Hudson reside, probablemente, en la novedad que supone plasmar plásticamente la inmensidad de aquel territorio, un espectacular escenario natural sin manipular, salvaje y desconocido para la mayoría de la gente. Cole disfruta de ventajosas ventas en Nueva York, lo que le permite conocer Europa en 1829. Recorre Inglaterra, Suiza e Italia. En este último país estudia a los maestros del paisaje clásico, Poussin,

La herradura del Hudson.
THOMAS COLE.

6

Santa Isabel de Hungría.
JAMES COLLINSON.

Claudio Lorena y Salvatore Rosa, a la vez que contacta con las corrientes románticas del momento. A su regreso vuelve con un bagaje estético que transforma radicalmente su pintura, introduciendo un nuevo género, el paisaje alegórico o simbólico-moral, que le convierte en un pintor romántico pero alejado de la frescura y la calidad que su obra tenía anteriormente. *La copa del gigante* (1839), *El sueño del arquitecto* (1840) o *El viaje de la vida* (1842) son ejemplos de su nuevo método para plasmar el paisaje, basado en la amalgama de tendencias románticas que conoce en Europa.

COLLINS, WILLIAM

(Londres, 1788-1847)

Pintor inglés. Inició con George Morlans su formación pictórica, que luego completó viajando por Europa, a Francia, Holanda, Alemania y Bélgica. Cultivó la pintura de paisajes rurales y escenas de la vida campesina, llenos de sentimentalismo, comenzando su camino de éxito con escenas infantiles. Utilizó con gran soltura la acuarela y el óleo, y alcanzó una gran

La bahía de Weymonth.
JOHN CONSTABLE.

C

fama en su tiempo. Su capacidad creativa fue sacrifica por una excesiva repetición temática. Padre de artistas, su hijo Charles Allston Collins (1828-1873) realizó una obra dentro del estilo prerrafaelista, un tanto excesivo en la minuciosidad, del que hay que señalar como obra importante *Convent Thoughts* (1851). Abandonó la pintura para dedicarse a escribir.

COLLINSON, JAMES

(Mansfield, 1825-Londres, 1881)

Pintor inglés. En 1848, junto con **John Everett Millais, Dante Gabriel Rossetti, William Holman Hunt** y otros, aparece como miembro fundador de la Hermandad Prerrafaelista, nombre bajo la que se cobija un grupo de pintores ingleses que pretenden volver a las formas pictóricas anteriores a Rafael y romper con el academicismo. Dos años después, en 1850, deja la Hermandad debido a una importante crisis personal que le lleva ingresar en un seminario católico, aunque cuatro años después vuelve a la pintura, y en ella produce cuadros de género plenos de sentimiento y escenas religiosas como *Santa Isabel de Hungría*. Su estilo evoluciona desde sus inicios, en los que la influencia de **Wilkie** es perceptible como en *El bolso vacío* (1857), hasta su búsqueda dentro del **prerrafaelismo**.

CONSTABLE, JOHN

(East Bergholt, 1776-Londres, 1837)

Pintor inglés, es uno de los paisajistas más importantes del siglo XIX

El carro de heno.
JOHN CONSTABLE.

y el más influyente en Francia, admirado por **Delacroix** y **Gericault** y, posteriormente, por los paisajistas de la **Escuela de Barbizón** hasta tal punto que se le ha considerado el verdadero fundador. Hijo de un molinero de Suffolk, sigue durante varios años la profesión de su padre mientras se aficiona a pintar en sus ratos libres. En dicha localidad asiste a clases de pintura y en 1795 marcha a Londres para trabajar como dibujante topográfico; su familia le ayuda para ingresar como estudiante en la Royal Academy en 1799. Al principio realiza retratos y cuadros religiosos, pero pronto destaca como un sobresaliente paisajista. Sin embargo, se puede decir que su mayor creatividad parte de una formación autodidacta en la que la observación de la naturaleza es la base fundamental de su trabajo. Los estudios que realiza de la obra de Jacob von Ruisdael –quien le influye notablemente–, de Reynolds y la escuela holandesa, así como la contemplación y el estudio directo de los parajes rústicos y ambientes naturales de Suffolk, Essex

y Brighton, le sirven para realizar una producción que evoluciona y madura lentamente. Entre sus cuadros destaca *La bahía de Weymonth*, de 1816, y *El caballo blanco*, de 1819, obras que manifiestan ya su interés por los efectos ambientales de la luz sobre la naturaleza. En 1819 viaja a Italia y visita Venecia y Roma, ciudades que le brindan la oportunidad de conocer los paisajes clasicistas de Claudio de Lorena y las recreaciones pastoriles y arcádicas de Poussin. Su estilo, como se aprecia en *El carro de heno* (1821) o *La catedral de Salisbury desde los jardines del Palacio Arzobispal* (1828), presenta un tratamiento del colorido revolucionario para la época: ocres y amarillos para el heno y la paja, verdes para la hierba, azules para el cielo, etc. Su técnica de pequeñas manchas y trazos superpuestos también resulta renovadora. Logra encanto y sentimiento en sus composiciones, pero la crítica inglesa no aprecia esta técnica libre

C

Casa de campo de Walchensee.
LOUIS CORINTH.

fluencias de **Courbet**, **Millet** y los impresionistas. En su formación artística, que inicia en la Academia de Munich, tiene un papel capital su viaje a París en 1884, donde conoce a los artistas y pintores contemporáneos y descubre la pintura de las escuelas flamenca y francesa. Cultiva todos los géneros y destacan sus grandes composiciones y retratos. En su *Autorretrato con esqueleto*, de 1896, se adivina el fondo expresionista inherente a los artistas alemanes de la época. Forma parte del grupo de la *sezession* de Berlín.

Autorretrato.
LOUIS CORINTH.

y considera sus cuadros «inacabados». Mas su participación en el Salón de Otoño de París de 1824 —donde obtiene una medalla de oro—, le proporciona el éxito en Francia, la admiración de los artistas románticos y, de inmediato, el reconocimiento en su país, siendo nombrado en 1829 académico de honor.

CORINTH, LOUIS

(Tapiau, 1858-Berlín, 1925)

Pintor y grabador alemán, nacido en una localidad de Prusia Oriental. Su obra presenta un estilo personal que procede de las in-

CORMON, FERNAND

(París, 1845-1924)

Pintor francés, Cormon es el seudónimo de Ferdinand Annie Piestre, y su obra es representativa del **realismo** académico. Formado en

El adiós de Sigfrido.
PETER VON CORNELIUS.

Bruselas y París, recibe numerosos galardones en diversas exposiciones internacionales. Entre los discípulos que estudiaron con él cabe citar a **Van Gogh** y **Toulouse-Lautrec**. Su estilo, cercano tanto a **Courbet** como a **Gérôme** y **Meissonier**, lo aplica a composiciones de historia y temas religiosos con un carácter muy literario. Sin embargo, su temática resulta muy variada al abarcar retratos, asuntos florales, animales y temas típicos de costumbres. Entre sus trabajos sobresalen las decoraciones realizadas para el Museo de Historia Nacional de París con una afamada serie so-

bre los orígenes del hombre, en la que se narra la historia del género humano desde la era cuaternaria. También decora el antiguo castillo, actual museo, de Saint-Germain-en-Laye y el Museo del Petit Palais en París.

CORNELIUS, PETER VON

(Düsseldorf, 1783-Berlín, 1867)

Pintor alemán. Artista especializado en pintura mural, es una figura destacada del grupo romano de los **Nazarenos**, propagador de su estética, y uno de los más representati-

vos del idealismo alemán. Formado en la academia de su ciudad natal, continúa sus estudios en Francfort desde 1809 a 1811, año en que se traslada a Roma, contacta con el fundador de la hermandad nazarena, **Overbeck**, y empieza a realizar una pintura «al fresco» inspirada directamente en los modelos medievales, aunque siempre unida a un claro academicismo. En 1816 recibe sus primeros encargos en la capital romana: la decoración de la casa del cónsul de Prusia y los frescos del Palazzo Zuccaro. En estas composiciones, basadas en temas del Antiguo Testamento, como *José reconocido por sus hermanos* (1816-1817), demuestra la simplicidad del estilo y de los ideales de los Nazarenos, mezcla de una estética populista y un tanto patriótica. El éxito alcanzado en los frescos romanos le valen el reconocimiento alemán y el nombramiento, primero, de la cátedra de Düsseldorf y, más adelante, de director de la Academia de Munich, a donde se traslada en 1824. Allí realiza los frescos, hoy desaparecidos, de la Gliptoteka (h. 1820-1825), y en 1840 marcha a Berlín, ciudad en la que muere.

COROT, JEAN-BAPTISTE-CAMILLE

(París, 1796-1875)

Pintor francés, es uno de los creadores del paisaje romántico y su obra, perteneciente a la **Escuela de**

Autorretrato.
JEAN-BAPTISTE-CAMILLE COROT.

6

Barbizón, es precursora de la pintura impresionista. Abandona el trabajo en el negocio de su padre, comerciante de paños, para estudiar con un pintor neoclásico de paisajes, Víctor Bertin, a la vez que copia a los maestros clásicos de la escuela holandesa. Pronto se define autodidacto y marcha a Italia en 1825. Allí toma apuntes del natural, bocetos de gran novedad y frescura sobre paisajes con ruinas y los alrededores de Roma, estudios preliminares que en el taller se convierten en composiciones de alta calidad. Un ejemplo es *Vista del Coliseo* (1826). Sin embargo, sus cuadros mantienen la tendencia académica y neoclásica cuando expone en los Salones de París, como se aprecia en *Vista de Namie* (1827), una actitud que abandona a su regreso a Francia y recorre numerosas provincias para captar los más variados parajes. A finales de los años cuarenta entra en contacto con los pintores **Millet** y **Rousseau,** de la Escuela de Barbizón, adoptando sus postulados estéticos. Otros viajes posteriores a Italia (en 1834 y 1843), a Holanda (en 1854) y a Inglaterra (en 1862) refuerzan su estilo de tonos luminosos, interesado por la luz y la atmósfera, pero siempre dentro de una composición íntima y un tanto etérea. A partir de los años cincuenta realiza un periodo «misterioso y poético», paisajes encantados y cargados de magia como *Una mañana, la danza de las ninfas* (1850), *El lago* (1861) o *La ráfaga de viento* (1865). Consigue continuados éxitos en las exposiciones, especialmente en la Universal de París de 1855, donde Napoleón III compra una de sus

Mujer con perlas.
JEAN-BAPTISTE-CAMILLE COROT.

obras, hecho determinante para la venta fulgurante de sus cuadros en todo el ámbito internacional. En su etapa final se interesa por la representación de figuras femeninas que recuerdan la quietud y el estilo de maestros holandeses como Vermeer, aunque también algunos de esos trabajos se muestran afines al

impresionismo. Ejemplos de estos últimos cuadros son *La gitana* (1865) y *Mujer con perlas* (1870). En 1874 es invitado a participar en la primera exposición de los impresionistas.

COTMAN, JOHN SELL

(Norwich, 1782-Londres, 1842)

Pintor inglés de paisajes y experto acuarelista. Miembro de la asociación de pintores dedicados al género paisajístico de Norwich (Norwich Society of Artist) que, junto a su obra, crea una sólida tradición del paisaje pintado a la acuarela, técnica de exigencias rápidas y espontáneas, renovadora frente al proceso del óleo tradicional y frente a las convenciones académicas. Sin formación ni estudios de arte, pues es autodidacto, marcha a Londres en 1798 y se gana la vida pintando aguatintas. No pinta al óleo hasta 1807. Conoce al pintor Thomas Girtin, fundador de la sociedad o escuela de Norwich, viaja con él a

Novia en el baño.
GUSTAVE COURBET.

6

Las cribadoras de trigo.
GUSTAVE COURBET.

Gales para elaborar sus paisajes y, posteriormente, se integra en el grupo, participando en las exposiciones que organiza y asumiendo el cargo de presidente. De sus continuos viajes por Yorkshire o la Normandía francesa proceden la mayor parte de sus aguafuertes y acuarelas, realizadas con colores muy intensos, sin apenas trazos dibujísticos o contornos y de un gran lirismo y suavidad. Entre sus obras destacan *La catedral de Durham* (1804), *El Castillo de Gaillard* (1818) o *El fuerte de St. Marcouf, cerca de Quinéville* (1820).

COURBET, GUSTAVE

(Ornans, 1819-La Tour de Peilz, 1877)

Pintor francés, fundador y máximo representante del **realismo.** Nace en Ornans, pueblo próximo a Besançon, en el Jura francés, provincia cuyo paisaje aparece a menudo en sus cuadros. Después de estudiar en Besançon marcha a París en 1840, pero prefiere estudiar por sí mismo, de forma independiente. Sus verdaderos maestros son los grandes genios de la historia del arte, Velázquez, Zurbarán y los pintores de la escuela holandesa, especialmente Rembrandt, artistas que descubre en el Museo del Louvre y luego en sus viajes a Holanda (1846) y Alemania (1853). Los primeros cuadros que compone están dedicados al paisaje, especialmente a los bosques de Fontainebleau, y a los retratos de amigos y familiares, composiciones en las que todavía hay rasgos románticos. A partir de 1849 se puede decir que sus cuadros son realistas, como el prestigioso *Entierro de Ornans* (1850). En este cuadro ya se observa su rechazo a los temas tradicionales y su opción por reflejar la vida cotidiana y modesta, campesina y trabajadora, con un tratamiento sobrio y sencillo que se aleja de la grandilocuencia académica y del sentimentalismo romántico. *Los picapedreros* o *El hombre herido* son también cuadros expresivos de su interés por recoger las cosas reales, todo lo visible y tangible, dentro de un estilo vigoroso, de colorido oscuro y una factura empastada en la que llega a usar la espátula. Amigo de Baudelaire, a quien retrata, tiene relación con **Corot** y **Daumier**. Aunque tachada de

El taller del pintor.
GUSTAVE COURBET.

Muchachas a orillas del Sena.
GUSTAVE COURBET.

«pintura fea», su obra resulta revolucionaria para la época, sobre todo cuando su fuerte realismo se compromete con las ideas socialistas. Influido por su amigo Proudhon (fundador del anarquismo filosófico), su creación está encaminada a buscar una meta social en el arte. Invitado a exponer sus trabajos en la Exposición Universal de París de 1885, no acepta el lugar que le adjudican y expone su obra, un total de 43 cuadros, en un barracón instalado a la entrada de la exposición con el título *El realismo*. Expone entonces su cuadro más emblemático, *El estudio* o *El taller del pintor* (1855), considerado una alegoría real de su entorno político, artístico y cultural. Participa activamente en la revuelta de la Comuna de París; detenido y condenado a la cárcel, consigue exiliarse en Suiza en 1873, y muere en una pequeña localidad próxima a Vevey. Su realismo se convierte en modelo de expresión de muchos pintores, contribuyendo a enriquecer la obra de Cézanne.

𝒞

Retrato de Alfonso de Lamartine.
THOMAS COUTURE.

tema elegido remite a una celebración romana, tema seductor, de llamativa destreza y cuidada composición, pero con una amalgama de personajes que produce gran barroquismo. En este sentido se han señalado los modelos inspiradores del cuadro: la obra de Tiépolo y la de los maestros venecianos. Crea numerosos retratos. Es maestro de **Anselm Feuerbach**, en quien influyó notablemente.

COX, DAVID

(Birmingham, 1783-Harborne, 1859)

Pintor inglés, del que destacan sus paisajes al óleo y acuarela y al que se conoce como David Cox el Viejo. Hijo de un herrero, trabaja en di-

C

La playa de Rhyl.
DAVID COX.

COUTURE, THOMAS

(Senlis, 1815-Villier-le-Bel, 1879)

Pintor francés. Sus cuadros de tema histórico le sitúan como uno de los más representativos del academicismo realista del siglo XIX. Formado en los cánones tradicionales de la Academia y discípulo de **Gros** y **Delacroix**, realiza pinturas de gran monumentalidad y con un estilo que pertenece al eclecticismo histórico del momento. Su obra más conocida es el cuadro que presenta en la Exposición de 1837, *Los romanos en la época de la decadencia*, y por la que obtiene el premio de Roma y definitivo prestigio. El

Esbozo.
GEORGE CRUIKSHANK.

versos oficios hasta que recibe una pequeña formación académica, pero ante todo es autodidacto. Expone en las muestras anuales de la Watercolor Society de Londres y llega a tener una buena reputación como pintor y profesor de grabado. Viaja por Holanda, Bélgica y Francia en varias ocasiones y desde 1827 reside en Londres. Su primera producción es de pequeñas acuarelas de escenas rústicas que, posteriormente, traslada al óleo. Destacan, entre otros muchos, los cuadros *El tren nocturno* y *Vista del pueblo de Heresfordshire.*

CREMONA, TRANQUILO

(Pavía, 1837-Milán, 1878)

Pintor italiano, se le califica como uno de los artistas más extraños del **romanticismo** de su país, en especial, del milanés. Su estilo es vivo en el color y luminoso, interesado por una composición nebu-

losa o de una penumbra blanquecina. Estudia en su ciudad natal y, posteriormente, en Venecia y Milán, y comienza su carrera artística con cuadros de historia, como *Mohamed II* o *Marco Polo.* Sin embargo, son sus composiciones dedicadas a la figura humana, envuelta siempre en una bruma opaca –como *La hiedra,* que representa a dos mujeres abrazándose–, donde se encuentran las claves pictóricas y cromáticas de este artista. Su método consiste en «pequeñas, fugaces» pinceladas que rozan el **impresionismo**, a lo que añade figuras humanas casi espectrales y fantasmagóricas, cercanas al simbolismo.

CRUIKSHANK, GEORGE

(Londres, 1792-1878)

Pintor, dibujante y caricaturista británico. Hijo de caricaturista, muy pronto se dedica a la caricatura político-social, en la que, gracias a sus capacidades para la misma, enseguida sucede a James Gillray en el puesto más elevado de la mis-

La hiedra.
TRANQUILO CREMONA.

ma. Con ellas colabora en diversas publicaciones, y le sirven para ridiculizar, entre otros, a los personajes de la historia moderna francesa, criticándolos de forma cruel y despiadada, así como a la sociedad inglesa de la era victoriana que le tocó vivir. En 1820 comienza a dedicarse a la ilustración de libros, tarea en la que destacará también con gran cantidad de obras decoradas, como algunas de Dickens y de Ainsworth. En la recta final de su vida realizó xilografías, cuyos contenidos pretendían alertar contra el abuso del alcohol, así como a la pintura de gran formato con la ejecución de un cuadro, *El culto a Baco* (1860-1862), de tema mitológico y que no obtuvo el favor del público.

Hachazo del leñador mágico.
RICHARD DADD.

6

DADD, RICHARD

(Chatham, 1819-Londres, 1887)

Pintor británico. Realiza un viaje por África, cuyas imágenes, paisajes y gentes, le inspirarán notables acuarelas, como *Tumba de los califas en El Cairo*. Su estilo es muy personal y, a pesar de estar dentro del **romanticismo**, su producción pictórica se puede calificar de original y novedosa, con un dibujo muy meticuloso. En ella trata temas de historia y de cuentos llenos de fantasía, con los personajes propios de esta creación literaria, hadas, enanos, etc., en composiciones muy complejas y fantásticas que, quizá, reflejan ya su incipiente demencia. Su estilo se conservó prácticamente sin cambios a lo largo del tiempo, seguramente debido a su enfermedad que le mantuvo recluido en casas de salud mental y al margen, por tanto, de modas e influencias. También fue un buen ilustrador, como lo demuestra su trabajo en *Books of British Ballads* (1843). De sus obras cabe destacar *The Fairy Feller's Master Stroke* y *Hachazo del leñador mágico*, *El sueño de Titania*, *Manfredo* y *Puch y las hadas*, entre otras.

DAHL, JOHAN CHRISTIAN

(Bergen, 1788-Dresde, 1857)

Pintor noruego. De origen humilde, pudo marchar a estudiar a Copenhague gracias a la ayuda de algunos amantes del arte de su ciudad. Más tarde viajó por varios países europeos para completar su formación, como Italia, Alemania, Suiza e Inglaterra. Vivió en Dresde bastante tiempo, donde fue nombrado, en 1824, profesor de la Academia de dicha ciudad, así como miembro de la misma. Allí conoció a **Friedrich**, a cuya influencia, en el estilo de Dahl, se unió el de Salomon van Ruysdael. Paisajista de inspiración romántica, pinta por primera vez los apartados y tranquilos valles noruegos, con gran sensibilidad, sentido monumental y con notables efectos luminosos y cromáticos; un buen ejemplo de ello es *Abedul azotado por la tempestad* (1849), con un estilo minucioso.

DANBY, FRANCIS

(County Wexford, 1793-Exmount, 1861)

Pintor irlandés. Estudia en la Escuela de Bellas Artes (Royal Society) de Dublín y sigue su formación con el paisajista **O'Connor**; su pintura de paisaje es una importante contribución romántica al género, influyendo en los posteriores pintores ingleses de paisaje. Marcha a Gran Bretaña, donde vive gran parte de su existencia. Primero se establece en Bristol, donde elabora unos paisajes de pequeño formato y gran lirismo que le dan fama, y luego fija su residencia en Londres, ciudad en la que triunfa reiteradamente. Sus paisajes resultan poéticos y de atractivo intimismo; los compone en dibujos a tinta, óleos y acuarelas. En Londres conoce a **Blake**, bajo cuya su influencia elabora pinturas visionarias, como las cuatro *Escenas del Apocalipsis* (1829), así como temas ligados al mundo religioso y a la literatura de terror. Entre 1825 y 1828 viaja por Noruega, Bélgica y Holanda. En 1829 se establece en París hasta 1840, año en que marcha a Ginebra para luego volver a Londres y seguir buscando escenarios paisajísticos, sin abandonar nunca el interés por lo fantástico.

Paisaje al atardecer.
JOHAN CHRISTIAN DAHL.

DAUBIGNY, CHARLES-FRANÇOIS

(París, 1817-1878)

Destacado pintor de paisajes y aguafuertista, es un miembro destacado de la **Escuela de Barbizón** al continuar el estilo iniciado por **Rousseau** y **Millet**. Hijo del pintor Edouard-François Daubigny, quien le inicia en la pintura, se forma con el pintor de temas históricos **Paul Delaroche**. Termina su formación con un viaje a Italia e ilustrando libros y revistas. Su primera obra, *San Jerónimo*, es expuesta en el Salón de 1839. Durante la década siguiente realiza aguafuertes de escenas de paisajes, algunos de los cuales se recopilan en álbumes que le dan fama. En busca de escenarios naturales, se dedica a viajar por diversas regiones francesas y a recorrer en barca varios ríos para reproducir sus temas favoritos. En 1848 construye una casa flotante en la que vive largas temporadas pintando las riberas que tanto apre-

Atardecer en el Oise.
CHARLES-FRANÇOIS DAUBIGNY.

cia. Las vistas del valle de Optevoz, en especial el cuadro *La presa de Optevoz* (1859), *Paisaje de río* (1860) o *Atardecer en el Oise*, son obras que reflejan su notable sentido de la composición y que impresionan

Crispin y Scapin.
HONORÉ DAUMIER.

por los vastos horizontes y el profundo sentido de la soledad. Viaja a Londres en 1869, donde contacta con **Monet**, después viaja a Holanda y a los Alpes. Aquí pinta *La nieve* (1873), un paisaje que se acerca al **impresionismo**. En general, su obra paisajística es tranquila y dedicada a los estudios de la luz y la atmósfera, una pintura realizada en «plain-air», es decir, al aire libre, que presagia una práctica impre-

sionista. La fama y maestría de **Corot** eclipsan la calidad de la obra de este artista, para algunos estudiosos no menos formidable.

DAUMIER, HONORÉ

(Marsella, 1808-Valmondois, 1879)

Pintor francés, dibujante, escultor y grabador, está considerado el ar-

D

tista más sobresaliente en la litografía del siglo XIX. Hijo de un vidriero de Marsella, en 1816 su familia se traslada a París, donde transcurre casi toda su vida. Empieza estudiando la técnica litográfica y visitando las obras maestras del Louvre. Muy pronto entra a trabajar en un periódico satírico, *Le Charivari*, como caricaturista político, demostrando muy pronto una imaginación creadora y burlesca sin precedentes que provoca gran interés. Pero esta actividad le crea numerosos problemas a lo largo de su trayectoria. La publicación, en 1832, de una caricatura del rey Luis Felipe como Gargantúa le depara seis meses de cárcel. Artista comprometido, republicano y defensor de las clases oprimidas, su obra gráfica aborda los temas sociales característicos del **realismo**, un mundo cotidiano del París de la época, con sus calles, trenes y gentes, un ambiente ruidoso por donde transcurre la acomodada vida de la burguesía y las penalidades y de los miserables. *La lavandera*, *La sopa*, *Los músicos callejeros*, *El vagón de tercera*, *Los ladrones* y *El herrero* son algunos de los ejemplos de sus miles litografías y dibujos realizados con alta calidad técnica, elaborada estructura dramática y eficaces efectos de fuertes claroscuros. Las figuras a menudo presentan deformaciones grotescas, especialmente en las litografías políticas, verdaderos manifiestos de ataque al gobierno y a los políticos, como *El vientre legislativo* y *La calle Transnonain el 15 de abril de 1834*, o bien *El sueño del inventor del fusil de aguja*, de 1866. Nunca pinta al natural, sino en su estudio, y su único

La lavandera.
HONORÉ DAUMIER.

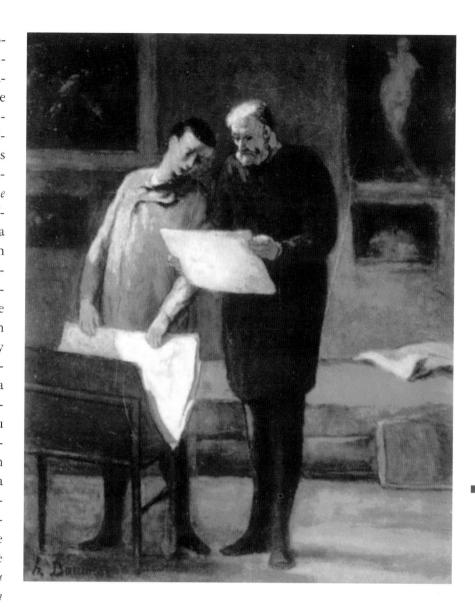

Consejo del artista.
HONORÉ DAUMIER.

modelo es la memoria. La dedicación prestada al grabado le impide dedicarse a la pintura, cuyas obras son conocidas después de su muerte. Sumido en la pobreza y víctima de progresiva ceguera encuentra amparo en su amigo **Corot**, quien le proporciona una casa de campo en Valmondois y una asignación mensual para que viva tranquilo sus últimos días.

DAUZATS, ADRIEN

(Burdeos, 1804-París, 1868)

Pintor, dibujante, escritor y litógrafo francés. Es considerado, junto con **Pharamond Blanchard**, el pintor de la España romántica, debido a la gran abundancia de obras inspiradas en esta país, al que realizó numerosos viajes, que producen obras tanto al óleo como a la acuarela, litografía o dibujos, que tendrán como motivo temas hispanos (*Interior de la catedral de Barcelona, Interior de la iglesia de San Juan de los Reyes de Toledo, Vista de Toledo*). También viajó a otros países, como Egipto, Argelia, Alemania o Francia, que le sirvieron, al igual que España, como motivo de inspiración para otras obras pictóricas.

D

DAVID, JACQUES-LOUIS

(París, 1748-Bruselas, 1825)

Pintor francés y artista comprometido políticamente, es el representante por excelencia de la pintura neoclásica. Su obra encarna la idea de entender la Antigüedad como una metáfora y una lección moral para el presente, máxima que aplica a sus cuadros a favor de la revolución de 1789 y de la ascensión napoleónica. A sus nueve años muere su padre y queda bajo la tutoría de un tío arquitecto de la Academia que le incorpora al taller del pintor galante François Boucher y al de J. M. Vien. Educado bajo rígidos postulados del academicismo sus primeras obras tienen todavía muchos resortes barrocos, tanto en los retratos (*Retrato ecuestre*

del conde Potocki) como en sus cuadros de historia (*Lucha entre Minerva y Marte* y *La muerte de Séneca*).

Madame David.
JACQUES-LOUIS DAVID.

El rapto de las Sabinas.
JACQUES-LOUIS DAVID.

En 1775, tras ganar el Premio de Roma, se traslada a esta ciudad con su maestro Vien y cambia de estilo. La influencia de los pintores de Bolonia, las excavaciones de Herculano y Pompeya, así como los rigurosos estudios de la Antigüedad le hacen abandonar radicalmente cualquier huella rococó y frívola para convertirse en el adalid del **neoclasicismo**. En 1779 regresa a París e inicia el cuadro que le abre las puertas de la fama, *El juramento de los Horacios*, ejemplo de la utilización de la Antigüedad como mensaje moralizante para sus coetáneos. La obra la termina en Roma, cuando vuelve en 1784, pero se expone en París con la admiración de todos aquellos que están a favor de la revolución. David se adhiere a esta causa y compone en 1789 otro cuadro, *Los líctores llevan a Bruto el cuerpo de sus hijos*, cuyas connotaciones políticas se asocian a la decapitación de Luis XVI. También toma apuntes y realiza un dibujo de María Antonieta antes de morir en la guillotina. Obras como *Andrómeda ante el cuerpo de Héctor* reflejan su estilo de composiciones en las que el dibujo y la línea son instrumentos esenciales, con una muy cuidada riqueza de detalles para conformar figuras heroicas del mundo clásico, siempre idealizadas. Su pintura es ante todo un programa político, un manifiesto revolucionario, como se aprecia en *El Juramento del Jeu de Paume* (1791). El asesinato del escritor e ideólogo revolucionario Jean-Paul Marat le impresiona tanto como para recoger el hecho tal cual se produce, con clara ambición realista, sin acudir a ejemplos de técnica antigua. Realiza así una verdadera obra maestra que transcribe el asesinato del dirigente en su bañera por Charlotte Corday, *La muerte de Marat* (1793), una auténtica *pietà* del movimiento revolucionario, obra patética y conmovedora con una sabia composición de luces que remiten a la obra de Caravaggio. Un año después David se separa de los principios políticos que guían a Robespierre y, aunque se libra de la guillotina, acaba en la cárcel, donde sigue pintando. Lo que percibe a través de las rejas de su ventana le permite pintar el único cuadro paisajista de toda su producción, *La vista del Petit Luxembourg* (1794). En el agobiante encierro también pinta su propio retrato, con tan gran verismo que ni aparece disimulado el tumor que le deforma una mejilla. Su mujer y sus amigos

pintores consiguen liberarle, vuelve al taller y a sus temas predilectos extraídos de la historia de la Roma antigua. Como mensaje de reconciliación de una Francia dividida realiza *El rapto de las Sabinas*, pero la paz y los héroes de la Antigüedad finalizan muy pronto cuando empieza a dejarse llevar por la admiración a Napoleón, con quien mantiene importante amistad. Su obra convierte en el testimonio y la glorificación de las grandes gestas napoleónicas. Se trata de una nueva fase en la que su estilo se va haciendo cada vez más teatral y que culmina con *La coronación del emperador Napoleón* (1804-1807) y con el cuadro *Leónidas antes de la batalla de las Termópilas*, finalizado en 1814. Pero la caída del emperador supone la del pintor que, antes de someterse al nuevo rey, Luis XVIII, y caer en desgracia por haber vo-

tado a favor de la muerte de Luis XVI, prefiere desterrarse en Bruselas. Desde 1814 se encuentra en esta ciudad y aquí realiza una de sus últimas metáforas, el cuadro *Marte desarmado por Venus y las Gracias*, el final del dios de la guerra. En sus retratos, David sigue rigurosa estética neoclásica, pero de una forma más libre, estudiando los rasgos psicológicos y la personalidad del personaje, como en *Madame Chalgrin* o en *La Familia Gérard*. Sus numerosos encargos y su nutrida producción se realizan en un taller de donde sale una notable escuela de pintores franceses adscritos a la pintura neoclásica. Entre ellos destacan **Regnault**, **Proud'hon**, **Girodet**, **Gérard**, **Gros**, **Guerin** y, sobre todo, **Ingres**.

La muerte de Marat.
JACQUES-LOUIS DAVID.

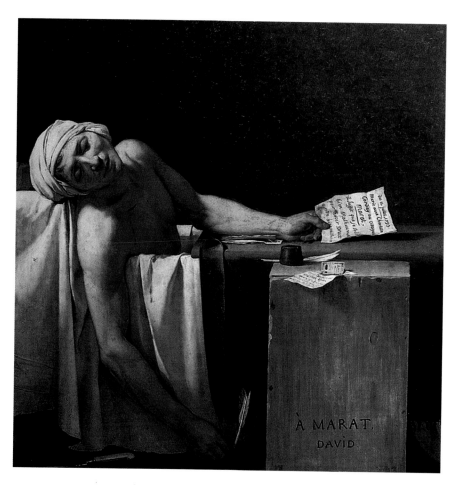

Marina.
EDGARD DEGAS.

DEGAS, HILLAIRE-GERMAIN-EDGARD

(París, 1834-1917)

Pintor francés, pertenece al grupo de los impresionistas, aunque su obra presenta intereses divergentes. De familia acomodada, abandona los estudios de Derecho para dedi-

El café-concierto Ambassadeurs.
EDGARD DEGAS.

Mendiga romana.
EDGARD DEGAS.

carse a la carrera artística. Comienza a pintar influido por diversas corrientes pictóricas, la del clasicismo de **Ingres** y la romántica de **Delacroix**, elaborando cuadros de historia. Estudia en el taller de **Corot** y admira los cuadros simbolistas y la obra de **Puvis de Chavannes**. En 1872 se traslada a Nueva Orleans, de donde era su

Jinetes antes de las carreras.
EDGARD DEGAS.

D

(1872) o *El Conde Lepic con sus hijos en la Plaza de la Concordia*, de 1873, o bien las composiciones dedicadas a la vida moderna y agitada de la ciudad, como las carreras de caballos, tema predilecto en su obra y en el que explora el movimiento. Un ejemplo de ello es *Caballos de carreras*, de 1874. En ese mismo año participa en la primera exposición colectiva de los impresionistas, pero Degas, a diferencia de éstos, mantiene una posición personal al no abandonar el dibujo y convertirlo en elemento esencial de sus elaboraciones de figuras. Influido por el grafismo de la estampa japonesa y a través de la línea, intenta captar el dinamismo y el movimiento en obras de taller fren-

madre, y comienza a pintar retratos y representaciones de la vida cotidiana, experiencias que repite a su regreso a Francia. En esta línea temática cabe señalar sus cuadros *La bolsa del algodón en Nueva Orleans*

La estrella.
EDGARD DEGAS.

El barreño.
EDGARD DEGAS.

D

Edouard y Thèrese.
EDGARD DEGAS.

te al paisaje al aire libre y el color de los impresionistas. Además abandona la técnica al óleo para dedicarse exclusivamente al pastel y propone un nuevo encuadre a sus composiciones que le acercan a una óptica fotográfica. A sus escenas cotidianas de mujeres, lavanderas, planchadoras o burguesas *(Mujeres en la terraza*, 1877), incorpora la serie de bailarinas que le dan gran fama, serie captada con espontaneidad, en posturas despreocupadas y de una penetrante realidad. *Ensayo de ballet* (1874) y *Bailarinas azules* (1890) son dos ejemplos de la magia que consigue a través del pastel, el dibujo y el movimiento. Poco a poco su vista se debilita, por lo que se dedica a modelar figuras en yeso y en cera y pequeñas esculturas, como *La pequeña bailarina de catorce años* (1881). Su obra está en relación estilística con la de **Toulouse-Lautrec**.

DELACROIX, EUGÈNE

(Saint-Maurice, 1798-París, 1863)

Pintor francés considerado la figura más importante, innovadora e impulsora de la pintura romántica. Tiene una influencia decisiva en el posterior desarrollo de la plástica y ha sido considerado uno de los primeros artistas modernos. Inicia su educación en Burdeos estudiando música y aprendiendo violín, actividad que no abandona y que más adelante le unirá en amistad con Chopin y Berlioz. Huérfano de pa-

En la sombrerería.
EDGARD DEGAS.

dre a los 7 años, va con su madre a París en 1805 y se prepara para la pintura en el taller del clasicista **Guerin**. En 1816 ingresa en la Escuela de Bellas Artes y conoce a uno de los artistas que más admira, **Géricault**. Su entrenamiento se completa con las copias que realiza en el Museo del Louvre de los grandes maestros. Muy pronto, con 20 años, elabora su primera obra ma-

críticas adversas, comentarios que le convierten de inmediato en el pintor que representa la libertad artística y a la que se suma la libertad política y social cuando expone sus siguientes obras, como *La matanza de Quíos* (1823-1824), cuadro grandioso y original que revela su maestría en el color y su conocimiento de la pintura barroca. Es el resultado de la fascinación que pro-

duce en los románticos la rebelión del pueblo griego contra la opresión turca y, en concreto, una batalla en la que veinte mil griegos murieron por su libertad. Expuesto en el Salón de 1824, el acierto del cuadro, de una realidad conmovedora, hace que Delacroix se convierta en uno de los líderes del movimiento romántico relacionándose con Victor Hugo, Stendhal o Dumas. Tras

Autorretrato.
EUGÈNE DELACROIX.

estra, inspirada en el Canto VIII del *Infierno* de Dante, *Dante y Virgilio en los infiernos*, obra concluida en 1822 y que expone en el Salón de ese mismo año. El cuadro sorprende al público, ya que aunque el tema era habitual en la pintura de la época, no así su estilo pictórico, atrevido y experimental en la pincelada y en la composición. Causa tantas alabanzas como

El barón Schwiter.
EUGÈNE DELACROIX.

D

D

La recaudación de impuestos en Arabia.
EUGÈNE DELACROIX.

ción de su pintura y que fija su temática orientalista. Hay que destacar cuadros como *Las mujeres de Argel en sus aposentos*, *Marroquíes corriendo la pólvora*, *Fiesta nupcial en Marruecos* o *La recaudación de impuestos en Arabia*. Realiza además espléndidos dibujos, bocetos, pasteles y acuarelas con un sentido del color que, al igual que sus lienzos, le colocan en una posición antagónica al linealismo y a la primacía del dibujo que abanderan los artistas de la escuela antagónica: **David** e **Ingres**. Desde 1833 recibe encargos oficiales para ocuparse de la decoración de diversos edificios (como la biblioteca del palacio Borbón, el techo de la galería Apolo del Louvre o el Salón de la Paz del Ayuntamiento de París), pero una tuberculosis le impide finalizar las pinturas de la iglesia parisiense de Saint-Sulpice. Entre sus retratos sobresalen, entre otros muchos, los de Chopin, George Sand, el barón Schwiter o su propio *Autorretrato*. Su obra en general, con especial interés por la novedosa composición de tendencia barroca, el explosivo colorido y su estilo abocetado y suelto le convierten en un modelo para los impresionistas y en una calurosa admiración para pintores como **Cézanne**.

conocer la obra de **Constable** viaja a Londres en 1825, ciudad en la que recoge nuevas fuentes de inspiración y se dedica a ilustrar con estampas el *Fausto* de Goethe. *La muerte de Sardanápalo*, compuesta a su regreso a Francia, es reflejo de su cambio de rumbo y nuevas ideas estéticas que le aproximan al torbellino compositivo barroco y también a los mundos exóticos y orientales. Delacroix participa en las barricadas y en el levantamiento del pueblo de París el 27 de julio de 1830, acontecimiento revolucionario que destrona a los Borbones y da lugar a su cuadro más emblemático, *La libertad guiando al pueblo* (1830). La obra enaltece el motín popular y con ella el artista es condecorado con la Legión de Honor. Dos años después se encamina a un viaje por España, Marruecos y Argelia en misión oficial, viaje determinante para la evolu-

Los hijos de Eduardo IV en la Torre de Londres.
PAUL DELAROCHE.

DELAROCHE, PAUL

(París, 1797-1856)

Pintor francés. Estudia en la Escuela de Bellas Artes y en el taller de Watelet, antes de ser alumno del barón Gros, en 1817. Cultivó principalmente la pintura histórica,

que le proporcionó gran popularidad, con temas sacados de anécdotas de la historia de Inglaterra, tratadas de forma melodramática y con tintes románticos, pero caracterizadas por un perfecto dominio del dibujo y afición por los detalles tratados con gran minuciosidad, resultando de ello un naturalismo casi fotográfico (*La muerte de la reina Elisabeth*, 1827; *Los hijos de Eduardo IV en la Torre de Londres*, 1831). También cultivó el retrato romántico (*El duque de Angulema*). En 1841 decora, con una enorme composición mural, el hemiciclo de la Escuela de Bellas Artes de París, de la que fue profesor, y por cuyas aulas desfilaron algunos de los mejores pintores de la siguiente gene-

ración, entre ellos **Millais**. De sus cuadros cabe destacar, además de los citados, *San Vicente Paul predicando a Luis XIII* (1823), *Muerte del Cardenal Mazarino, La princesita en la torre* (1831), *Asesinato del duque de Guisa* (1835) y *La ejecución de Lady Jane,* (1853).

DELLEANI, LORENZO

(Pollone, Piamonte, 1840-Turín, 1908)

Pintor italiano. En su obra desarrolla la temática histórica, escenas de género, así como paisajes y marinas. Comienza estudiando música en París, formación que abandona

La ejecución de lady Jane.
PAUL DELAROCHE.

para estudiar en la Academia Albertina y dedicarse de forma exclusiva a la pintura. En 1863 expone su primera obra importante, *El sitio de Ancona*, a la que siguen *Los vencedores de Lepanto* y *Venecia*.

DENIS, MAURICE

(Granville, 1870-Saint-Germain-en-Laye, 1943)

Pintor y crítico francés, se incluye dentro del movimiento pictórico de los **Nabis** junto a **Bonnard** y **Vuillard**, entre otros artistas que se sienten influidos por la pintura de **Gauguin** y por la teoría de las dos divisiones, una explicación del proceso pictórico en el que intervienen un componente subjetivo y espiritual y otro objetivo, técnico y material. Atraído por la vida campesina y sencilla de Bretaña, vive largas temporadas en esta región y recoge asuntos rurales para sus composiciones, en muchas ocasiones con connotaciones religiosas y místicas que hacen que su temática se enmarque dentro de la corriente de los pintores simbolistas. En esta línea destaca *La danza bretona* (1891). No obstante, la composición de sus cuadros presenta una gran simplificación, con una primacía de la línea

En un parque por la tarde.
MAURICE DENIS.

organizada en arabescos y grandes curvas que presagia mucho el «art nouveau». Es significativo su cuadro *Abril* (1892), un tema sugerente y caprichoso en el que unas muchachas vestidas de blanco recogen flores, con un colorido muy plano siguiendo el método de Gauguin. En 1901 expone en París *Homenaje a Cézanne*.

DE NITTIS, Giuseppe

(Barletta, 1846-París, 1884)

Pintor realista napolitano, hace su carrera parisiense como pintor de retratos y temas de género. En París es discípulo del escultor y pintor **Gérôme** y llega a adquirir celebridad. Su obra está muy pró-

xima a la pintura del grupo de los **Macchiaioli** y en relación con el estilo brillante y preciosista de **Fortuny**, destacando el colorido de sus cuadros de paisajes napolitanos, como *Paisaje* (1866), *Cena en el Pausilippo* o *Nápoles, camino del Castellamare*. Entre sus obras destacan las escenas callejeras de la capital francesa, como *París, plaza de la Concordia* (1875), *París, plaza de las Pirámides* (1876) o *Arco de Triunfo de París* (1878).

DÍAZ DE LA PEÑA, Narciso Virgilio

(Burdeos, 1807-Menlon, 1876)

Pintor francés. Hijo de una familia española exiliada y huérfano a tem-

Desayuno en el jardín.
GIUSEPPE DE NITTIS.

prana edad, empieza a trabajar a los 15 años como decorador de porcelanas en la fábrica de Sèvres. Expone por primera vez en el Salón de 1831. La influencia de **Delacroix** y **Rousseau**, así como su amistad con **Millet**, le encaminan hacia una pintura de paisaje claramente personal e innovadora, con un estilo muy abocetado, de grandes pinceladas y manchas de colores sombríos. Sus naturalezas tormentosas

Paisaje.
NARCISO VIRGILIO DÍAZ DE LA PEÑA.

en numerosas ocasiones albergan enamorados, figuras medievales o personajes mitológicos, como *El hada de las perlas*, *Venus y Adonis*, *Mujer oriental* o *Camino en el bosque*. Protector y amigo del joven **Pierre-Auguste Renoir**, su figura y su obra mereció la estima de los impresionistas.

DOMÍNGUEZ BÉCQUER, VALERIANO

(Sevilla, 1834-Madrid, 1870)

Pintor español. Es uno de los más destacados pintores del costumbrismo romántico español. Hermano del poeta Gustavo Adolfo Domínguez Bécquer, inició su formación en el taller familiar, primero con su padre, José Domínguez Bécquer (1810-1845), y, al quedar huérfano,

Litografías del Quijote de Cervantes.
PAUL-GUSTAVE DORÉ.

con su tío, Joaquín Domínguez Bécquer (1819-1879), director de la Escuela de Bellas Artes de Sevilla, quien le encamina por el costumbrismo folclórico y popular. Se traslada a Madrid en 1861 y cuatro años después recibe una beca para recorrer la Península y estudiar la indumentaria y las costumbres españolas. A lo largo de su producción se va alejando de los tópicos del folclore para hacer una obra cada vez más personal y natural. Destacan los temas de bailes y romerías, como *Danza de campesinos sorianos* o *La fuente de la ermita*, cuadros de un estilo preciso y colorista. Dibujante e ilustrador de tipos y escenas populares, fue un excelente retratista, como demuestra el *Retrato de familia*. En 1868, con el advenimiento de la revolución, pierde la beca y comienza a colaborar en *La Ilustración Española y Americana* y otras revistas de la época que le permitieron sobrevivir. Pobre y enfermo, muere prematuramente.

Jacobo luchando con el Ángel.
PAUL-GUSTAVE DORÉ.

DORÉ, PAUL-GUSTAVE

(Estrasburgo, 1833-París, 1883)

Dibujante ilustrador francés, dentro del **romanticismo** tardío y de la corriente simbolista. De formación autodidacta, siendo muy niño muestra una gran afición hacia el dibujo, que practica con maestría, aunque su falta de formación se ponga de manifiesta en alguna deficiencia formal de los mismos, superada con creces por su fuerza expresiva y por su poder dramático, en ambientes misteriosos y sombríos. Pronto destaca en las caricaturas, con las que colabora ya a la edad de quince años en el *Journal pour Rire*, en París, ciudad a la llega en 1848, y publica la serie de litografías *Los trabajos de Hércules*. En 1853 comienza un periodo muy fértil en su producción y realiza ilustraciones litográficas para múltiples obras de la literatura universal (*Cuentos jocosos*, de Bal-

D

zac, en 1855; *La Divina Comedia*, de Dante, y *El Quijote*, de Cervantes, en 1863; la Biblia, en 1864; *Cuentos*, de Perrault, en 1862; *Fábulas*, de Lafontaine, en 1867; la obra de Rabelais, en 1864, etc.) con grabados imaginativos, humorísticos en muchas ocasiones, teatrales y tendentes a lo «sublime», en los que el movimiento desempeña un papel fundamental, y que le convertirán en el más celebre de los ilustradores. Para preparar las láminas, primeramente realizaba grabados al boj o bien dibujos con pluma o a la aguaza, que luego pasaba a los especialistas para que las interpretaran en el grabado. Realiza numerosos viajes a España,

Rusia, Suiza, etc., que le aportarán inspiración para sus dibujos. Al volver a París (tras su viaje a Londres), en 1872, se dedica fundamentalmente a la escultura, a la

En el mundo maravilloso de la naturaleza.
THOMAS DOUGHTY.

Retrato de familia.
VALERIANO DOMÍNGUEZ BÉCQUER.

pintura y a la acuarela, en las que se pone de manifiesto su oficio de dibujante y en la que trató temas bíblicos y de batallas. También pintó carteles de alto valor estético, adelantándose a la época de esplendor del mismo.

DOUGHTY, Thomas

(Filadelfia, 1793-Nueva York, 1856):

Pintor y litógrafo estadounidense. De formación autodidacta, en prin-

93

D

Las hayas.
ASHER B. DURAND.

cipio, se dedicaba a la pintura en los ratos libres que le dejaba su trabajo. Posteriormente se volcó enteramente a ella, y de forma exclusiva al paisaje, siendo uno de los primeros norteamericanos que lo hizo, descubriendo el paisaje de las tierras vírgenes de este nuevo país, por lo que se considera un antecedente de la Escuela del Río Hudson. Su técnica es suelta y aplica la pasta directamente sobre el lienzo. En 1837 y 1845 viaja a Inglaterra y Francia. Entre sus paisajes destaca *En el mundo maravillosos de la naturaleza* (1835).

DUFOUR, CAMILLE-ÉMILE

(París, 1841-1918)

Pintor francés. Sus paisajes se encuadran dentro del **posimpresionismo** y su producción —llena de sucesivos triunfos, premios y medallas desde 1877 hasta 1900—, alcanza el reconocimiento oficial y del público. Parte del descubrimiento del paisaje naturalista en busca de los efectos lumínicos próximos a **Corot**, pero su contacto con **Monet**, con quien pinta en la localidad de Veteuil, le aproxima al **impresionismo**. Encuentra sus temas preferidos en los paisajes de Normandía, Bretaña y Provenza, que trata progresivamente con ma-

Paisaje de Catskills.
ASHER B. DURAND.

yor independencia y libertad, consiguiendo una concepción plástica más renovadora y avanzada. Entre sus obras destacan *Aldea en las orillas del Sena*, *Vista de Avignon* y *Vista de Veteuil*.

DURAND, ASHER B.

(Jefferson Village, 1796-1886)

Pintor y grabador norteamericano y uno de los principales representantes de la Escuela del río Hudson de paisaje. Se formó con el grabador Peter Maverick en la ciudad de Nueva York y pronto fue conocido como un virtuoso del grabado, cuya característica fundamental era su maestría en la minuciosidad, lo que queda patente en su primera gran obra, *La*

declaración de la Independencia, réplica del cuadro del mismo nombre de **Trumbull**, con la que obtuvo su consagración. Su detallismo en el grabado lo hace extensivo también a su producción paisajística, género al que se dedica plenamente desde 1835, ya dentro del **romanticismo** y caracterizado por su lirismo y atmósfera íntima, que recuerda a Jacob van Ruisdael, y que se pone de manifiesto en *Las Hayas* (1845) o en *Espíritus afines* (1849), su obra más representativa. Con anterioridad había hecho incursiones en el retrato, fruto de las cuales son los retratos realizados a todos los presidentes de los Estados Unidos. Participó en la creación de la Academia Nacional de Dibujo, de la que fue presidente entre 1846 hasta 1862.

DYCE, WILLIAM

(Aberdeen, 1806-Streatham, 1864)

Pintor escocés. Formado en Roma en contacto con los **Nazarenos**, su obra y estilo evolucionan hasta identificarse con los ideales estéticos de los prerrafaelistas. Estudia en la Escuela de Bellas Artes de Edimburgo y más tarde en la Royal Academy de Londres. Viaja en dos ocasiones a Roma, primero en 1825 y luego en 1827, estancia que dura dos años. Allí pinta una *Virgen con niño* que refleja de tal modo su admiración por los maestros antiguos del clasicismo, especialmente por Rafael, que la obra llama la atención al grupo de los Nazarenos. Su profunda religiosidad y su estilo un tanto delicado le aproximan a una amistad con este grupo, en especial con los más representativos, **Overbeck**, **Cornelius** y **Schnorr von Carolsfeld**. Con todo, su obra se aleja del misticismo de este grupo alemán por su interés en la observación de la realidad y del mundo natural. Este rasgo es permanente en la producción que realiza a su vuelta a Escocia, sobre todo en sus retratos de los años treinta y en los paisajes que elabora con posterioridad. Sin embargo, es la pintura al fresco y las decoraciones a gran escala lo que más prestigio le reportan y que le convierten en el gran experto en esta materia de la Inglaterra del siglo XIX. Esta distinción la consigue en gran medida gracias al previo encargo oficial de estudiar la técnica al fresco en Europa. Sus trabajos se encuentran en la Cámara de los Lores, en el Palacio de Buckingham y en los Palacios de Lamberth y de Osborne. La investigación también forma parte de su cometido peda-

gógico, ya que a partir de 1837 es profesor de la Escuela de Dibujo de Londres, el primer peldaño de una progresiva ascensión que finaliza en su nombramiento como miembro de la Academia de Bellas Artes de Escocia. En su evolución pictórica, su obra se va aproximando al ideario de los prerrafaelistas. Entre sus lienzos destacan los asuntos religiosos, extraídos del Antiguo Testamento (*La samaritana* o *Jonás lan-*

Primer ensayo de Tiziano.
WILLIAM DYCE.

zando la flecha de la liberación, por ejemplo), y los paisajes, género en el que consigue plasmar la realidad de los ambientes a través de una observación precisa y realista de la naturaleza. Entre todos los géneros que cultiva, se distinguen sus cartones para vidrieras. También brilla en una vertiente musical, pues fue un excelente organista que llegó a publicar estudios sobre el canto gregoriano.

Getsemaní.
WILLIAM DYCE.

La carrera de los hermanos Biglin.
THOMAS EAKINS.

EAKINS, THOMAS

(Filadelfia, 1844-1916)

Pintor estadounidense, consumado pintor en el género de la pintura de historia, es el máximo representante del **realismo** ochocentista de su país. En París, donde se forma y estudia con **Gérôme**, es después discípulo de **Delaroche**, desde 1824 a 1904. Realiza varios viajes por Europa y en ellos conoce el naturalismo de los grandes maestros del barroco, como Ribera, Velázquez o Rembrandt. Esta indagación e influencia le conducen a realizar obras de excelente factura dibujís-tica, muy detalladas y casi con un realismo fotográfico, como se demuestra en su mejor obra, *La clínica del Doctor Gros*, de 1875, en la que refleja sus conocimientos o preparativos artísticos previos, cuando de estudiante en Filadelfia asiste a las clases de anatomía en la facultad, pero sobre todo su preocupación por un realismo verídico y que no sólo proviene de la conocida obra de Rembrandt, *La lección de anatomía*, sino de un realismo científico y contemporáneo, como la realidad que corresponde al importante descubrimiento de los efectos del cloroformo y la anestesia. Con este cuadro, de grandes dimensiones y figuras de tamaño natural en primer plano, Eakins consigue pasar a ser uno de los mejores pintores de la pintura realista del siglo XIX.

EASTLAKE, SIR CHARLES LOCK

(Plymouth, 1793-Pisa, 1865)

Pintor e historiador del arte británico. Se formó con **Haydon** y **Prout** así como en los viajes que realizó por Italia y Grecia. Pronto se dio a conocer con su famoso cuadro *Napoleón a bordo del "Bellerophon"* (1815), barco que conducía a Napoleón al exilio en Santa Elena, y en el que retrata a éste y a las personas que le acompañaban, habiendo realizado previamente del natural numerosos apuntes. Vivió en Roma desde 1816 a 1830, y fruto

El sueño de Lord Byron.
SIR CHARLES LOCK EASTLAKE.

de esta estancia fueron los paisajes de los alrededores de Roma y escenas pintorescas de bandidos, así como numerosos estudios arquitectónicos. En su obra también cultivó los cuadros de tema religioso e histórico, con un estilo a la manera de los grandes maestros antiguos. Desde 1830 se dedicó fundamentalmente a la administración, y en 1850 fue nombrado presidente de la Royal Academy y director de la National Gallery. Otra de sus obras relevante es *El campeón* (1824).

ECKERSBERG, CHRISTOFFER WILHELM

(Blaakrog, 1783-Copenhague, 1853)

Pintor danés, cuya obra se halla entre el **romanticismo** y el **realismo**. Después de haber estudiado en Copenhague con N. Abilgaard, viaja a París, en 1810, donde se forma en el taller de **David**, manteniendo una estrecha relación con él. En 1813, para continuar su formación, marcha a Roma, ciudad en la que permanece tres años y donde conoce a Bertel Thorvaldsen, de quien realizó un excelente retrato en 1814, de gran clasicismo. Aquí realiza numerosos paisajes, entre los que destacan las vistas de

Roma, como *La vista a través de las arcadas del Coliseo*. Tras el regreso a su ciudad natal, se dedica a realizar retratos al colectivo de los pequeños burgueses, con un estilo minucioso y casi naturalista, de cuidado modelado y una gran pureza de línea, que recuerdan a **Ingres**, así como en su color. Pinta igualmente varias marinas, tomadas de su país, de aguas tranquilas y algo idealizadas, aunque de un acusado naturalismo, las cuales le dieron fama e influyeron en paisajistas contemporáneos y posteriores, poniendo las bases para los siguientes paisajistas daneses, que están considerados los pintores de mayor calidad de su país en la primera mitad del siglo XIX. También tiene cuadros de historia y religiosos con temas bíblicos. En 1818 es nombrado profesor de la Academia de Bellas Artes y, en 1830, director. Su pintura evoluciona progresivamente hacia un realismo naturalista casi fotográfico, tanto en el paisaje como en el retrato. Otras obras re-

La familia Nathanson.
CHRISTOFFER WILHELM ECKERSBERG.

levantes son *Retrato de Graf Preben Bille-Brahe y su segunda mujer* (1817), *Santa María en Aracoeli, Roma* (1813-1816) y *Vista de Copenhague desde el Trekroners Batteri* (1836).

EDELFELT, ALBERT GUSTAV

(Helsinki, 1854-Borga, 1905)

Pintor finlandés. Es, junto con Gallen-Kallela, el pintor más importante de su país en el siglo XIX. Después de iniciar sus estudios de pintura en Helsinki y Amberes, se establece durante algún tiempo en París, donde fue alumno de **Gerôme**. En principio cultiva la pintura de historia, pero, influido por los pintores del naturalismo «plein air», como su amigo **Bastien-Lepage**, se inclina por esta forma de naturalismo, de gran calidad lumínica, en escenas costumbristas, típicas de la vida finlandesa y rusa, como *Día de diciembre en Finlandia*, y en paisajes con figuras, bíblicas a veces, como *Cristo y María Magdalena*, que pintó en 1890. En su última etapa como

Máscaras.
JAMES ENSOR.

pintor dedica una parte importante de su obra a denunciar, con cuadros en los que representa la historia de su país, la situación del mismo bajo la opresión rusa. También fue un notable retratista, siendo seguramente el más famoso de los numerosos artistas que realizaron el de *Pasteur en su laboratorio* (1885); también hace los de la familia del emperador Alejandro, quien lo llamó a Rusia para que retratara a sus hijas. Trabajó igualmente en la ilustración. Otras de sus obras notables son *Tarde de verano en Finlandia* y *Copenhague*.

París en la nieve.
ALBERT GUSTAV EDELFELT.

EGOROV, ALEXEI EGOROVICH

(Rusia, 1776-San Petersburgo, 1851)

Pintor ruso. Formado en la Academia de Bellas Artes de San Petersburgo (de la que sería desde 1798 profesor de dibujo) y discípulo de Grigori Ougriumov, se dedicó a la pintura de historia, aunque también tiene obras religiosas y retratos. Completa su formación en Italia, país que le influye en la manera de pintar los iconos de Nuestra Señora de Kazán, lo que le acarrea la caída en desgracia ante el zar Nicolás I, a quien no gustó su forma de interpretarlos. Llamado el

Rafael Ruso, muestra una gran calidad tanto en sus composiciones como en el dibujo. Entre sus obras, que se encuentran en museos de San Petersburgo y Moscú, hay que señalar el retrato de su alumno *Soukhnov* y el de la *Princesa Galitzine en figura de Sibila*.

ENSOR, JAMES

(Ostende, 1860-1949)

Pintor e ilustrador belga, su obra se desarrolla al margen de las corrien-

101

Entrada de Cristo en Bruselas.
JAMES ENSOR.

sus obras a los Salones de París, rechazadas en sucesivas ocasiones, y se integra en el grupo de *Les Vingt* («Los Veinte») de donde es expulsado en 1888, por ser considerado escandaloso el tema propuesto en *La entrada de Cristo en Bruselas*, obra en la que ya manifiesta su interés por las máscaras y los esqueletos, obsesión que le persigue durante toda su trayectoria y en la que plasma una ácida crítica hacia la burguesía. Su obra tiene una fuerte trascendencia en las corrientes pictóricas de las primeras décadas del siglo XX, especialmente en los expresionistas alemanes, en alguno de los pintores de la escuela de París, como Marc Chagall, y en los surrealistas.

tes y de la estética del siglo XIX. Comienza a dibujar y pintar desde muy temprana edad, aprendiendo con algunos pintores de su localidad natal. En 1878 realiza el único viaje de toda su vida para estudiar en la Academia de Bruselas; allí presta especial dedicación a la pintura de los impresionistas franceses. Dos años después regresa a su localidad natal, donde reside hasta su muerte, pero envía regularmente

Una lectura de Zorrilla en el taller del pintor.
ANTONIO MARÍA ESQUIVEL.

ESPALTER I RULL, JOAQUÍN

(Sitges, 1809-Madrid, 1880)

Pintor español, formado en la Escuela de la Lonja de Barcelona y en París, donde es alumno de **Gros**. En 1833 viaja a Roma y entra en contacto con el grupo de pintores «nazarenos» catalanes allí instalados. En 1842 se traslada a Madrid, ciudad en la que reside hasta su muerte y donde adquiere fama como retratista de la alta sociedad y pintor de temas históricos. Destacan el retrato de su esposa, *La Señora Espalter*, y los cuadros de historia, *El suspiro del moro* o *Colón y su primera entrevista con los jefes indios*. Es académico de San Fernando desde 1843 y profesor de la Escuela de Bellas Artes a partir de 1857. También interviene en la decoración pictórica de diversos edificios madrileños, como el Palacio de Gaviria, el Palacio del Congreso o el paraninfo de la Universidad Complutense.

La tormenta.
WILLIAM ETTY.

ESQUIVEL Y SUÁREZ DE URBINA, ANTONIO MARÍA

(Sevilla, 1806-Madrid, 1857)

Pintor español. Figura destacada dentro del **romanticismo** cultural del Madrid isabelino, su formación se inicia en la Academia de Bellas Artes de Sevilla dentro de los presupuestos neoclásicos y de la tradición propia de la escuela andaluza. En 1831 se traslada a Madrid, año en que es nombrado académico de mérito, y en 1833 funda el Liceo Artístico y Literario, patrocinado por la reina. Por entonces compone obras religiosas inspiradas en modelos de Murillo. Tras su retorno a Sevilla, en 1838, se le declara una enfermedad en la vista que le deja ciego. En precarias condiciones económicas y tan gravemente enfermo, es socorrido por **Genaro Pérez Villaamil** y otros amigos del Liceo Artístico y Literario, quienes organizan una suscripción gracias a la cual viaja al extranjero, de donde regresa recuperado. Su agradecimiento lo expresó con la creación de una de sus más afamadas obras, *La caída de Lucifer*, que regaló a la mencionada institución. Aunque practica todos los géneros, en los que hay que incluir la pintura mitológica y la de historia, su actividad más brillante y prestigiosa fue la de retratista, especialmente los retratos colectivos conocidos como *Una lectura de Ventura de la Vega ante los actores de su época* y, sobre todo, *Lectura de Zorrilla en el estudio del pintor*, un interesante testimonio de los círculos intelectuales del romanticismo madrileño.

ETTY, WILLIAM

(York, 1787-1849)

Pintor inglés. La mayor parte de su obra responde al género histórico dentro de un estilo eminentemente romántico. De familia humilde,

El beso.
EDVARD MUNCH.

ejerce diferentes oficios hasta que a los 20 años ingresa en la Royal Academy de Londres y tiene como maestro a **Thomas Lawrence**. Dedicado a copiar en los museos las composiciones de los grandes maestros, sus primeras obras expuestas, como *Safo* o *Telémaco salvando a Antíope*, consiguen un gran éxito y son inmediatamente compradas. En 1816 visita París y Florencia. El prestigio que alcanzan sus grandiosas composiciones le empujan a estudiar a los clásicos italianos, para lo cual vuelve a Italia en 1822. En su producción sobresalen *Pandora coronada por las estaciones* (1822), *Los pescadores de coral* (1825) y el tríptico conocido como *Judith* (1827-1831), dedicado a narrar la historia del pueblo de Israel. Renunció a su puesto de académico y abandonó Londres para regresar a su localidad natal, donde murió.

EVENEPOEL, HENRI-JACQUES-EDOUARD

(Niza, 1872-París, 1899)

Pintor francés, de padres belgas, se le puede considerar un artista inserto en las corrientes posimpresionistas y cuya obra se enmarca en las diversas tendencias estéticas que surgen a finales del siglo XIX. De familia de artistas, estudia en Bruselas en el taller del pintor Blanc Garin. En 1892 marcha a París para continuar sus estudios en la Escuela de Bellas Artes. Allí recibe el impacto de la obra de **Gustave Moreau** y se relaciona con los pintores más avanzados del momento, entre ellos Henri Matisse y Georges

Rouault, admirando también los trabajos de **Degas**, **Toulouse-Lautrec** y **Manet**. La exhibición de su obra en París (1894) y Bruselas (1898) consigue una buena acogida, pero su verdadero estilo se forja en un periplo por Argelia, experiencia que le reporta renovado vigor en las formas y luminosidad en el colorido. Entre su producción destacan *El español en París* y *Retrato del pintor Paul Baignières*. Muere a los 27 años de edad.

EXPRESIONISMO

Movimiento cultural que afecta al arte y a la pintura, pero además a la literatura, la poesía, el teatro y el cine. Su definición resulta compleja, pues parte de una teoría que determina la esencia subjetiva del artista como expresión válida de los aspectos naturales y externos de las cosas. Según esto, la pintura expresionista es una interpretación intelectualmente subjetiva que reacciona contra la exactitud realista de un retrato o un paisaje y que prefiere la distorsión y la exageración de las cualidades naturales de la realidad. Todo un mundo en relación con el recién descubierto «inconsciente» y en el que las teorías del psiquiatra Sigmund Freud tuvieron mucho que ver. Sin embargo, como actitud estética las raíces del expresionismo pueden buscarse en las numerosas producciones artísticas del pasado, especialmente en la pintura de los primitivos europeos, de figuras como Cranach, Holbein y Durero. A finales del siglo XIX las primeras aportaciones expresivas son una reacción a las manifestaciones pictóricas del **impresionismo**, empeñado en captar la realidad de la luz y sus efectos atmosféricos, de las gentes y los paisajes inmersos en un ambiente de luces y sombras. Desde esa perspectiva, el expresionismo refleja una actitud interior, pinta con «el alma» e interpreta la realidad. Es un término que se aplica al arte alemán, concretamente a los artistas del «movimiento moderno» de Berlín y Munich, pero las bases primigenias de la expresividad pictórica se en-

Paisaje de la región de Berna.
FERDINAND HOLDER.

El cuarto de estar burgués.
JAMES ENSOR.

cuentran en artistas como **Cézan-ne** y, ante todo, **Gauguin** y **Van Gogh**, y en todos aquellos enmarcados en la renovación plástica del posimpresionismo. Los pintores **Ferdinand Holder** y **Edvard Munch**, así como **James Ensor**, entre otros, pueden entenderse como el punto de partida de una estética expresionista que afecta a numerosas manifestaciones culturales anteriores y posteriores a la primera guerra mundial, estética que en Alemania se prolonga hasta los años treinta del siglo XX.

La rue Lafayette.
EDVARD MUNCH.

ℰ

Un estudio en el barrio Batignolles.
HENRI FANTIN-LATOUR.

muestra su profunda admiración por Richard Wagner al realizar una serie de ilustraciones para la edición de sus óperas.

FATTORI, GIOVANNI

(Livorno, 1825-Florencia, 1908)

Pintor italiano, es el representante más importante del grupo de

Autorretrato.
HENRI FANTIN-LATOUR.

FANTIN-LATOUR, HENRI

(Grenoble, 1836-Buré, 1904)

Pintor y grabador francés, su obra se enmarca dentro de la concepción del **realismo** pictórico. Hijo de pintor y alumno de **Courbet**, es un excelente autor de bodegones, flores y retratos, con una técnica punteada, un colorido suave y una calidad en las texturas que dan a sus producciones un aspecto casi fotográfico. No obtiene éxito en la exposición del Salón de 1861, pero los cuadros que realiza años después son muy bien recibidos por la crítica, como el célebre *Homenaje a Delacroix*, de 1864, en que se autorretrata junto a **Whistler**, Baudelaire y otros artistas e intelectuales. A este retrato colectivo le sigue, en 1870, *Un estudio en Batignolles*. Destacan también *Narcisos y tulipanes* y *Bodegón con flores y frutas*, así como su *Autorretrato*. Además de la pintura, practica la litografía y de-

Abrazaderas.
HENRI FANTIN-LATOUR.

F

Lancero junto al mar.
GIOVANNI FATTORI.

los **Macchiaioli**, movimiento artístico que bajo el signo del **realismo** se desarrolla en Italia en
torno a la década de 1860 y cuyo
foco esencial se establece en Florencia. En esta ciudad y en la Academia de Bellas Artes inicia sus
estudios y su creación artística. Las
primeras obras son grandes cuadros de temas militares, como *La
batalla de Magenta* (1862), asuntos
muy comunes entre los pintores
del grupo «macchiaioli» y que
responde a la relación nacionalista

María Estuardo a la cabecera de Douglas.
GIOVANNI FATTORI.

Autorretrato a los sesenta y nueve años, de 1894.

FAVRETO, GIACOMO

(Venecia, 1849-1887)

Pintor italiano. En principio aprendió los conocimientos más elementales de la pintura con un pintor casi desconocido, pero sus aptitudes le permiten entrar a estudiar en la Academia de Venecia, que le condicionará su estilo, aunque fundamentalmente lo harán los maestros del pasado, a los que admira de forma especial. Su obra estuvo, durante un etapa bastante larga, próxima al estilo de los **Macchiaioli**, pero luego fue evolucionando hacia un logrado **realismo**, a veces naturalismo, dentro también de la tradición veneciana, especialmente por el marcado sentido del color, tan característico de los pintores de dicha ciudad a lo largo de toda su historia, aunque en él los valores cromáticos cobren una fuerza y calidad especial de entre todos los pintores naturalistas venecianos de este momento, que junto con él retoman el estilo de dicha escuela, en un intento de renovación. Entre sus obras, de gran calidad, y colorido refinado y armonioso, hay que destacar *El listón* y el retrato de *La familia Guidi*.

FEDOTOV, PAVEL ANDREIEVICH

(Moscú, 1815-San Petersburgo, 1852)

Pintor y poeta ruso perteneciente al realismo. Ingresó en el ejército y, en paralelo, acudió, de modo esporádico, a clases como oyente en la Academia de Bellas Artes y fue discípulo de **Alexis Venetsianov**. Sus visitas al Ermitage y su relación con **Briullov** contribuyeron a completar su formación. Cuando alcanzó el grado de capitán abandona el ejército, en 1843, para dedicarse

que establecen con las guerras del *risorgimento*. De hecho, Fattori es miembro del Partido de Acción en 1868. Un ejemplo también muy significativo es *La patrulla* (1885). Sin embargo, su gran producción es en su mayoría de pequeño formato y muy variada, tanto en los medios que utiliza (óleo, acuarela, pluma, lápiz) como en los temas que abarca (retrato, paisaje o escenas de género). Destacan *Soldados franceses*, *Diego Marteli a caballo* o *Mujer en un bosque*, pero sin duda, *La rotonda di Palmieri*, de 1866, está considerada su mejor obra. También es digno de mención su

La novia difícil.
PAVEL A. FEDOTOV.

La joven viuda.
PAVEL A. FEDOTOV.

nero y costumbrista constituye el centro de su atención artística, aunque también como retratista destacó. Pinta copiando del natural, intentando reflejar la vida que le rodea, con un estilo lleno de humor, a veces, cínico, en el que se puede percibir una intencionalidad moralizante, sobre todo en sus pinturas de género y costumbristas, en pequeño formato, donde representa a la burguesía de su país, a la que retrata de modo caricaturesco (*El coronel pretendiente, Oficial haciendo saltar al perro, Petición de mano*). Está en la línea de **Boilly**, Paul Gavarni y la del dibujo satírico ruso, así como la de la escuela de caricatura inglesa, pero en sus últimas obras se pierde el contenido caricaturesco y su capacidad narrativa, que en la primera etapa era importante, y aparecen lienzos donde se percibe la soledad del autor. Destaca en su obra su extraordinario **realismo**, que llevó a algunos autores a calificarle como «el Gogol de la pintu-

Retrato de los niños Gerbine.
PAVEL A. FEDOTOV.

plenamente a la pintura, hasta su ingreso en una institución mental donde terminaría sus días, después de una vida de privaciones. Su paso por la institución castrense marcó la temática de sus primeros cuadros, realizados muchos de ellos a la acuarela, alternándola con dibujos a lápiz, en los que se dedica a reflejar la vida de los cuarteles. Posteriormente, la pintura de gé-

ra» y la forma en que concibe los cuadros, a la manera de una escena de teatro. En sus obras se aprecia una gran calidad pictórica soportada por un cuidadoso dibujo y por una pincelada poco cargada, mostrando, en muchos de sus cuadros de interior la influencia de los maestros holandeses, de modo especial en la minuciosidad del detalle. De modo opuesto a la pintura costumbrista, su producción retratística se caracteriza por su intimismo y, por tanto, en ella huye del escarnio (*T. E. Jakovieff, E. P. Rostopchin*). Otras obras importantes en su abundante producción son *En el almacén, Una joven en peligro, Fidelka enfermo, La joven N. Idanova tocando el piano, La novia caprichosa, La joven viuda* y *Jugadores*. Al igual que **Ivanov**, su arte marcaría tremendamente a las generaciones rusas posteriores.

FERRANT Y FISCHERMANS, ALEJANDRO

(Madrid, 1843-1917)

Pintor español de temas religiosos e históricos. Se forma bajo la influencia purista de su tío, Luis Ferrant Llausas, y en la Academia de Bellas Artes de San Fernando. Su participación en las exposiciones nacionales le proporcionan gran prestigio, así como una subvención para estudiar en Roma. Cultiva con igual acierto la pintura de género, la histórica, la decorativa y la religiosa. Entre sus títulos de asuntos religiosos tiene especial interés *La última comunión de San Fernando*. A su regreso se dedica a la decoración pictórica de diversos edificios, entre los que destaca *Sibilas* y *Profetas*, en la cúpula de San Francisco el

La última comunión de San Fernando.
ALEJANDRO FERRANT Y FISCHERMANS.

Grande, de Madrid. En esta ciudad asume la dirección del Museo de Arte Moderno.

FERRANT Y LLAUSÁS, FERNANDO

(Palma de Mallorca, 1810-El Escorial, 1856)

Pintor español de formación académica, llega a alcanzar un cierto puesto honroso entre los paisajistas españoles. Estudia en la Real Academia de San Fernando, en Madrid, y gracias a la protección del infante Sebastián Gabriel, consigue un subsidio para la Academia Española en Roma. Pese a su estilo ex-

F

Nanna.
ANSELM FEUERBACH.

cesivamente técnico y artificioso, algunos de sus paisajes consiguen cierto lirismo entroncado con la visión romántica de la naturaleza, como *Paisaje con lago y ermita en ruinas*, obra realizada en torno al año 1845.

FEUERBACH, ANSELM

(Spira, 1829-Venecia, 1880)

Pintor alemán. Considerado uno de los mejores pintores alemanes de la centuria, su obra se enmarca en una pintura intelectual, de temática heroica y mitológica y caracterizada por un gran refinamiento. Nace en el seno de una familia culta, hijo de arqueólogo y sobrino del filósofo Ludwig Feuerbach. Se forma en la Academia de Düsseldorf, donde estudia bajo la dirección del pintor **Wilhelm von Schadow**, y seguidamente en la de Munich; Carl Rahl es uno de sus maestros. Viaja a París en 1851 y reside allí hasta 1854. Conoce a dos artistas de formación distinta y antagónica, el realista **Courbet** y el academicista **Couture**. La influencia de ambos se refleja de forma dispar en algunas de sus obras, como en *Hafiz fuera de la taberna* (1852), que sigue la renovación «courbertiana», o en *La muerte de Aretino* (1854), con una composición anclada en la tradición académica. Su viaje a Italia en 1855 marca el punto de inflexión de su obra, dedicándose por entero a los temas mitológicos y alegóricos y trabajando para el príncipe

Friedrich von Baden. En Venecia, Florencia y, sobre todo, en Roma, donde estudia a los clásicos, realiza sus composiciones más renombradas, como *Medea* (1870), *Ifigenia* (1871) y los estudios para *La batalla de los Titanes* (1873), obras en las que intenta plasmar con refinados colores un carácter heroico y sublime, con figuras un tanto melancó-

licas. Reclamado para el puesto de profesor de la Academia de Bellas Artes en Viena, se traslada a esta ciudad en 1873, donde reside hasta 1876. En el techo de una de las salas de esta institución compone *La caída de los Titanes*, una pintura mural de esquema y efectismo barrocos. Tres años más tarde regresa a Venecia, ciudad en la que muere.

Ifigenia.
ANSELM FEUERBACH.

Joven junto al mar.
HIPPOLYTE FLANDRIN.

F

FIELDING, ANTHONY VANDYK COPLEY

(East Sowerby, Halifax, 1787-Worthing, Brighton, 1855)

Pintor y acuarelista inglés, fundamentalmente en la temática del paisaje y dentro de la corriente romántica. En principio estudió con su padre y más tarde fue discípulo de John Varley, especializándose muy pronto en la acuarela. Pintor prolífico, se dedica a representar poéticos paisajes, sobre todo marinas, en los que se aprecia la influencia de Richard Wildson y que le proporcionaron populari-

dad. Hasta 1814 el motivo preferido de sus cuadros era el país de Gales, pero después fueron las costas su centro de atención, debido a las largas temporadas que se vio obligado a pasar en ellas. En 1824 su obra ya fue premiada en el Salón de París y siete años más tarde es nombrado presidente de la Sociedad de Acuarelistas. Entre sus abundantes obras, cuya ejecución está poco cuidada, ya que considera la pintura como vehículo para transmitir los sentimientos, hay que destacar *Puesta de sol* (1819), *Santa Clara curando a un ciego*, *Eurípides escribiendo sus tragedias* y *Dante y Virgilio visitando a los envidiosos castigados con la ceguera*. Influyó en los paisajistas románticos franceses.

FLANDRIN, HIPPOLYTE

(Lyon, 1809-Roma, 1864)

Pintor de historia francés. Alumno de **Ingres**, en 1832 su obra *Teseo reconocido por su padre* recibió el premio de Roma. Lo mejor de su pintura son los frescos que pintó para decorar las iglesias parisinas de Saint-Séverin (1839-1841), Saint-Germain-des-Prés (1842-1843) y Saint-Vicent-de-Paul (1849-1853) y las de Nimes (1847-1849) y Lyon (1855), en las que se halla alejado totalmente del academicismo y que por su frialdad y boato se acercan a los **Nazarenos**. También destacó en el género del retrato, llegando a ser retratista oficial de Napoleón III, a quien realizó varios, así como a grandes personalidades de la sociedad del Segundo Imperio *(Retrato de dama* y *La señora Vinet)*.

FONSECA, Antonio Manuel da

(Lisboa, 1796-1890)

Pintor portugués dedicado a la pintura histórica y al retrato dentro de las corrientes neoclásica y romántica, según el género. Discípulo de **Peter von Cornelius** en Alemania, también estuvo varios años en Roma (1826-1834) formándose con **Camuccini**. Al año siguiente, ya en su país, monta una exposición de su obra en solitario que es la primera de este tipo que se realiza en Portugal. Con anterioridad había sido elegido pintor de cámara del rey y, en 1836, con motivo de la creación de la Academia de Bellas Artes de Lisboa, es nombrado profesor de la misma, institución que es clave en la asimilación del **neoclasicismo** en su país, así como miembro de la Academia de Bellas Artes de París (1862) y de la española de San Fernando (1872). En su producción pictórica, sobre todo en la de historia, se adhiere al neoclasicismo mitológico que ha estudiado en Roma, siendo un ejemplo de ello *Eneas huyendo de Troya* (1843), del que un buen número de autores opinan que es el último dentro del estilo neoclásico que se realizó en su país.

FONTANESI, Antonio

(Reggio Emilia, 1818-Turín, 1882)

Pintor y grabador italiano, está considerado uno de los grandes maestros del paisaje en su país y dentro de un estilo que fluctúa entre elementos extraídos del **romanticismo** y del simbolismo. Formado en la Academia de Turín, donde más adelante trabaja como docente, realiza varios viajes. En Suiza conoce la obra de **Corot**, mientras que en Londres tiene la oportunidad de contactar con la pintura de **Turner**, por el que profesa una gran admiración. A su regreso vive en la región de Toscana y mantiene algunas relaciones con el grupo de los **Macchiaioli**. Sus escenas campestres presentan parajes crepusculares de gran colorido y en obras como *Noviembre*, *Abril* o *El vado* consigue unas composiciones simbólicas de sobresaliente encanto y lirismo.

Abril.
Antonio Fontanesi.

La vicaría.
MARIANO FORTUNY.

FORTUNY I MARSAL, MARIANO

(Reus, 1838-Roma, 1874)

Pintor español. La cuidada y exquisita producción de este artista es, sin duda, una de las más celebradas en el ámbito internacional y claro exponente de la corriente preciosista que invade parte de la pintura europea desde mediados de siglo. Huérfano desde niño, su primer acercamiento al arte lo realiza en el taller artesanal de su abuelo y en el de un modesto pintor de su localidad natal. Con 15 años se traslada a Barcelona para estudiar

como becario en la Escuela de Bellas Artes, siendo sus maestros Pablo Milá i Fontanals y **Claudio Lorenzale**, pintores «nazarenos» que le influyen en la temática de sus cuadros y le encaminan a perfeccionar la técnica del grabado. En 1857 la Diputación de Barcelona le concede una beca para estudiar en Roma, estancia que le permite entablar relaciones con otros pintores establecidos allí, como **Rosales** o **Palmaroli**. Dos años después es enviado a Marruecos como cronista gráfico en la guerra hispano-marroquí. Una temática orientalizante, así como una nueva forma de entender el trazo, la luz y el color son rasgos patentes de su producción africana, basada en apuntes bélicos, escenas callejeras y fascinan-

tes odaliscas. A su regreso a Madrid conoce a **Federico de Madrazo**, con cuya hija se casa en 1867. Cinco años antes realiza un segundo viaje a Marruecos con el fin de componer un enorme lienzo bélico, *La Batalla de Tetuán*, y otras importantes batallas del conflicto. En una posterior estancia en Roma, desde 1865 a 1870, e influido especialmente por el estilo «pompier» y la obra de **Meissonier**, inicia su característica y propia línea preciosista. El virtuosismo y la cuidada calidad formal de su técnica le consagran en obras como *El coleccionista de estampas* o *La Vicaria*, que acaba en París. En 1870 cambia su residencia al trasladarse a Granada, ciudad en la que inicia una temática más decorativa y pin-

Rocas calcáreas en Rügen.
GASPAR DAVID FRIEDRICH.

toresca de vistas de la Alhambra y escenas populares. En 1872 vuelve a Roma, donde fallece dos años después, tras haber orientado su última producción pictórica hacia planteamientos más cercanos al **impresionismo**.

FRIEDRICH, GASPAR DAVID

(Greifswald, 1774-Dresde, 1840)

Pintor alemán y artista fundamental para el desarrollo de la pintura de paisaje del siglo XIX en Europa, se ha dicho de él que es «el más romántico de los pintores». Su formación la realiza en la Academia de Copenhague desde 1794 a 1798. A partir de esta última fecha se instala en Dresde, ciudad en la que vive hasta su muerte, aunque realiza algún viaje a zonas centroeuropeas, especialmente al norte de Bohemia. Es admitido en 1823 en la Academia de Dresde y en 1824 es con-

tratado como profesor. Los paisajes alemanes y bohemios que contempla en sus continuas excursiones influyen de manera decisiva en su especial y profunda visión de la naturaleza; ejemplo de ello es el conocido *Altar de Tetschen* o *La cruz en la montaña* (1808), cuadro en principio destinado a ser altar de una capilla particular y una de sus primeras obras en las que imprime ya la concepción del «paisaje sublime», una nueva modalidad que será muy imitada. Su estilo realista, desconocido e inaudito para la épo-

Salida de la luna sobre el mar.
GASPAR DAVID FRIEDRICH.

ca y marcado por un sentimiento de soledad, está determinado por la fuerza y la precisión de un dibujo ejemplar. En *Mujer en la ventana*, cuadro de 1822, se observa su interés por la composición de las figuras solitarias, seres que adquieren mayor presencia y poesía en sus composiciones de paisajes montañosos y agrestes, con frecuentes acantilados y precipicios, como *El caminante frente al mar de niebla* (1818) o *Rocas calcáreas en Rügen*

El puente del amor.
WILLIAM POWELL FRITH.

(1818), y en el que las figuras de espaldas del primer plano ejercen una fuerte atracción de soledad y melancolía en el espectador. Considerado como un pintor-filósofo, tuvo amistad con pintores centroeuropeos, algunos de ellos pertenecientes al grupo de los **Nazarenos** alemanes que se instalaron en Roma, y también con científicos, una relación que podría explicar la objetividad empírica que comportan algunas de sus obras: luz de amanecer, brumas, nieblas, arco iris, tormentas y bosques umbríos. Algunas composiciones, como *El ca-*

La estación de ferrocarril.
WILLIAM POWELL FRITH.

zador en el bosque (1813-1814) o *El mar de hielo* (*El hundimiento de la esperanza*) son reflejo del patriotismo que le caracteriza. Otras obras maestras son *Salida de la luna sobre el mar*, de 1822, y *Paisaje de montaña con río*, obra realizada entre 1830 y 1835.

FRITH, WILLIAM POWELL

(Studley, 1819-Londres, 1909)

Pintor inglés, especializado en pintura de historia y escenas de género, que consigue una carrera brillante con sucesivos éxitos en las exposiciones en las que participa. Sus comienzos artísticos se sitúan en Bloomsbury y, posteriormente, en la Royal Academy, de la que es miembro honorario en 1855. Su estilo pictórico presenta una pincelada muy fina y precisa, y entre sus obras destacan *El pastor de la aldea* (1845), *Hogarth en Calais* (1851) y *Un día en el Derby*, esta última de 1858 y uno de los cuadros que más fama le dieron. *La estación de ferro-*

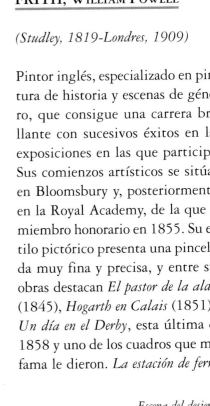

Escena del desierto.
EUGÈNE FROMENTIN.

F

Titana y Bottom con la cabeza de asno.
JOHANN HEINRICH FÜSSLI.

carril también se considera uno de sus mejores cuadros, popularizado a través de grabados.

FROMENTIN, Eugène

(La Rochelle, 1820-St.-Maurice, 1876)

Pintor romántico francés, es ante todo novelista, crítico e historiador del arte. A los 20 años inicia su actividad artística, animado por los consejos de Louis Cabat y la influencia del pintor orientalista Prosper Marilhat. Entusiasmado por los cuadros de temática exótica y oriental, realiza su primer viaje a Argelia en 1846 y se especializa en este género temático, produciendo paisajes con figuras, dentro de un estilo refinado y cálido en sus tonos cromáticos que expone en el Salón de 1847. Vuelve en dos ocasiones más al norte de África para crear paisajes orientales de gran encanto y profundo conocimiento en los efectos de la luz del sol sobre el color. Entre sus obras cabe distinguir *Mujeres egipcias al borde del Nilo* o *El estanque del oasis*. Pero la fama de Fromentin se debe a su novela *Dominique*, y a sus estudios sobre la historia del arte que superan su obra plástica, especialmente su ensayo sobre la pintura de la escuela moderna holandesa, *Les maitres d'autrefois*, publicado en 1876.

FÜSSLI, Johann Heinrich

(Zurich, 1741-Londres, 1825)

Pintor, dibujante, ilustrador y escritor suizo, la mayor parte de su carrera artística se desarrolla en Inglaterra, donde adopta el nombre de Henry Fuseli. Su obra, enmarcada cronológicamente en un temprano clasicismo romántico, presenta una gran originalidad basada en la literatura, la epopeya y en visiones fantásticas y oníricas desconocidas para la época. Hijo de un artista y crítico de arte de profundas convicciones religiosas, inicia sus estudios en su ciudad natal, terminándolos con una sólida formación humanística y un profundo conocimiento de las grandes obras de la literatura. Inicia la carrera eclesiástica y en 1761 se ordena pastor de la Iglesia reformada suiza. Por problemas políticos tiene que huir a Berlín en 1763 y entra en

Garrick y la señora Pritchard interpretando Macbeth.
JOHANN HEINRICH FÜSSLI.

contacto con los círculos neoclásicos y las teorías de Winckelmann y Mengs. Un año después marcha a Inglaterra, su segunda patria, donde trabaja como traductor y se gana la vida realizando ilustraciones para las obras de Shakespeare, Dante y Milton. Su amigo, el pintor **Reynolds**, le anima a dedicarse a la pintura, por lo que emprende un viaje a Italia, donde realiza un aprendizaje autodidacto que dura casi ocho años. Tras pasar por Venecia y Nápoles, llega a Roma en 1770 y se dedica a copiar las pinturas de Miguel Ángel de la Capilla Sixtina. La influencia de este artista es evidente en la monumentalidad de las figuras de Füssli, en

La pesadilla.
JOHANN HEINRICH FÜSSLI.

sus posturas manieristas y en la destrucción del espacio real. Con el tiempo llega a escribir importantes estudios sobre su admirado genio. Una de sus primeras obras es *La muerte del Cardenal Beaufort*, que envía a la Royal Academy en el año 1774. Sin embargo, la obra que más impacto produce entre sus contemporáneos es *La pesadilla* (1790), una creación de la que hace cuatro versiones y que sorprende al público inglés por la extravagante y lúgubre fantasía del tema elegido: la pesadilla nocturna de una mujer y los símbolos que la rodean, un tema que tiene su paralelismo en la literatura de terror tan de moda en la época, especialmente en la novela gótica. Igual paralelismo se encuentra en las obras fantásticas y en las visiones de su ami-

go **Blake**. Realiza otras composiciones que ilustran epopeyas de la mitología escandinava o griega, como *Thor luchando contra la serpiente Midgard* (1790) o *Ulises entre Escila y Caribdis* (1795), obras en las que sigue demostrando su influencia de Miguel Ángel, de figuras monumentales que pierden la forma clásica, dentro de un ambiente irreal y un tratamiento del color absolutamente inédito. En su producción es importante la serie de ilustraciones para textos literarios, como *El paraíso perdido* de Milton, *Undine* de Fouqué o, bien, para la publicación de diversas sagas, como *La canción de los Nibelungos*. Ingresa como socio de la Royal Academy en 1788 y dos años después es profesor de dibujo, de estética y de historia de la pintura.

GALWEY, ENRIC

(Barcelona, 1864-1931)

Pintor español formado en la Escuela de Bellas Artes de Barcelona. Se especializa en paisajes, siendo destacado miembro de la denominada Escuela de Olot, junto a **Joaquín Vayreda**, de quien es alumno. Su obra ofrece temas del entorno rural con sobriedad en el colorido, pero con un carácter íntimo y vital por la sensación atmosférica que imprime a sus cuadros. Entre sus obras destacan *Tierra fértil* y *Después de la tempestad*, esta última realizada en torno a 1906.

GAUGUIN, PAUL

(París, 1848-Atuona, 1903)

Pintor francés, es uno de los dirigentes del movimiento posimpresionista. Gracias a su obra la corriente pictórica simbolista encuentra un nuevo rumbo y abre el camino para el desarrollo de las tendencias expresivas antinaturalistas de las vanguardias del siglo XX, como el fauvismo y el **expresionismo**. Pasa su juventud navegando y a comienzos de la década de 1870 se hace corredor de Bolsa. Es, mientras tanto, un aficionado a la pintura y un modesto coleccionista. A través de su amistad con **Pissarro**, abandona su trabajo y se dedica por completo a la pintura a partir de 1883, adoptando la técnica de los impresionistas, con quienes expone hasta 1886. En este año

A la izquierda, *Paisaje de las Martinicas.*
Arriba, *Pastora bretona.*
A la derecha, *Autorretrato.*
PAUL GAUGUIN.

IA ORANA MARÍA

A la izquierda, *La oura amaria.*
A la derecha, *Ancianas en Arlés.*
Abajo, *Arearea Prantes.*
PAUL GAUGUIN.

visita por primera vez la localidad
bretona de Pont-Aven, lugar al que
vuelve en 1888 cuando abandona el
impresionismo por la búsqueda
de una pintura que sea a la vez más
sintética y expresiva, simbólica y
primitiva. El cambio de rumbo se
plasma en sus exposiciones con los
simbolistas franceses en París y
Bruselas durante 1889. Sus cuadros
de entonces son composiciones sencillas, escenas rurales y retratos
que, sin embargo, responden más a
metáforas visuales, como *La visión
después del sermón (Jacob luchando con-*

Vahine no te vi.
PAUL GAUGUIN.

tra el ángel)* (1888), *Autorretrato: Los miserables* (1888) o *La guardiana de puercos* (1889), obras que, como *El Cristo amarillo,* anuncian ya una tendencia hacia la abstracción compositiva. En Pont-Aven contacta con **Bernard**, pintor que había experimentado con la forma y el color dando lugar al cloisonismo o compartimentismo, una técnica que encierra las superficies coloreadas en gruesos trazos de dibujo. Gauguin hace de esta técnica un estilo completamente personal y en torno a él se unen una serie de pintores, como Bernard, que forman la denominada escuela de Pont-Aven, ligada al movimiento de los **Nabis**. En 1891 vende todos sus cuadros y emprende un viaje a Polinesia, en busca del mundo primitivo y de la inocencia salvaje que requiere su inspiración al margen de la realidad y de la civilización. Allí reside hasta 1893, año en que retorna a Francia y se establece en Pont-Aven hasta 1895, mientras que su fama crece en los círculos artísticos e intelectuales de París. Su pintura es entonces una evasión hacia el paraíso perdido y la civilización primitiva, tema recurrente en su obra y que aborda con colores ricos y contrastados insertos en fuertes perfiles, como demuestra en *El espíritu vela*, de 1894. Un año después vuelve a Polinesia, donde reside hasta su muerte, y donde realiza sus cuadros más sobresalientes, como *Muchacha con abanico, Dos mujeres maoríes, Nave Nave Mahana* o *Te Avae No Mariae*, aunque ninguno tan célebre como el último, *¿De dónde venimos? ¿Qué*

El Cristo amarillo.
PAUL GAUGUIN.

La ofrenda.
PAUL GAUGUIN.

Te rerioa. El sueño.
PAUL GAUGUIN.

somos? ¿Adónde vamos?, grandiosa composición alegórica posterior a su intento de suicidio y expuesta en la galería Vollard de París en 1899. Su salud empieza a flaquear y muere al poco tiempo de establecerse en las Islas Marquesas, paradisíaco archipiélago al norte de Polinesia, donde es enterrado. Gran parte de su experiencia estética la deja reflejada en un diario que se publica con el título *Diario de un salvaje*.

GÉRARD, FRANÇOIS

(Roma, 1770-París, 1837)

Pintor francés perteneciente al **neoclasicismo**. Discípulo del escultor Pajou y de **David** desde 1786, siete años más tarde consigue el primer puesto en el concurso para representar la sesión de la Convención Nacional del 10 de agosto de 1792. (Fue nombrado miembro

Constancia Ossolinska Lubienska.
FRANÇOIS GÉRARD.

de numerosas academias y condecorado repetidas veces.) Aunque pintó algunas escenas mitológicas (*Psique y el Amor*, 1798), religiosas (*Santa Teresa de Jesús*) y de género, destacó en la pintura histórica, de la que realizó unos treinta cuadros, siendo *La Batalla de Austerlitz* (1810) la que consolidó su fama, y, especialmente, en el retrato, género al que se dedica fundamentalmente a partir de 1800, y que practicó profusamente al servicio de Napoleón, realizando numerosos retratos de éste y de su familia. Más tarde, en la Restauración, Luis XVIII le nombró su pintor oficial, por lo que continúa con su actividad retratística con él y con su familia, al igual que después con el rey Luis Felipe, que le encarga grandes alegorías para Versalles. Sus retratos, de acabado perfecto, pero algo superficiales, blandos y sin la fuerza expresiva de su maestro David, son de estilo netamente neoclásico, con ese gusto rococó por lo bonito, y un tono dulzón en el tratamiento de sus bellos modelos. Con ellos retrató a los personajes más relevantes del París de la épo-

Caballo atacado por un león.
THÉODORE GÉRICAULT

ca, como *Madame Recamier, La familia del conde de Fríes, Retrato de Moreau* o *Talleyrand*. También hay que mencionar *Las cuatro edades* (1806), *Carlos X* y *Ossian evocando a los fantasmas por las orillas del Lora*, que es un precedente en cierto modo del **romanticismo**.

GÉRICAULT, THÉODORE

(Rouen, 1791-París, 1824)

Pintor francés, formado en la estética neoclásica y precursor del **romanticismo**, su obra es en gran parte reflejo del declive del imperio napoleónico. De familia acomodada, hijo de un abogado, desde joven siente una predilección por los caballos, pasión que traslada a su pintura. A los 17 años entra en el taller de un maestro clasicista, Vien, y después en el taller de un discípulo de **David**, Pierre **Guerin**, coincidiendo con **Delacroix** y adoptando también la pincelada de Rubens y los modelos compositivos más barrocos. Fascinado por la figura de Napoleón y sus gestas realiza una serie de cuadros de oficiales a caballo, cuadros bélicos que tienen buena acogida por la crítica en los Salones de París. En 1812 expone *Oficial de cazadores montados*, ejemplo del guerrero de las victorias napoleónicas y, en 1814, *El coracero herido*, figura que representa una acción colectiva, la retirada del ejército francés, representativo del final del emperador y muy diferente de los cuadros de batallas al uso, como los realizados por **Gros**. Decepcionado por el rumbo que toma la historia de su país, traiciona las ideas liberales y en 1816 marcha a Roma. Vuelve al tema de los caballos, verdadera constante en su pintura, y realiza numerosos bocetos y dibujos para un enorme cuadro que nunca llega a terminar. Un trágico suceso que ocupa la opinión pública francesa le inspira su obra maestra, *La balsa de la Medusa* (1816). Se trata de una composición que hace referencia al naufragio que un barco francés sufre frente a las costas de Senegal, en el que murieron todos los tripulantes,

131

a excepción de quince que en su mayoría eran oficiales. Para realizar esta obra monumental y lograr un ajustado clímax dramático estudia y dibuja cadáveres y personas enfermas, así como informes y testimonios del suceso. La obra, expuesta en el Salón de 1819, abre la puerta a la pintura romántica y una nueva era para la pintura de historia del siglo XIX, y sorprende a los críticos pero fracasa por el tema espinoso que trata y le granjea la enemistad de la administración estatal. Desanimado, marcha a Inglaterra, entabla amistad con **Constable** y se dedica a su gran pasión, los caballos, pintando las tradicionales carreras de Epston. Cuando retorna a París en 1821, con 29 años, le abruma un sentimiento de fracaso artístico. De carácter agitado y voluble, acude a un psiquiatra que le recomienda realizar una serie de retratos de enfermos mentales, entre los que sobresalen *La loca* y *El cleptómano*. En ellos revela su capacidad para trasladar a la pintura la psicología y los rasgos característicos del enfermo psíquico. Son destacables también sus pequeñas terracotas, obras de indudable interés para el estudio de la escultura romántica, así como sus escasas litografías, como *El gaitero*. Un accidente grave, al caer de un caballo, le postra en cama y muere tras un año de sufrimiento. Tenía 32 años.

GÉRÔME, Jean-Leon

(Vesoul, 1824-París, 1904)

Pintor y escultor francés, su producción escultórica presenta más relieve y consideración que la pictórica. Formado con el pintor **De-**

Charla en la intimidad.
JEAN-LEON GÉRÔME.

laroche, consigue una buena acogida de la crítica en algunos de sus cuadros de temas históricos con referencias al mundo de la Antigüedad griega. Su dominio en el dibujo queda demostrado en los apuntes y composiciones que realiza tras su viaje a Oriente Medio.

Duelo tras el baile de máscaras.
JEAN-LEON GÉRÔME.

GIERYMSKI, Alexander

(Varsovia, 1849-Roma, 1901)

Pintor polaco, perteneciente a la tendencia realista. Comenzó su formación en su ciudad natal y la continuó en Suiza, Italia y Francia, país en el que abandona su academicismo dejándose imbuir por el **impresionismo** (*El cenador*, 1880). Su estilo se caracteriza por un dibujo de gran perfección técnica, así como por un colorido armonioso, que produce atractivos efectos lumínicos.

GIGANTE, Giacinto

(Nápoles, 1806-1876)

Pintor italiano, es uno de los fundadores y líderes de la escuela de Pausilippo, grupo de pintores del sur de Italia interesados en elaborar paisajes realistas de efectos lumínicos y precursores del movimiento pictórico más realista que se desarrolla en Florencia y que se conoce como el de los **Macchiaioli**.

Se inicia con un artista holandés, Antonio Snuck, practicando una pintura al aire libre y dentro de una visión romántica, influida por **Corot** y **Turner**. Sus paisajes reflejan una característica luz meridional, tal y como se puede apreciar en algunas de sus obras: *Vistas de Ná-*

Apoteosis de los héroes franceses muertos por la patria en la guerra de la libertad.
LOUIS GIRODET DE ROUSSY-TRIOSON.

poles desde Posilipo y *Gruta con bañista*. Destacan también sus acuarelas, como *Caserta* (1857).

GIRODET DE ROUSSY-TRIOSON, ANNE-LOUIS

(Montargis, 1767-París, 1824)

Pintor, ilustrador y escritor francés, discípulo y seguidor de **David**, es un destacado representante de la pintura neoclásica aunque su trayectoria artística evoluciona hacia una tendencia que se encamina al **romanticismo**. Adoptado por un médico militar al quedar huérfano, su formación artística se inicia en el taller de David, desde donde se presenta en varias ocasiones al Premio de Roma, galardón que obtiene en 1789 con *José vendido por sus hermanos*. En Roma reside cinco

El sueño de Endimión.
LOUIS GIRODET DE ROUSSY-TRIOSON.

años en la Academia francesa y viaja por Nápoles, Florencia y Roma. En *Hipócrates rehusando los presentes del rey de Persia* demuestra su excepcional habilidad en el dibujo. En 1793 presenta al Salón de París su cuadro *El sueño de Endimión*, una obra que representa el formalismo lineal del estilo riguroso aprendido de David, pero con unos efectos dramáticos y sentimentales que anticipan el romanticismo. En 1799 sorprende al público con su *Danae*, una obra atrevida y tachada de lasciva que llega a escandalizar por incorporar al personaje mitológico el rostro de una conocida actriz de la época. Pero su obra más valorada en

El entierro de Atala.
LOUIS GIRODET DE ROUSSY-TRIOSON.

los primeros años de la centuria es el encargo que recibe para decorar una de las estancias del palacio de la Malmaison, composición dedicada a Napoleón y que se aleja claramente del ideario neoclásico de David por sus referencias a la pintura de Rubens y, con ello, al valor del color frente al dibujo. También produce asombro y debate su cuadro *El diluvio*, de 1806, que queda clasificado en el Salón parisiense por encima de *El rapto de las Sabinas* de su maestro David. A partir de esta fecha, sus composiciones se pueden incluir dentro de la corriente romántica, como el cuadro de tema literario *El entierro de Atalá* (1808) o *La revuelta de El Cairo* (1810), acontecimiento reciente compuesto con estructura propia del género histórico, tratado con una pincelada libre y muy expresiva. Destacan sus retratos, como *Chateaubriand*, y la serie de ilustra-

ciones que realiza al final de su vida para textos literarios clásicos, como Virgilio o Racine, pero de fuerte contenido romántico.

GISBERT PÉREZ, ANTONIO

(Alcoy, 1834-París, 1901)

Pintor español. Representante de la pintura de historia en los momentos de transición del **romanticismo** al **realismo**. Estudia en Madrid, en la Academia de San Fernando, y completa su formación en Roma y París. Con su cuadro *Comuneros de Castilla* consigue la primera medalla de la Exposición Nacional de 1860, obra que revela sus cualidades figurativas y expresivas, acusando un cierto efectismo. En su lienzo más conocido, *El fusilamiento de Torrijos y sus compañeros*

El fusilamiento de Torrijos.
ANTONIO GISBERT PÉREZ.

en la playa de Málaga, elimina los efectos grandilocuentes en favor de una composición más sobria y mesurada que le conducirá a un mayor realismo..

GLEYRE, CHARLES

(Cheville, 1806-París, 1874)

Pintor suizo. De niño emigró a Lyon con su familia y se formó como pintor en Roma, donde vivió desde 1828 a 1834, y en París. En Roma estuvo en contacto con pintores alemanes residentes en dicha ciudad, lo que hizo que la influencia de la pintura alemana, que ya se apreciaba en cuadros como en su *Autorretrato* de 1827, realizado en

135

la ciudad suiza de Lausana, se acentuase; a pesar de ello, posteriormente, al establecerse en París, en 1835, la tendencia más clara en su pintura será la francesa. Antes de establecerse en esta última ciudad viajó por Oriente, Egipto, Turquía,

El conde de Cabarrús.
FRANCISCO DE GOYA Y LUCIENTES.

Siria, etc., países de los que dibujó del natural paisajes, monumentos y escenas populares. Ya en París llegó a ser profesor de la Escuela Nacional de Bellas Artes y abrió un taller, cuyo nombre gozó de tan gran prestigio que por él pasaron, hasta la fecha de su cierre, en 1864, entre otros pintores de renombre, **Manet**, **Renoir**, **Monet**, **Bazille** y Sis-

ley. Cultivó especialmente los temas mitológicos y bíblicos, apreciándose la influencia de Coture en sus escenas de historia antigua. De su producción pictórica hay que destacar *Las ilusiones perdidas* (1843), *Alegoría del Nilo* (1843), *La despedida de los apóstoles* (1845), *La danza de la bacante* (1849) y *La hechicera* (1868).

GOYA Y LUCIENTES, FRANCISCO DE

(Fuendetodos, 1746-Burdeos, 1828)

Pintor, dibujante y grabador español, es una de las grandes figuras de la historia universal de la pintura. Su producción, situada en la transición del siglo XVIII al XIX, cierra el ciclo de una estética iniciada en el Renacimiento para dar paso a visiones y estructuras adelantadas a su propio tiempo. Toda su obra conforma un prolífico y variado catálogo que refleja una progresiva evolución y experimentación en temas, estilo y técnica, y que va del lenguaje clasicista propio del siglo XVIII a una pintura renovadoramente original, expresiva y subjetiva, propia del umbral y la vanguardia del mundo contemporáneo. Nacido en una pequeño pueblo aragonés, es el hijo primogénito de un maestro dorador ligado profesionalmente a la ciudad de Zaragoza. Muy pocos documentos ofrecen datos sobre su vida antes de establecerse, en 1774, en Madrid, es decir, sobre su época zaragozana. Estudia en las Escuelas Pías. En torno al año 1760 se encuentra trabajando en el taller del pintor, educado en Italia, José Luzán. Intenta ingresar en la Academia de Bellas Artes de San Fernando, fracasando

El 3 de mayo de 1808 en Madrid: los fusilamientos en la montaña del Príncipe Pío. FRANCISCO DE GOYA Y LUCIENTES.

en 1763 y 1766. En vista de ello, decide formarse por sí solo y durante algún tiempo se dedica a estudiar a maestros italianos, como Giambattista Tiépolo (1696-1770) y al alemán Rafael Mengs (1728-1779) y en 1770, con sus propios medios, se traslada a Roma. En esta ciudad realiza uno de sus primeros cuadros de historia, *Aníbal pasando los Alpes,* obra que envía a la Academia de Parma, donde no llega a ser premiado, pero sí a recibir elogios de importantes personalidades. En Italia perfecciona la técnica de la pintura al fresco, conocimiento que le proporciona diversos trabajos a su vuelta a España, realizando hacia 1771 los frescos del techo de la basílica del Pilar de Zaragoza. En 1733 se casa con Josefa Bayeu, hermana del pintor de corte Francisco Bayeu, quien le introduce en los

ambientes artísticos y sociales de la corte madrileña. Bayeu, además, le recomienda para trabajar en la Real Fábrica de Tapices de Santa Bárbara de Madrid, donde se dedica a elaborar los cartones para los tapices encargados por la familia real para decorar los palacios de El Escorial y El Pardo. Entre 1775 y 1792 Goya llega a realizar más de sesenta cartones, entre los que destacan *El quitasol, La cometa, El cacharrero,* etc., obras en las que se aprecian influencias tanto francesas como italianas. Por los mismos años toma contacto con la obra de Velázquez, algunos de cuyos cuadros comienza a grabar a propuesta del pintor Rafael Mengs, destacando ya su habilidad en esta técnica. Su trabajo y su progresiva consolidación en el ambiente artístico cortesano facilitan su ingreso en la Real Academia

de Bellas Artes como académico de mérito y mediante su cuadro *Cristo en la cruz* (1780), composición de claro carácter clasicista. Además participa más activamente en producciones para la corte, trasladándose en 1783 a Arenas de San Pedro (Ávila) con el fin de realizar un retrato colectivo de la familia del infante don Luis. En ese mismo año emprende los retratos de personajes ilustres e intelectuales, como el de *El Conde de Floridablanca* y, unos años después, el de *Jovellanos,* retratos que alternan con los de la sociedad aristocrática (*Marquesa de Pontejos* y *Retrato de la familia Osuna*) y de la familia real (*Carlos III cazador*). En 1785 es

137

nombrado subdirector de pintura en la Academia y al año siguiente pintor del rey. Su ascenso en esta institución continúa con su nombramiento de pintor de cámara en

El coloso.
FRANCISCO DE GOYA Y LUCIENTES.

1789. La Revolución Francesa y los dramáticos acontecimientos originados por la invasión francesa en la Península, cambian radicalmente su visión de la vida y la sociedad, transformación que se acentúa con su enfermedad, una dolencia iniciada años antes y cuya gravedad,

que sufre en un viaje a Cádiz (1792), acaba dejándole completamente sordo. Su estilo entonces se libera a la vez que multiplica una obra muy personal, alejada de los valores académicos. Retratos como el de *La Tirana* (1799) o el de la *Duquesa de Alba* (1795), o bien sus

Fernando VII a caballo.
FRANCISCO DE GOYA Y LUCIENTES.

desprende *La familia de Carlos IV.* No obstante, el respeto y la sensualidad son también rasgos de la personalidad de Goya: la atmósfera cálida y dorada de *La marquesa de Chinchón* y las dos versiones de la hipotética amante aristócrata del pintor, *La maja vestida* y *La maja desnuda*, se encuentran entre sus obras maestras. Paradigmas de su magisterio son dos cuadros relacionados con la guerra y realizados en 1814: *El dos de mayo de 1808: la lucha con los mamelucos* y *El tres de mayo de 1808: los fusilamientos en la montaña del Príncipe Pío*, obras de enorme repercusión para la posterior pintura de historia. Otra serie de estampas es la famosa *Tauromaquia*, compuesta en la segunda década del siglo XIX. También cultiva la temática religiosa: ya en 1788 pinta *San Francisco de Borja* para la familia Osuna y en 1819 *La última comunión de San José de Calasanz*. En este mismo año, y ya muy enfermo, compra una casa a las afueras de Madrid, la Quinta del Sordo, cuyas paredes decora con quince pinturas murales denominadas «pinturas negras», composiciones increíblemente modernas por su expresionismo y reflejo de un mundo subjetivo, subterráneo e imaginativo, una producción compleja y ligada a la serie de estampas conocidas como *Los disparates*, verdadera proclama de lo onírico y el subconsciente. A partir de 1824 vive en Burdeos como exiliado. Con más de 80 años, allí pinta una obra clave para el discurrir de la estética pictórica: *La lechera de Burdeos* (1827), obra en la que revive su interés juvenil por los personajes populares y pintura prodigiosa por su capacidad sintética y la ligereza del trazo, que se anticipa casi en medio siglo al **impresionismo**. Muere en

primeros trabajos en torno a la brujería (para el palacio de la Alameda de Osuna, Madrid), son testimonios de su avance estilístico. Su producción de dibujos y estampas comienza en estos momentos una carrera imparable. La colección de estampas conocida como *Los caprichos* (1799) es significativa de su visión crítica y mordaz de la sociedad de la época, a la que sigue la de *Los desastres de la guerra*, un material gráfico que recogió de la contienda

de la Guerra de la Independencia y muy expresiva de la capacidad de destrucción del ser humano. En sus dibujos y estampas muestra letreros e inscripciones que subrayan la importancia del mensaje explícito y descubre las miserias, las mentiras y los vicios de la sociedad en que le toca vivir y de la condición humana en general. La personalidad de Goya se muestra en dibujos y estampas mucho más viva y fuerte que en sus pinturas; sin embargo, su crítica incisiva y mordaz también está presente en algunos encargos reales, como la ironía que

Coro de la iglesia de los Capuchinos de Roma.
FRANÇOIS-MARIUS GRANET.

la madrugada del 16 de abril de 1828, y recibe sepultura en el cementerio de Burdeos, donde reposa hasta 1901, en que sus restos son definitivamente inhumados en la iglesia de San Antonio de la Florida de Madrid en 1919.

GRANET, FRANCOIS-MARIUS

(Aix-en-Provence, 1775-1849)

Pintor francés paisajista y de tema histórico. Discípulo de **David**, viaja a Roma en 1802, donde permanece hasta 1819 y fue nombrado miembro de la Academia de San Lucas. Pronto se aleja del **neoclasicismo**, decantándose por un estilo más sensible y menos frío y una técnica más suelta, a la vez que se interesa además por la luz de interiores poco luminosos, que recuerdan los interiores holandeses; pinta interiores de iglesias y monasterios,

Iglesia de la Trinidad en el Monte de Roma.
FRANÇOIS-MARIUS GRANET.

que sería la parte de su obra que más fama le reportaría, como el *Coro de la iglesia de los Capuchinos de Roma*, con la que consiguió un gran éxito en el Salón de 1819. También ejecutó cuadros de género románticos y paisajes esquemáticos de carácter italiano, a base de volúmenes cúbicos, que preludian en cierto modo a **Cézanne**, y tanto al óleo como a la acuarela *(Muelle en la orilla del Sena,* 1848). Fue amigo de **Ingres**, que le influyó en su manera de pintar, y que realizó un célebre retrato suyo, que se encuentra en el museo que lleva su nombre en su ciudad natal. De entre sus obras hay que señalar *Jacques Stella en la cárcel* e *Interior del estudio de David* (1814).

GRANT, SIR FRANCIS

(Edimburgo, 1809-Londres, 1878)

Pintor escocés. Aunque casi todos sus primeros cuadros tuvieron como tema principal la caza, tratados con gran naturalidad, posteriormente se dedicó al retrato, en el que destacó y llegó a convertirse en uno de los más apreciados retratistas en su tiempo, lo que le llevó, en el año 1866, a ser nombrado director de la Royal Academy a la muerte de **Eastlake**. Debido al origen noble de su familia y al ambiente social en el que se movía, su clientela pertenecía a las clases más altas de la sociedad inglesa, a las que representaba siguiendo la línea marcada por Van Dyck y con una técnica apasionada, dentro del concepto romántico; pero sus mejores composiciones son sus pequeños retratos de grupo, en los que más de un personaje charla relajadamente o realiza alguna actividad, aparentemente ajeno al pintor que los retrata, llamados «conversation pieces». Entre sus retratos hay que destacar *Derby, Retrato del señorito Keith Fraser en su poney* y *La casa de Melton.*

Napoleón en la batalla de Eylan.
ANTOINE-JEAN GROS.

GROS, ANTOINE-JEAN

(París, 1771-Bas-Mendon, 1835)

Pintor neoclásico francés, su obra es continuadora de la de **David** y testimonio de las hazañas napoleónicas. Hijo de un pintor de miniaturas, comienza a pintar en el taller de David, de donde sale a los 22 años para marchar a Italia. Allí conoce a la emperatriz Josefina, que le introduce en el círculo de Napoleón, uniéndose al ejército en sus desplazamientos para vivir casi como un soldado más en el campo de batalla y conocer hasta el último detalle de los combates más importantes. Se convierte en uno de los primeros «reporteros de guerra» a través de apuntes y dibujos de numerosos episodios bélicos que plasma en espectaculares composiciones. Su cuadro *Los apestados de Jaffa* (1804) es el resultado de la expe-

dición que hizo con las tropas napoleónicas a Egipto y su versión teatral y ampulosa de un acontecimiento verídico: la visita que el emperador hace a sus soldados malheridos y enfermos. El objetivo de su pintura es ensalzar la figura y las campañas expansionistas de Napoleón, como se desprende también de *La batalla de Abukir* o *La batalla de Eylan*. En el *Retrato del sublugarteniente Charles Legrand* (1810) –un joven oficial muerto en Madrid en 1808–, y retratado como un carismático héroe, es igualmente un intento de ennoblecer aún más a los componentes del ejército. Se compromete tan intensamente en aquellos acontecimientos que su carrera artística va a la par que la del emperador, durante apenas la primera década de la centuria. Su obra es criticada por su clara significación política y, aunque recibe el título de barón, su falta de inspiración y de oportunidades para buscar nuevos temas pictóricos, así como sus problemas conyugales, le llevan a

la desesperación, suicidándose en el río Sena.

GUERIN, PIERRE-NARCISSE

(París, 1774-Roma, 1833)

Pintor neoclásico francés. Fue alumno de **Regnault** y **Guerin**. Se dedicó a la pintura de historia antigua, para la que se inspira en lo observado a cerca del mundo clásico durante sus viajes a Italia (*La muerte de Catón,* 1797; *El retorno de Marco Sexto,* 1799), así como a los temas mitológicos (*Fedra e Hipólito,* 1802). En su estilo es seguidor de David, aunque sus cuadros son menos severos y a veces algo más histriónicos, con algún efecto de luz, representando ya la transición al **romanticismo**, aunque muy dentro todavía del **neoclasicismo**, del que se considera el último representante. Pintor de Napoleón y de la Restauración, fue uno de los pintores franceses que más popula-

Morfeo e Iris.
PIERRE-NARCISE GUERIN.

ridad consiguieron en su época, debido a lo cual fue nombrado profesor de la Escuela de Bellas Artes, donde tuvo como discípulos a **Géricault** y **Delacroix**, y en 1822 es nombrado director de la Academia de Francia en Roma. Otros cuadros importantes de su producción son *Bonaparte perdonando a los sublevados del Cairo* (1808) y *El general vendeano La Rochejaquelein* (1817).

GUILLAUMIN, JEAN-BAPTISTE-ARMAND

(París, 1841-1927)

Pintor francés, su obra se enmarca dentro del movimiento impresionista, aunque su evolución estilística se adentra en el **posimpresionismo**. Aficionado a la pintura en sus ratos libres, es desde los 20 años un empleado de los ferrocarriles franceses. Desde 1863, año en que se dedica de lleno a componer cua-

El puente sobre el Marne en Joinville.
JEAN-BAPTISTE-ARMAND
GUILLAUMIN.

Los ladrones de carbón.
ARMAND GUILLAUMIN.

dros, toma contacto con los artistas impresionistas de París asiduos al Café Guerbois, así como con la obra de **Cézanne** y **Pissarro**. Expone en el Salón de los Rechazados. Se dedica fundamentalmente al paisaje de la región de Provenza con un colorido peculiar y estereotipado, a base de tonos violetas y anaranjados y en los que busca los efectos de las puestas de sol. Tal cromatismo es una exaltación del color que se

A la derecha, *Autorretrato.*
Abajo, *El puente Louis-Philippe.*
ARMAND GUILLAUMIN.

El Sena en París.
ARMAND GUILLAUMIN.

G

aproxima a los planteamientos del posimpresionismo y ejerce una influencia importante en **Gauguin** y **Van Gogh**. Un ejemplo significativo de su estilo se encuentra en sus cuadros *Paris, Quai de la gare, Puerto de Charenton* y, sobre todo, *Puesta de sol en Ivry,* obra de 1873 que es objeto de una sarcástica crítica.

GUTIÉRREZ DE LA VEGA, JOSÉ

(Sevilla, 1791-Madrid, 1865)

Pintor español. Claro representante de la pintura romántica, sus retratos conforman uno de los conjuntos más interesantes del género en el panorama español. Estudia en la Escuela de Bellas Artes de su ciudad natal y en 1832 se traslada a Madrid. Un año después ingresa como académico de mérito en la Academia de San Fernando. Además de los retratos de *La reina gobernadora María Cristina, La Condesa de Montijo* o el de *Isabel II,* se ocupó de asuntos religiosos en los que la influencia de los modelos de Murillo es evidente. En 1848 renuncia a su puesto de director de la Academia de Bellas Artes de Sevilla y retorna a Madrid, ciudad en la que muere.

GUYS, CONSTANTIN

(Flesinga, 1805-París, 1892)

Dibujante e ilustrador holandés, de familia francesa, de cuya vida se conoce muy poco. Nombrado en 1838 corresponsal gráfico en Londres del *Illustrated London News,* cargo que desempeñará durante bastante tiempo, tiene que viajar por Europa y Oriente y asistió a la guerra de Crimea (1853-1856), de la que tomó apuntes bélicos, mostrándose como un auténtico «reportero gráfico», sin haber tenido ninguna formación artística. Se instala en París en hacia 1870, y entra en contacto con los impresionistas. Sus rápidos apuntes de dibujos y plumilla, manchados con aguadas, tintas, gouaches y acuarelas, tomados de la sociedad contemporánea, representan escenas de la vida cotidiana y mundana, reflejando a veces lo más bajo de los

La boda romántica.
JOSÉ GUTIÉRREZ DE LA VEGA.

Episodio de la guerra de Crimea.
CONSTANTIN GUYS.

ambientes marginales. Con ellos
consigue imágenes de gran expresividad, tanto de ambientes como
de tipos, que lo acreditan como
un buen dibujante, aunque según
algunos autores carente de fuerza, pero que constituyen pequeñas
obras maestras. Con estos dibujos
alegres, desenfadados y vivos se ac-
túa como un cronista de la sociedad
parisina del Segundo Imperio, pero
también de la de Londres y Madrid.
En ellos se le considera, sobre todo
por la temática, un precursor de
Toulouse-Lautrec y **Manet**. En su
última época su tema preferido fueron las mujeres, tanto damas como
prostitutas. Fue, según Baudelaire,
«el pintor de la vida moderna».
Ejemplos claros de lo descrito son
sus obras *Mujer de pie* (h. 1875-
1880), *Bailarina* o *Dos señoras con
manguitos* (h. 1875-1880).

Galatea.
CONSTANTIN GUYS.

Un arroyo.
CARLOS DE HAES.

HAES, CARLOS DE

(Bruselas, 1826-Madrid, 1898)

Pintor belga especializado en paisajes. Su familia holandesa se establece en Málaga por razones de trabajo, donde Haes inicia su aprendizaje con el pintor Luis de la Cruz y Ríos. Desde 1850 a 1855 estudia en Bélgica como aprendiz con el paisajista Quinaux. Regresa a Málaga, obtiene la nacionalidad española y participa en varias exposiciones nacionales. Se instala en Madrid al ser nombrado, en 1857, profesor de paisaje en la Escuela de Bellas Artes. Pronto goza de gran estima en los círculos profesionales y se hace valedor de una importante clientela. Elegido académico de San Fernando en 1860, su prestigio se incrementa por los consecutivos premios que consigue en las exposiciones nacionales. Viaja mucho por España pintando al aire libre. Los temas paisajísticos –desde sencillas vistas castellanas hasta panorámicas montañosas–, son de carácter realista; cuenta con numerosas composiciones sobre estos ambientes, también plasmados en dibujos y grabados. En 1878 gana la medalla de oro en la Exposición Nacional de París con su cuadro *Cercanías de Vreeland*, obra que ya refleja su producción más madura, como *Los Picos de Europa* o *Paisaje del Manzanares*, paisajes objetivos y casi topográficos en los que muestra su preferencia por las tintas grises y las atmósferas nebulosas. La posición estética de Haes está vinculada con el naturalismo de la escuela francesa de **Barbizón**, pero su justa captación luminosa y ambiental, patente en sus notas tomadas al aire libre y la deliberada sencillez argumental de sus lienzos, preparan el camino al **impresionismo. Aureliano Beruete**, con quien recorrió la geografía española, y **Regoyos** son sus mejores discípulos. Su extensa obra –realiza más de cuatro mil cuadros y apuntes–, llega a su fin en el año 1890 al sufrir una grave enfermedad de la que no se recupera.

Los Picos de Europa, canal de Mancorbo.
CARLOS DE HAES.

HAMERSHOI, VILHELM

(Copenhague, 1864-1916)

Pintor danés. Estudió, con Cristian Zahrtmann, en su ciudad natal, en la que desarrolló casi toda su actividad artística, aunque realiza algunos viajes a Berlín, Dresde, Amsterdam, Roma, Londres, Oxford e Italia. Pintó retratos, con una cierta reminiscencia de **Whistler**, y paisajes, sobre todo desde 1893; así

Le Cannet.
JOSEPH HARPIGNIES.

como temas arquitectónicos, como *El castillo de Fredericksborg* (1896); pero sus cuadros más conocidos son los que, con tonos apagados, grises-verdosos y marrones, reproducen serenas escenas de interiores, en las que crea ambientes suavemente iluminados que recuerdan a los de Vermer. En sus obras se ve ya la influencia del estilo de los impresionistas franceses. También pintó dos murales para el Ayuntamiento de Copenhague, y, desde 1898 a 1900, trabajó para una fábrica de porcelanas. Obras destacables son *Jabersberg Ali* (1893), *Tilos* (1906)y *Castillo d'Amalienborg*.

HARPIGNIES, HENRI-JOSEPH

(Valenciennes, 1819-Saint-Privé, Yonne, 1916)

Pintor y grabador francés. Paisajista romántico, es el último paisajista de la **Escuela de Barbizón**. Hasta 1846 no comienza su carrera de pintor, pero desde entonces su abundante obra compensó el «tiempo perdido» y le hizo famoso. Comenzó sus estudios en París, con el paisajista Achard, y más tarde completó sus conocimientos de pintura en Italia, país en el que residió algunos años. Cultivó fundamentalmente el paisaje, en especial el fluvial, en Auvers, sobre todo. Son paisajes naturales, tranquilos y solitarios, inspirados en el lirismo y refinamiento de los de **Corot** y en los que se aprecia también la influencia de los de **Rousseau y Daubigny**. También practicó la acuarela. Otras obras de interés son *El Coliseo de Roma* (1878), *Paisaje bajo el claro de luna* (1886), *Bosque a orillas del río Allier, La encina del castillo* y *El Loira*.

HAYDON, BENJAMIN ROBERT

(Plymouth, 1786-Londres, 1846)

Pintor británico. Alumno de **Füssli** desde 1804 a 1814 en la Royal Academy, en este último año marcha a Italia con **Wilkie**. Se opuso radicalmente a la pintura académica del momento y peleó tenazmente por alcanzar la notoriedad, que siempre le dio la espalda, debido a su falta de capacidad para la pintura. Incluso su muerte (se suicidó) fue originada por un fracaso, al ser rechazados sus bocetos presentados al concurso para la decoración del Parlamento. Se dedicó a la pintura histórica y religiosa, de carácter solemne y retórico, en la línea de Sir Joshua Reynolds, pero sus cuadros, de vivo colorido, están rebosantes de personajes y resultan demasiado ampulosos, artificiales y melodramáticos. También pintó escenas de género y de humor, en cuyas figuras se aprecia algo del movimiento serpentino, que tanto

Los amantes de las tierras altas.
BENJAMIN ROBERT HAYDON.

Eucles.
Benjamin Haydon.

por la Academia, viaja a Roma, pero abandona la ciudad para volver a Venecia y dedicarse a la lucrativa decoración de grandes villas y palacios. Reclamado por la Academia Brera de Milán, pasa treinta años en esta ciudad dando clases de pintura y se une al movimiento realista de pintura histórica que abandera Manzoni. Su obra presenta diversa temática, como retratos, escenas religiosas y profanas, pero algunos asuntos históricos y litera-

El último beso de Romeo y Julieta.
Francesco Hayez.

rios están muy en consonancia con el sentimiento nacionalista y romántico, como el de la guerra y la independencia griega ante los turcos en *Los refugiados de Parga* (1828-1831) o *Pietro Rossi prisionero de los Escalígeros en Pontremoli.* Cuadros todos ellos que elabora dentro de esquemas formales que todavía pertenecen a los ideales y postulados neoclásicos, enriquecidos con un colorido rico y brillante. De ahí la interesante combinación que presenta este artista, autor además de célebres cuadros como *Las vísperas sicilianas* (1846) o *El beso.*

gustaba a su maestro Füssli. De su producción pictórica cabe destacar *Las elecciones amañadas* (1827), *Punch y Judy* (1829), *Lady Macbeth, La huida a Egipto* (1808), *Lázaro* (1822) y *La entrada de Cristo en Jerusalén* (1820).

HAYEZ, Francesco

(Venecia, 1791- Milán, 1882)

Pintor italiano, formado en la estética neoclásica, evoluciona hacia las tendencias románticas, por lo que gran parte de su producción, dedicada a temas históricos, se ha incluido dentro del clasicismo romántico de Italia. Comienza sus estudios en Venecia, en 1808, bajo la influencia de las rigurosas composiciones del escultor neoclásico Antonio Canova. La perfección del dibujo y la nitidez de los contornos, dignos de un **Ingres**, son en gran parte resultado de esa primera enseñanza. En 1810, premiado

HERMAN, KARL HEINRICH

(Dresde, 1802-Berlín, 1880)

Pintor alemán, presenta cierta relación con el grupo de los **Nazarenos** y su obra se centra en la temática histórica y en asuntos religiosos. Es discípulo del pintor nazareno **Cornelius** en la Academia de Bellas Artes de Düsseldorf. Más adelante estudia en Roma, donde se especializa en pintura al fresco. Trabaja para la decoración de la Gliptoteca de Munich, así como para el templo de San Luis en la misma ciudad, con pinturas dedicadas a los profetas, patriarcas, apóstoles y padres de la Iglesia. Tiene una interesante aportación pictórica sobre la historia de Alemania.

HERMANDAD DE SAN LUCAS

Véase **Nazarenos**.

HERNÁNDEZ AMORES, GERMÁN

(Murcia, 1827-1894)

Pintor español, su estilo de gran precisión dibujística se enmarca dentro de la órbita nazarena. Estudia en la Escuela de Bellas de San Fernando y luego en París, donde es discípulo de **Gleyre**. Becado en la Academia de España en Roma en 1857, pinta allí su cuadro *Sócrates reprendiendo a Alcibíades en casa de una cortesana*, obra que le valió la segunda medalla de la Exposición Nacional de 1858. Entre sus creaciones más conocidas destaca el *Viaje de la Santísima*

Virgen a Éfeso, máximo premio de la Exposición Nacional de 1862. Además de obtener un gran éxito en la crítica de la época, es nombrado profesor en la Escuela Superior de Pintura y en 1892 es elegido académico de San Fernando. Entre sus últimas obras merecen

El arca de Noé.
EDWARD HICKS.

José interpretando los sueños del faraón. PETER CORNELIUS, miembro de la Hermandad de San Lucas.

destacarse *Medea huyendo de Corinto* y *Ofrenda a Pericles*.

HICKS, EDWARD

(Attleborough, 1780-Newtonn, New Jersey, 1849)

Pintor naïf estadounidense. Autodidacto en su formación. Sus primeros trabajos como pintor estuvieron destinados a la decoración de carruajes y letreros. Cuáquero y predicador, cultivó temas bíblicos en sus cuadros, sobre todo el de *El reino de la paz,* que reprodujo con pequeñas variaciones más de cien veces, con una finalidad evangelizadora y que refleja una profecía del

Puesta de sol.
ANDO HIROSHIGE.

Libro de Isaías. También ejecutó escenas de granjas y paisajes habitados por animales, en un estilo, cercano al naïf, caracterizado por un gran **realismo**, casi naturalismo, y por una pintura plana de formas estilizadas y un dibujo minucioso.

HIROSHIGE, ANDO

(Edo, 1797-1858)

Dibujante, grabador y pintor japonés. Hijo de un rico cortesano. Discípulo del grabador Utagawa Toyohiro desde los quince años, es a partir de 1823 cuando toma la pintura como su profesión, dedicándose fundamentalmente al paisaje, en el que aplica las normas de la perspectiva europea y un colorido variado y contrastado; representa los más diversos parajes, en los que capta perfectamente los cambios de la atmósfera en distintos momentos del día, e incluso de las estaciones, y en ellos introduce los más dispares personajes. Es considerado como el primer paisajista de Japón del siglo XIX, con una obra enorme en cantidad y calidad, predominando las series. Realiza sobre todo acuarelas y láminas, aunque también dibujos y cuadros. Perteneciente a la escuela de estampas de colores de «ukiyo-e», que renovaron el paisaje, el retrato y las escenas de género, fue el más prolífico de todos sus miembros (**Hokusai, Sharaku**, etc.); estampas serían conocidas y admiradas por los pintores europeos occidentales (los impresionistas, postimpresionistas, el «art nouveau», por su sentido de la línea precisa y fluida, el **expresionismo** por sus retratos) ya en la primera mitad del siglo XIX, sobre todo con motivo de las exposiciones universales de París en el pabellón japonés. En general será el sentido decorativo y la gran simplicidad con que representan la realidad, lo que fundamentalmente llame la atención de los occidentales. El estilo de Hiroshige se caracteriza por el **realismo** en la captación de la vida cotidiana, la precisión en el dibujo y por sus composiciones armoniosas, que en su época tardía aumentan de tamaño; practica además el «sabi», tendencia estética que busca sugerir la realidad con el menor número posible de elementos, con simplicidad, que es el mejor medio para transmitir la belleza interior. También decoró abanicos y kakemonos y realizó gran cantidad de series de

Transfiguración.
FERDINAND HODLER.

peces, aves y plantas. Tuvo gran cantidad de seguidores, entre los que se encontraban sus hijos. Entre sus obras hay que destacar numerosas vistas y paisajes que, en general, forman series, como *Vistas de la Capital Oriental* (h. 1831), *Vistas famosas del Edo* (1831), *Cincuenta y tres etapas del Tokaido* (1833-1834), *Vistas de Kioto* (1834), *Ocho vistas del lago Biwa* (h. 1836), *Treinta y seis vistas del monte Fujiyama* (1858) y *Cien aspectos de Yedo* (1856-1859). Una de sus estampas más conocidas es *El puente bajo la lluvia.*

HODLER, FERDINAND

(Berna, 1853-Ginebra, 1918)

Pintor suizo, es conocido por sus composiciones de figuras y paisajes alpinos que, en ocasiones, presentan rasgos paralelos al simbolismo y precursores de la pintura «art nouveau». Hijo de un carpintero, empieza a trabajar con un pintor local para quien realiza cuadritos de vistas pintorescas para los turistas. Luego estudia en la Escuela de Bellas Artes de Ginebra, ciudad en la que se establece y cuyos alrededores le ofrecen los modelos paisajistas de sus cuadros. Sin embargo, en ellos la naturaleza está tratada con una luminosidad neutral y un colorido intenso y frío, casi siempre a base de tonos azules. Reitera los temas, a menudo con símbolos, pero siempre a través de motivos precisos y simples que llegan a adquirir la claridad de un cartel, bien apreciable en *El lago Thun*, cuadro de su última época. Su primera exposición individual

la realiza en 1885, a la que sigue su participación en la Internacional de París, de 1889. Años después expone con los pintores simbolistas. Su obra más conocida, *La noche*, es retirada de la exposición de Ginebra por orden de las autoridades, pero a partir de 1904 y de exhibir su obra en Venecia consigue fama y prestigio internacional.

153

H

HOKUSAI, KATSUSHIKA

(Homjo, 1760-1849)

Pintor japonés, es el más destacado representante del grabado policromo en su país. Hijo de un comerciante, es discípulo de un grabador especializado en temas y asuntos teatrales. En 1807 recibe el encargo de realizar un «ukiyo-e», verdadera innovación del grabado japonés y que consiste en aplicar la xilografía para ilustrar libros. Dos años después es conocido en esta especialidad y forma una escuela de la que surgirán numerosos discípulos. Entre sus obras destaca *Mangwa (Los diez mil esbozos)*, quince volúmenes que empiezan a publicarse desde 1814 y para los que necesita innumerables dibujos preparatorios, realizando más de trescientos mil. En sus grabados policromos recoge la vida japonesa contemporánea con una observación penetrante y, en ocasiones, con una mirada jocosa. Su fecundidad productiva es asombrosa y entre sus

Curiosidad.
KATSUSHIKA HOKUSAI.

obras más conocidas cabe señalar las numerosas vistas de *La cumbre nevada del monte Fuji* y *La gran ola frente a Kanazawa* (1823-1839).

HOLLAND, JAMES

(Burslem, 1800-Londres, 1870)

Pintor inglés, especializado en el género paisajístico, en su obra destacan los cuadros de flores, temática que domina por la habilidad y el

oficio que adquiere en su juventud en una fábrica de porcelanas. Los asuntos florales permiten su subsistencia cuando a los 19 años marcha a Londres, ciudad en la que reside y donde consigue exponer en 1824, en la Royal Academy. El descubrimiento personal de Holanda le encamina a pintar paisajes, a menudo acuarelas, que más tarde buscan la inspiración de los parajes de otras zonas de Europa, sobre todo de Italia y Venecia. De esta ciudad son *Vista del gran canal de Venecia*, *La plaza de San Marcos* y *El puente de Rialto*.

HOMER, WINSLOW

(Boston, 1836-Prout's Neck, 1910)

Pintor estadounidense, se incluye en el grupo de artistas que fueron coetáneos a la Guerra de Secesión

La familia Langford.
JAMES HOLLAND.

Arriba a la izquierda, *Leñador y árbol abatido.*
Abajo, *Long Branch.*
WINSLOW HOMER.

y cuya obra influye en el desarrollo de la identidad nacional del país. Como ilustrador de prensa periódica, es enviado por el diario en el que trabaja, *Harper's Weekly,* en calidad de corresponsal de guerra para realizar dibujos sobre el frente. Al lado de los primeros fotógrafos bélicos de la historia, desarrolla una serie de dibujos que tienen una influencia capital en la evolución de su obra pictórica. Acabada la guerra civil americana, se dedica en pleno a la pintura y marcha a París en 1867, en pleno momento del auge impresionista.

Inundación en Saint Claud.
PAUL HUET.

ta. Su obra más conocida, *Long Branch, New Jersey,* realizada en 1869, es ejemplar para entender su síntesis entre el **impresionismo** y el nuevo enfoque tridimensional de la técnica fotográfica. En su producción se han visto evocaciones muy claras de las inquietantes narraciones de Henry James.

HUET, PAUL

(París, 1803-1869)

Pintor francés. Sus paisajes románticos anticipan muchos de los elementos de la naturaleza que tanto interesan a los pintores de la **Escuela de Barbizón**, por lo que en muchas ocasiones queda ligado a ella. Formado en la Escuela de Bellas Artes de París, trabaja en el taller de **Gros** y contacta con **Delacroix** y, en especial, con el paisajista inglés **Bonington**. En 1824 conoce la obra de **Constable**, quedando impactado por sus estudios atmosféricos, aspecto que influye en su producción. Viaja a Normandía y recoge en estudios y bocetos preparatorios, in situ o en «plain air», las fases más activas y dinámicas de la naturaleza: tormentas, oleajes, lluvias torrenciales, etc., escenas de fenómenos naturales donde la figura humana está ausente. *Rompiente de olas en la punta de Granville*, de 1853, es uno de los resultados de sus investigaciones y un ejemplo de sus «cuadros de olas» al aire libre que le dan fama. Otros son *Inundación en Saint Claud* y *La gran marea en las afueras de Honfleur*, obras que deben analizarse desde la perspectiva sublime y del «pathos» propio del **romanticismo.**

Amor de abril.
ARTHUR HUGUES.

H

HUGUES, ARTHUR

(Londres, 1832-1915)

Pintor inglés, su obra está enmarcada dentro de la pintura prerrafaelista. En 1847 ingresa como estudiante en la Royal Academy y dos años después realiza su primera exposición, donde es galardonado con su cuadro *Musidora*. Su estilo llama la atención a **Hunt**, **Rossetti** y **Brown**, sobre todo cuando muestra en 1852 su obra *Ophelia*, composición con la que se integra en el grupo prerrafaelista. Su estilo es delicado y poético, como demuestra en *Amor de abril* (1856). Desde 1857 trabaja con **Morris** en la decoración de la Universidad de Oxford. También destacan sus ilustraciones.

HUNT, WILLIAM HOLMAN

(Londres, 1827-1910)

Pintor inglés, forma parte de la Hermandad Prerrafaelista, realizando una producción pictórica basada en una sólida ejecución formal y en una temática de carácter literario y asuntos bíblicos. Empieza a pintar siendo estudiante de comercio y copiando obras maestras de las escuelas flamenca e italiana del siglo XV. En 1845 ingresa en la Royal Academy y entra en contacto con **Rossetti** y **Millais**, fundando con ellos la renombrada Hermandad Prerrafaelista, en 1848. No obstante, los asuntos de sus cuadros comportan connotaciones de subrayado sentimentalismo. De 1846 data su primer cuadro, *Hark*, y de un año después *La huida de*

Chivo.
WILLIAM H. HUNT.

Madalena y Porfirio, basado en una escena de un poema de Keats, uno de los poetas preferidos por Rossetti y Millais. Ambas obras demuestran un colorido intenso y un detallismo minucioso, con ciertos elementos de carácter simbólico, rasgo que remiten a sus modelos juveniles, la pintura *quattrocentista* y los primitivos flamencos. Sigue los postulados teóricos de **Ruskin**, así como las ideas de revitalizar a través del arte los principios morales y religiosos de la sociedad inglesa. A partir de 1849, con *Rienzi jurando vengar la muerte de su hermano menor*, refleja ya la línea de actuación estética prerrafaelista, así como su virtuosismo en la luz y el color. Reflejo del entusiasmo que produce Shakespeare en los pintores de este movimiento artístico es *Claudio e Isabela*, de 1850, basado en el drama de Shakespeare *Medida por medida*. Un año después realiza uno de sus mejores cuadros, *Valentina protegiendo a Silvia contra Proteo* (1851). Realiza varios viajes a Palestina y de 1866 a 1868 reside en Florencia. Obtiene éxito y el reconocimiento de la crítica durante toda su carrera.

Claudio e Isabel.
WILLIAM H. HUNT.

Rocas de Belle-Isle.
CLAUDE MONET.

IMPRESIONISMO

Movimiento pictórico surgido en Francia entre 1869 y 1870. Alcanza su madurez en 1874, año en que se celebra la primera exposición. Los artífices son un grupo de artistas cuyas obras son sistemáticamente rechazadas en las muestras que anualmente realiza el Salón de París, símbolo del arte oficial e institución que domina el pintor academicista **Ingres**. La exposición tiene lugar en una sala adjunta del estudio del fotógrafo Nadar y el nombre del movimiento artístico, **impresionismo**, procede del término burlón que utiliza un crítico del periódico satírico *Le Charivari* al juzgar el cuadro de **Monet**, *Impresión, sol naciente*. El impresionismo aparece como una reacción al estilo del academicismo realista y a los temas clásicos y encorsetados que protege la Academia de Bellas Artes en Francia, cuyas pautas y modelos fija en las exposiciones anuales del Salón. Aunque en muchos sentidos prosigue y culmina la concepción naturalista de la pintura occidental, se le considera un importante punto de partida del arte y la plástica contemporáneos. El interés fundamental del pintor impresionista radica en los estudios de la luz y su incidencia en la materia y el paisaje. Por esta razón, se abandona el trabajo en el taller y en el estudio para empaparse de las experiencias cotidianas del campo o la ciudad. Es fuera del estudio, en

Retrato de Eva Gonzalès.
EDOUARD MANET.

El cabaret de Madre Antonia.
PIERRE-AUGUSTE RENOIR.

J

el exterior, donde el pintor puede estudiar y ensayar los efectos de la luz y su momento fugaz y transitorio. Tal indagación afecta evidentemente a la técnica, al color y a la

La madre y la hermana del artista.
BERTHE MORISOT.

composición, aspectos que evolucionan con sorprendente rapidez hacia la fluidez y la transformación de la pincelada, a la mezcla del color en el propio lienzo y no en la paleta y a la eliminación, en algunos casos, del dibujo. Las figuras principales del movimiento, en sus

La orquesta de la ópera.
EDGAR DEGAS.

comienzos, son **Degas**, **Monet**, **Renoir**, **Morissot**, **Pissarro**, **Sisley** y **Cézanne**. La atenta observación de la naturaleza alcanza su máxima expresión en la serie de

163

J

Señora Hoitessier.
JEAN-AUGUSTE-DOMINIQUE INGRES.

cuadros de la catedral de Rouen, y de la abadía de Westminster pintados por Claude Monet a distintas horas del día con el objeto de captar los cambios de luz y de la atmósfera. Técnicamente puede decirse que el impresionismo nace con las primeras obras de Pissarro y termina con el **neoimpresionismo** de **Seurat**, el primer exponente del **puntillismo**, un proceso metódico y científico en la indagación del color y la luz y que en los impresionistas fue llevada a cabo de forma espontánea.

INGRES, JEAN-AUGUSTE-DOMINIQUE

(Montauban, 1780-París, 1867)

Pintor francés de formación neoclásica, de hecho uno de los mejores pintores de la Francia del siglo XIX, está considerado el último gran representante del histórico clasicismo francés. Natural de una pequeña villa episcopal e hijo de un artista que practica todas las artes figurativas, así como música, pronto se encamina por el estudio del dibujo y el violín. En 1791, aún niño, su padre le envía a estudiar a Toulouse para adquirir una buena preparación y hace del dibujo la base de su enseñanza, primero en un colegio y luego en Escuela de Bellas Artes. De allí marcha en 1797 a París, al taller de **David**, el gran pintor neoclásico de la Francia revolucionaria y que, en aquel momento, se encuentra en la cúspide de su arte y genialidad, pero también en los inicios de su derrumbe político y prestigio social. Ingres aprende con David durante cuatro años recibiendo una influencia imborrable en su estilo y, sobre todo, en el dibujo y el modelado, a la vez que estudia en la Escuela de Bellas Artes y expone sus obras al público. Formado en la estética daviniana, evoluciona conforme a la trayectoria artística del momento, con arriesgadas rupturas y tendencias hacia el **romanticismo**, y su obra resulta trascendental para el devenir plástico de la centuria. En 1801, con la obra *Los embajadores de Agamenón*, gana el Premio de Roma, que le da derecho a viajar como becario a la gran capital. Pero es en 1806, con *Napoleón I en el trono imperial*, cuadro de riguroso clasicismo, cuando consigue establecerse en la ciudad italiana, gracias a la beca que le otorga la Academia francesa. Mientras tanto envía a los Salones la serie de retratos que realiza entre 1804 y 1806 para la familia Rivière, o bien para François-Marius Granet (1807) o Madame Davaucey (1807), entre otros muchos personajes de la administración y el gobierno napoleónico es-

Paolo y Francesca.
JEAN-AUGUSTE-DOMINIQUE INGRES.

tablecidos en Roma. Aprovecha
para estudiar a sus artistas preferidos, Miguel Ángel, Tiziano y, sobre todo, Rafael, modelo esencial
en su obra, estudios que le hacen
evolucionar técnica y estilísticamente para crear su estilo personal.
De esta forma abandona paulatina-
mente el canon clásico y el carácter
heroico heredado de su maestro
David para adentrarse en una línea
plástica más íntima y sensual, pese
a que nunca abandona la primacía
de la línea y el dibujo. Ejemplos de
este paso transitorio son sus más
populares cuadros de desnudos femeninos: *Mujer en el baño* (conocido también como *La gran Bañista*
o *La Bañista de Valpinçon*, de 1808)
y *La Gran Odalisca* (1814), desnudos de anatomías imposibles en los
que se supeditan la luz y el color
para exaltar la importancia del con-
torno y lo lineal. Se casa en Roma y,

tras la caída del Imperio, a partir de
1815, ve reducirse su clientela habitual de retratos, pasando unos
años en los que realiza una serie de
obras muy ligadas a sus modelos

italianos. Su situación se agrava
cuando su cuadro de 1806, *Napo-*

Antiocos y Estratonice.
JEAN-AUGUSTE-DOMINIQUE INGRES.

J

La bañista de Valpinçon.
JEAN-AUGUSTE-DOMINIQUE INGRES.

león en el trono imperial, vuelto a exponer en el Salón parisiense, se considera políticamente incorrecto. Marcha a Florencia, donde reside hasta 1824; conoce la obra de los pintores toscanos del siglo XV y aprende un nuevo encuadre compositivo, formal y temático que denota cierto hedonismo, como en *Edipo y la esfinge* (finalizado en 1825) o *Roger libera a Angélica* (1819), pero es con *El voto de Luis XIII* (1824), encargo del nuevo régimen francés, cuando se reconcilia con el gobierno de París. El cuadro se expone con enorme éxito en el Salón junto a *La Matanza de Quíos*, de **Delacroix**, dos obras que representan a la perfección las dos corrientes contrapuestas, pero no antagónicas, de esos años: el **neoclasicismo** y el romanticismo. En ese mismo año vuelve a París, con gran reconocimiento y distinguido

La señora Carolina Rivière.
JEAN-AUGUSTE-DOMINIQUE INGRES.

con la Legión de Honor. En otro encargo, *La apoteosis de Homero*, de 1827, da muestras de su fervor y rigor clasicista, del influjo de Rafael, así como de su peculiar forma de entender la pintura de historia, ahora dentro de la temática mitológica que tanto gusta a los románticos, pero también a los revolucionarios napoleónicos, como ya demostró en 1813 al realizar *El sueño de Ossian*, fascinado por las leyendas nórdicas. La sucesión de encargos y éxitos resulta imparable en estos años, pero la gran obra de *San Sinforiano conducido al martirio* (finalizado en 1834) es tan mal acogida por la crítica que pide su traslado a la Academia de Roma, petición que es atendida al ser nombrado director de Villa Médicis, cargo que ocupa entre los años de 1834 a 1835. En 1841 retorna a París, donde desarrolla una etapa de pinturas orientalistas de gran interés, por ser la temática de moda en Francia y promovida por la corriente romántica, pero dentro de un exotismo cuyos modelos son los maestros clásicos, como Giorgione o Tiziano, y cuya máxima estilística sigue siendo la exaltación de la línea

y el dibujo. Se trata, por ejemplo, de *Interior de un harén con odalisca, tañedora y guardián* (1839) o *El baño turco* (1849-1863), importante creación en formato circular imitando los tondos renacentistas. Longevo (vive hasta los 87 años), con una producción que todavía se extiende por las décadas de 1850 y 1860, Ingres es la definición por excelencia de la pintura neoclásica, pero su producción evoluciona por unos cauces muy divergentes a los davinianos, cauces que huyen del estatismo y lo heroico, dando una visión más humana, en el caso de los retratos, más íntima en los desnudos femeninos, y en definitiva, mucho más personales y renovadores.

INNES, GEORGE

(Newburgh, 1825-Bridge of Alland, 1894)

Pintor estadounidense. Destaca su producción paisajista que le da fama por su estilo original, sínte-

Robles en otoño.
GEORGE INNES.

sis de la técnica y la estética de los pintores europeos contemporáneos. En Roma estudia a los maestros del Renacimiento y en Francia conoce la pintura de la **Escuela de Barbizón**. Establecido en Nueva Inglaterra desde 1859 hasta 1864, se dedica a aplicar las teorías del color y la luz aprendidas en Europa, adonde vuelve en 1870. A su regreso, en 1876, es uno de los más afamados paisajistas americanos, creador de escenarios armónicos que se alejan del «paisaje dramático» característico del **romanticismo** europeo. Miembro de la Academia y de la Sociedad de Artistas Americanos, entre sus obras destacan *Paz y abundancia* (1865), *El hogar de la garza* (1891) y *Casa de Montclair* (1892). Su hijo, George Innes, también es pintor de paisajes, pero no llega a alcanzar la celebridad de su progenitor.

Robles en otoño.
GEORGE INNES.

ISRAELS, ISAAC

(Amsterdam, 1865-1934)

Pintor holandés, hijo de **Josef Israels** –figura fundamental en su carrera artística–, llega a ser uno de los artistas más importantes de la generación que da nombre a la escuela de La Haya. Comienza a estudiar en la Academia de esta ciudad, junto a Hendrik y **Breitner.** Manda sus cuadros a los Salones de París y en 1885 consigue una mención. Desde 1903 a 1914 trabaja en París y viaja por otros países europeos. En sus cuadros incluye temas de su tiempo, representaciones del mundo del cabaret, del circo, del bulevar y del café, aunque también retratos y asuntos militares. En 1921 pasa un tiempo en la Isla de Java, donde compone una serie de trabajos en los que recrea a la gente y la delicada atmósfera de esa región de Indonesia.

ISRAELS, JOSEF

(Groningen, 1824-La Haya, 1911)

Pintor holandés, gran parte de su obra está dedicada al paisaje y al costumbrismo dentro de una estructura realista pictórico derivada de la obra de **Millet.** Comienza a estudiar pintura en Amsterdam, formación que amplía en París en 1845, donde estudia con François Picot. Frecuenta el taller de **Delacroix** y otros pintores románticos. En sus cuadros –dentro del campo de la pintura de género–, predomina la influencia de los pintores holandeses del siglo XVII y, en concreto, de la obra de Rembrandt. Se trata de composiciones que, como *Cuando envejecemos* (1883) o *Un hijo de la gente elegida* (1889), revelan una temática de carácter social, pero con tono melancólico y sentimental. La compasión que intenta y consigue puede apreciarse en muchas de sus representaciones dedicadas a la vida infeliz de los judíos de Amsterdam o de los habitantes de las pequeñas aldeas. Para ello renuncia al color y elabora composiciones monocromas de grises, ocres oscuros y fuertes efectos de claroscuro, recursos que aportan una singular delicadeza testimonial en muchos de sus cuadros. Su obra evoluciona técnicamente hacia el **impresionismo** con una clara preocupación por los efectos de luz. Expone en numerosas ocasiones, y siempre con notable éxito, en los Salones de París. Funda la Escuela de La Haya, grupo pictórico integrado por los hermanos **Maris**, **Mesdag** y **Mauve.**

Joven hija de Amsterdam.
ISAAC ISRAELS.

Café cantante.
JOSEF ISRAELS.

IVANOV, ALEXANDER ANDREIEVICH

(San Petersburgo, 1806-1858)

Pintor ruso, último gran representante de su país de la pintura clásica, aunque participa también de las innovaciones del nuevo movimiento artístico, el **romanticismo**, de tal forma que en la mayoría de sus cuadros se aprecia una síntesis de ambos. Del primero toma el rigor y la minuciosidad en el dibujo, la factura fina y el detallismo, y del segundo la concepción de la luz y del paisaje, así como sus complejas composiciones. El comienzo de su formación artística corrió a cargo de su propio padre, pintor de historia, en la Academia de Bellas artes de San Petersburgo, lugar en el cual realiza su primera obra conocida, *Príamo reclamando a Aquiles el cuerpo de Héctor*, donde por primera vez aparece claramente la dualidad clasicismo-romanticismo, que marcará su pintura, manifestándose en la teatralidad de la representación, que deja traslucir las emociones de los personajes y el íntimo conflicto psicológico subyacente en la escena y que impregna al cuadro de tensión

Juan Bautista.
ALEXANDER A. IVANOV.

dramática, que sin embargo están acompañadas de un tratamiento técnico estrictamente clásico. En 1830 viaja a Alemania e Italia, y, gracias a una beca, puede establecer su residencia en Roma, ciudad en la que residirá y pasará gran parte de su vida. Allí se dejó influir por los **Nazarenos** alemanes, dedicándose fundamentalmente a la pintura religiosa, y ejecutó su obra maestra, *La aparición del Mesías al pueblo* (1833-1858), que tardó en elaborar más de veinte años, al parecer hasta su muerte, por lo que quedó incompleta. De ella realizó múltiples bocetos de tratamiento innovador y que preludian corrientes pictóricas

Detalle de *La aparición de Cristo*. *ALEXANDER A. IVANOV.*

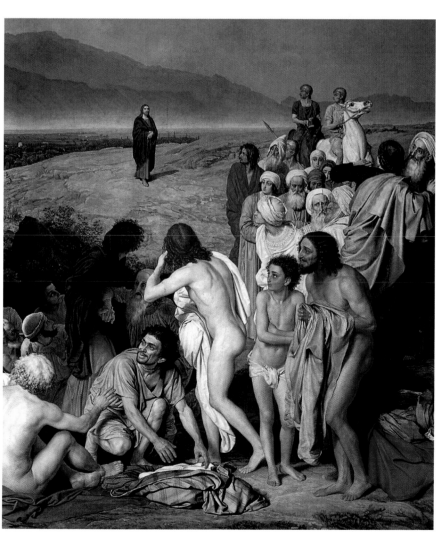

posteriores, constituyendo por sí mismos auténticas obras individuales, siendo quizá una de las partes más interesantes de su obra. Por otra parte, en el cuadro se aprecia una clara influencia de los clásicos y de los maestros renacentistas italianos, acompañada sin embargo de una composición atormentada, plenamente romántica, y de un innovador tratamiento del aire libre netamente vanguardista. En la última década de su vida realiza una serie de dibujos y acuarelas, denominados *Esbozos bíblicos*, confeccionados con el fin de preparar la ejecución de unos frescos que nunca llegó a efectuar; narran pasajes del Evangelio con tratamiento mitológico, mezclando además la pintura de historia con la de género y en ellos

se aprecia claramente la intención del autor de otorgar el protagonismo a la muchedumbre frente al individuo. Otras obras menos importantes, pero también destacables, son *Jesucristo y la Magdalena*, *Apolo, Jacinto y Cipariso entregándose a la música y al canto* (1831-1833), *La rama* (1840-1850) y *En el Golfo de Nápoles* (h. 1850), así como numerosos paisajes italianos y acuarelas de género.

JONGKIND, JOHAN BARTHOLD

(Lattrop, 1819-Côte-Saint-André, 1891)

Pintor holandés, figura capital para la evolución del paisaje durante la segunda mitad del siglo XIX; gran parte de su vida transcurre en Francia y su obra es pionera y decisiva en las experiencias del **impresionismo**. Se forma a partir de 1836 en la Academia de La Haya, destacando en la técnica de la acuarela y enfocando su trabajo hacia una pintura de paisajes que parte del **realismo**. Viaja a París en 1845, donde trabaja con François Picot y expone en el Salón de 1848 y 1852. Los elogios que en ese último año recibe de la crítica, publicados en revistas y periódicos, proceden de dos famosos escritores de la talla de Charles Baudelaire y Èmile Zola, documentos que son el testimonio más certero de la importancia que tiene la creación plástica de este artista holandés. Se puede decir que su obra es una antesala experimental que, partiendo de la pintura realista, abre el camino a la pintura moderna: un puente entre la **Escuela de Barbizón** y el impresionismo. Su vida en París responde a las características más

J

Casa destruida.
JOHAN B. JONGKIND.

Molino y veleros.
JOHAN B. JONGKIND.

dramáticas de la legendaria bohemia artística: en medio de grandes dificultades económicas, cae en una depresión nerviosa de la que trata de huir a través del alcohol. La bebida le permite recuperar inspiración artística y hasta aumentar su capacidad de trabajo, pero acaba agudizándole sus tormentos psicológicos. Sus amigos pintores, **Corot, Rousseau** y **Boudin** le ayudan en más de una ocasión a superar su miseria y, en 1863, colaboran para que exponga en el Salón

Notre-Dame desde el Sena.
JOHAN B. JONGKIND.

de los Rechazados, momento y lugar en el que le presentan a **Monet**, pintor que recoge y entiende su forma de expresar el paisaje mediante un nuevo proceso de elaboración y un nuevo método de trabajo. En los viajes que hace a Normandía y en su estancia en la localidad de Honfleur pinta al aire libre numerosos bocetos y acuarelas con el único objetivo de captar la naturaleza tal y como la ve, a través de la luz y usando el color en sus diferentes tonalidades. Entre sus obras destacan *Canal holandés a la luz de la luna, El puerto de Honfleur* o *Recuerdo del Havre*, realizadas en la década de los años sesenta, pero son sus numerosas marinas, elaboradas bajos los cambios climáticos, las distin-

tas condiciones atmosféricas y las variaciones de la luz, los cuadros que dan la clave para entender las investigaciones posteriores de Monet, investigaciones que Jongkind perfecciona diez años antes, entre 1863-1864, al realizar la serie de cuadros sobre la catedral de Notre-Dame bajo las distintas luces del día. En 1878 se marcha a Grenoble, pero una crisis etílica le conduce a la locura y es internado en un manicomio, donde permanece hasta su muerte, trece años después. Artistas posteriores, como **Manet**, le consideran «el padre del paisaje moderno».

El doctor Auguste Tissot.
ANGÉLICA KAUFFMANN.

KAUFFMANN, ANGÉLICA

(Chur, Suiza, 1741-Roma, 1807)

Pintora suiza, formada en los presupuestos estéticos del barroco tardío, pasó la mayor parte de su vida en Roma. Inicia su formación artística con su padre, también pintor. Durante algunos años reside en Londres, donde conoce la pintura de Reynolds; aprende su estilo y le retrata. Ingresa en la Royal Academy en 1768. En Roma se casa con el pintor Antonio Zucchi y se mueve en los círculos intelectuales del momento; establece cordiales relaciones con Goethe, Robert Adam y el cardenal Albani. Como todos ellos, sigue las teorías estéticas propuestas por el pintor y teórico neoclásico Antonio Mengs de retorno a la Antigüedad. Destaca como una excelente retratista que abandona los métodos compositivos barrocos por una expresión mucho más íntima y suave. Para algunos historiadores, su producción representa la unión entre las escuelas romanas, inglesas y alemana. En su obra también tienen cabida escenas bíblicas, mitológicas e históricas, como *Cleopatra en la tumba de Marco Antonio.*

KEIL, ALFREDO

(Lisboa, 1851-Hamburgo, 1907)

Pintor y compositor musical portugués, tiene una numerosa producción pictórica de pequeños cuadros dedicados a escenas de género, paisajes y marinas. En ellos recoge vistas portuguesas y costumbres populares. Premiado con la medalla de bronce en la Exposición Universal de París de 1900, también le dan prestigio sus composiciones operísticas y sus estudios musicales.

KENSETT, JOHN FREDERICK

(Cheshire, Connecticut, 1818-Nueva York, 1872)

Pintor paisajista norteamericano. Tras iniciarse en el grabado en New Haven, viaja en 1840 con **Durand** a Gran Bretaña, residencia que

Playa de Beverly.
Rada de Newport.
JOHN F. KENSETT.

mantiene hasta 1845, desde donde se desplaza a otros países europeos, y es aquí donde comienza a desarrollar su actividad pictórica, antes de volver a su país, cuyos variados paisajes le inspirarán numerosos lienzos. Una vez allí, debido a su categoría como artista, en 1849 es elegido miembro de la National Academy de Nueva York, en 1858 entra a formar parte de la comisión encargada de la decoración del Capitolio, y, posteriormente, en 1870, fue uno de los miembros fundadores del Metropolitan Museum de Nueva York. Por su obra es considerado miembro de la Escuela del Río Hudson, ya que este valle fue tema importante de su producción, sin ser el único, pero su concepción del paisaje es menos narrativa y más subjetiva y lírica. Sus cuadros manifiestan una gran preocupación por las atmósferas y la luz, en parte debido a su contacto con Durand, siendo la luz el factor que transfigura el paisaje, haciendo que la realidad sea cambiante, dándoles una sensación de fugacidad, en un intento de captar el instante, al tiempo que les da un cierto sentido misterioso e idílico; pero a pesar de esta aparente artificialidad, se mantiene dentro de un concepto realista. De su producción destacan *Bish-Bash, South Egremont* (1855), *La bahía de Narragansett* (1861), *Vista del Cozzen's Hotel* (1863), *El lago George* (1869) y *La playa de Newport* (1869).

KERSTING, GEORG FRIEDRICH

(Güstrow, 1783-Meissen, 1847)

Pintor y diseñador alemán perteneciente al **neoclasicismo** romántico, y dentro del Biedermeier. Realizados sus estudios de pintura en

El retrato de Caspar David Friedrich en su taller.
GEORG FRIEDRICH KERSTING.

la Academia de Bellas Artes de Copenhague, en 1808 marcha a Dresde, ciudad en la que fija su residencia. Diez años más tarde fue nombrado director del departamento de pintura de la fábrica de porcelana de Meissen, donde diseña con escenas de batallas la vajilla dedicada a lord Wellington. En su pintura se revela contra la pureza clasicista en boga, defendida por las academias; en ella hay retratos, paisajes, personajes religiosos y pintura de género. Es, sobre todo, un excelente pintor de interiores, preferentemente con ventana y un úni-

co personaje centrado en su quehacer, como en el caso de *El retrato de Caspar David Friedrich en su taller* (1811), del que realizó varias versiones y que emana un cierto aire de solemnidad en su soledad; en estos ambientes de delicada luz, se crea una atmósfera poética e intimista, características todas ellas que encuadran perfectamente en el estilo Biedermaaier, como se puede apreciar en *Hombre leyendo a la luz*

175

La esfinge.
FERNAND KHNOPFF.

de una lámpara (1814). Otra obra importante de este tipo es *Delante del espejo* (1827).

KHNOPFF, FERNAND

(Fremberger, 1858-Bruselas, 1921)

Pintor, escultor y grabador belga. En su pintura se puede apreciar la influencia del simbolismo y de los prerrafaelistas ingleses. En Bruselas compatibiliza los estudios de Derecho con su formación pictórica como discípulo del pintor Mellery. Posteriormente estudia en la Academia de París y, en 1879, conoce a

Retrato de E. S. Avdulina.
OREST A. KIPRIESNSKI.

Moreau, quien influye decisivamente en su obra. Es un artista de gran cultura, apasionado de la astrología, ciencia que orienta muchas de sus producciones, y un gran ilustrador de libros. Muchos de sus grabados se incorporan a los escritos de los poetas simbolistas contemporáneos. *Bajo los árboles* y *San Antonio y la reina de Saba* son composiciones que reflejan bien su estética.

KIPRIENSKI, OREST ADAMOVICH

(Nesinskaia, cerca de San Petersburgo, 1782-Roma, 1836)

Pintor ruso del período de transición entre el **neoclasicismo** y el ro-

manticismo, es el primer artista de ese país que sigue la corriente romántica, no sólo en lo tocante a su obra sino también en su propia vida, que se encuentra impregnada de esa nueva «filosofía», y responde al modelo de artista conocido en otros países europeos. Se formó en la Escuela de Bellas Artes de San Petersburgo, fundamentalmente dentro del género de la pintura de historia inspirada en la Antigüedad, género que se hallaba más ligado a la etapa clásica anterior del neoclasicismo, con la que él quiere romper, y pronto descubre el retrato, su género más cultivado, y el que más fama le proporcionó. En él realiza magníficas obras tomadas del natural y que representan a personalidades del momento, del mundo artístico, de la vida pública, etc., perfectamente caracterizados y con un espíritu intimista todos ellos, unos más acusado (*A. A. Chelichev niño*, 1808-1809), otros menos, como los de aparato (*Evgraf Davydov*, 1809), pero huyendo siempre de la afectación. Con marcados efectos de claroscuro, que recuerdan a Caravaggio y con un colorido que reme-

Retrato de S. S. Uvarov.
OREST A. KIPRIESNSKI.

mora el de Van Dyck, algunos autores encuentran en sus retratos rastros importantes de Rubens, a cuya obra tuvo acceso en El Ermitage, y suponen una profunda ruptura en el género con todo lo que hasta el momento se había realizado en Rusia, siendo su etapa más innovadora y prolífica la primera, antes de su viaje a Italia, en la que se centra en la representación de la infancia y la juventud, dedicándose posteriormente a hacer retratos, entre otros, de personalidades militares. Una característica de su estilo es el dominio del dibujo y una utilización del pincel poco cargado, que produce una factura muy lisa. Dentro de su obra como retratista hay que destacar también los realizados a lápiz, técnica que le permite captar con más rapidez y frescura la espontaneidad de los retratados, consiguiendo en ellos una gran perfección técnica y fuerza expresiva; es una modalidad en la que es pionero en su país y en la que muestra una gran maestría, hasta el punto de no tener parangón. En 1816 viaja a Italia, país en el que fija su residencia hasta 1823 y donde se ve sensiblemente influido por los pintores renacentistas, perfeccionándose entonces en la ejecución de sus retratos, como en el que representa a N. Muraviov. Tras un corto periplo por París, retorna a Rusia, para finalmente acabar sus días en Roma. También realizó escenas de género. Otras obras de su amplia producción retratística son *E. P. Rostopchina* (1809), *La Joven Celiscev* (h. 1809), *P. A. Olenin* (1813) y *E. S. Avdulina* (1823).

KLIMT, GUSTAV

(Viena, 1862-1918)

Pintor austriaco, fundador de la denominada *sezession* vienesa, una tendencia equiparable al modernismo europeo. De familia de artistas, en sus inicios se dedica a la decora-

El auditorio.
GUSTAV KLIMT.

ción, junto con el pintor Franc Matsch, práctica que no abandona en toda su trayectoria artística. Su estilo, una síntesis entre el **expresionismo** y la decoración modernista, se impone a raíz de formar en 1897 el grupo de la *sezession*, corriente artística que en Austria supone la ruptura con el academicis-

Castillo de Kammer.
GUSTAV KLIMT.

mo y cuyas producciones suelen estar muy ligadas a la decoración arquitectónica. En este campo destaca al realizar una serie de pinturas alegóricas, hoy destruidas, para el teatro y la universidad de Viena.

Mujer con sombrero de plumas.
GUSTAV KLIMT.

El girasol.
GUSTAV KLIMT.

Las tres edades de la mujer.
GUSTAV KLIMT.

Sus temas favoritos son de carácter simbólico y alegórico y en sus composiciones pictóricas, sincopadas, con curvas envolventes y planos coloreados, incorpora fondos de oro y mosaicos. Entre sus obras destacan *Judith* (1901), *El beso* (1908), *Las tres edades del hombre* (1908) o *Salomé* (1909). Resultan de gran originalidad sus paisajes, así como sus retratos, entre ellos *Frau Fritza Riedler*, de 1906, y *Adela Bloch-Bauer*, de 1907.

Judith.
GUSTAV KLIMT.

Bosque de hayas.
GUSTAV KLIMT.

KLINGER, MAX

(Leipzig, 1857-Nuremberg, 1920)

Pintor, escultor y grabador alemán, perteneciente al movimiento simbolista. Estudia primero en Karslruhe con el pintor de cuadros costumbristas Gussow y en el taller de **Böcklin** en Berlín. En su obra destacan sobre todo los dibujos (los primeros de los cuales resultaron polémicos por su marcado **realismo**) y los grabados, muy novedosos en su tratamiento; aunque también realizó pintura, en la que muestra igualmente una gran habilidad técnica y originalidad, así como una enorme audacia, que, junto con su marcada tendencia al realismo, provocó tales críticas que se vio, en cierto modo, obligado a salir de su país, para regresar de nuevo en 1892, dedicándose desde entonces en especial a los temas filosóficos, que son los que constituyen su obra más interesante. También cultivó la pintura histórica, en la que se ve influido en Berlín por **Menzel**, *La muerte de Cesar,* el mayor cuadro de historia simbolista alemán, y *El juicio de Paris* (1885-1887); así como pintura religiosa, de influencia renacentista. Es considerado el pintor más personal e influyente en la pintura moderna alemana, precursor de varios movimientos artísti-

La tarde.
MAX KLINGER.

El pintor F. Sodring.
CHRISTEN KOBKE.

Paisaje de montaña.
JOSEPH ANTON KOCH.

K

cos, tanto por sus temas, en el caso del surrealismo, como por su estética, como en *La hora azul* (1890), una cuadro muy avanzado para su tiempo. Otras obras son *Paseantes*, su primer cuadro, *La tarde* (1872), *Dioses marinos en las rompientes*, *Cristo sobre el Olimpo* (1897), *Pescadores* y *Crucifixión*.

KOBKE, CHRISTEN

(Copenhague, 1810-1848)

Pintor, grabador y litógrafo danés. Estudió bajo la tutela de **Eckersberg** y para completar su formación viaja a Roma y Nápoles en 1838, aunque este viaje no le influyó mucho en su estilo, que, en sus primeras obras, paisajes urbanos y retratos, se deja influir por Jean-Baptiste Greuce. Más tarde sus paisajes evolucionan hacia una mayor sobriedad, haciéndose más íntimos, y en ellos es destacable su gran luminosidad, que también se aprecia en sus retratos de familiares y amigos, de acusada sensibilidad y en un ambiente intimista. Pero fundamentalmente pintó es-

cenas de la vida cotidiana de su ciudad y alrededores. En general su estilo fue evolucionando hacia un clasicismo más puro. En 1844-1845 colabora en la decoración del museo Thorvaldsen. Poco valorado en su época, hoy se le considera el más destacado de la misma. Otras obras suyas son *El pintor F. Sodring* y *Vista de las defensas del castillo* (1831).

La cascada de Schmadribach.
JOSEPH ANTON KOCH.

KOCH, JOSEPH ANTON

(Obergiebeln, 1768-Viena, 1839)

Pintor austriaco, es considerado uno de los creadores del paisaje monumental alpino. De familia campesina, desde niño comienza a practicar el dibujo mientras pastorea. Gracias a la ayuda del obispo de Augsburgo puede estudiar en un seminario y más tarde ingresar en la escuela de Stuttgart. Realiza diversos viajes, entre ellos a Suiza, entre 1792 y 1794. Es en este ámbito donde descubre su atracción por el paisaje montañoso y donde comienzan sus continuos apuntes y estudios de las montañas alpinas. En 1795 marcha a Roma, ciudad en la que reside casi toda su existencia a excepción de su estancia en Viena, entre los años 1812 y 1815 y sus últimos días de vida. En la capital italiana se integra en el grupo de artistas alemanes antiquizantes o **Nazarenos** y en el círculo de especialistas y conocedores del arte, compartiendo casa con el escultor neoclásico Bertel Thorwaldsen. Es-

Paisaje tras la lluvia.
JOSEPH ANTON KOCH.

tudia el paisaje clásico, pero su postura antiacadémica le hace conectar las imágenes exaltadas de la naturaleza montañosa con temas literarios en los que las composiciones y algunas figuras remiten a postulados manieristas. *Paisaje heroico con arco iris*, de 1815, o *Macbeth y las brujas*, de 1829, son ejemplos de su intento de relacionar los conflictos dramáticos e históricos con la naturaleza. Una de sus exposiciones, celebrada en Munich, le reporta un importante éxito de crítica, pero la ampulosidad y exaltación de sus paisajes no encuentra compradores. *El Oberland de Berna* (1815) o *La cascada de Schmadribach* (1821) reproducen todos los elementos posibles de la naturaleza paisajística: bosques, llanuras, ríos, riachuelos, colinas, precipicios y pequeñas figuras de hombres y animales. En 1825 recibe el encargo de terminar las decoraciones que **Veit** había iniciado en el Casino del Marqués Massimo en Roma. Para paliar sus graves problemas financieros, sus amigos consiguen que el gobierno de Viena le proporcione una pensión para subsistir en sus últimos años de vida.

Retrato de León Tolstoi.
IVÁN N. KRAMSKOY.

KRAMSKOY, IVAN NIKOLAIEVITCH

(Ostrogozk, Voronej, 1837-San Petersburgo, 1887)

Pintor y teórico ruso del **realismo crítico**. Estudia en la Academia de San Petersburgo desde 1857 hasta 1863, fecha en la que sale de ella, al frente de un grupo de compañeros, opuestos como él a la misma. Junto a ellos funda el colectivo de artistas Artel, que decide copiar del natural la realidad, la vida misma que los rodea, en lugar de tomar como modelo a los pintores clásicos, y comienzan a viajar por toda Rusia, pintando y exponiendo, para lo que, bajo el nombre de «los ambulantes» constituyen, hacia 1870, una Sociedad de Exposiciones Itinerantes. Tras este modo de proceder latía la necesidad de hacer conocer a un amplio público, no sólo a los habitantes de las grandes ciudades, la creación del artista, así como un espíritu reformista y de reivindicación nacionalista. Formaban parte de este grupo, entre otros, Savrosov, Shiskin, Makovsky y **Perov**. Para Kramskoy, el hombre será siempre el protagonista central de su obra, acentuándose su preocupación social en su madurez, al igual que en otros realista de la década de los setenta. Es fundamentalmente un retratista, que elige como modelos a la gente del mundo de la cultura rusa, concretamente a los progresistas, como se puede apreciar en su abundante obra en este género, en la que es característica general su

Retrato de T. Scevcenko.
IVAN N. KRAMSKOY.

gran profundidad psicológica, una destacable contención emocional, así como la paleta de tonos pardos que emplea fundamentalmente, todo lo cual los dota de una gran fuerza expresiva. Entre ellos cabe destacar *Retrato de T. Scevcenko* (1871), *Retrato del pintor Chichkine* (1873), *León N. Tolstoi* (1873), *Retrato del pintor Repin* y *Retrato de P. M. Tetriakov* (1876). Entre sus obras religiosas es destacable el *Cristo en el desierto* (1872), que se halla en la Galería Tetriakov, y en el que utiliza el tema evangélico tan del gusto del momento, con un Cristo reflexivo y abatido, que aparece tratado

Niños bañándose en la playa de Skagen.
PEDER S. KROYER.

como el protagonista absoluto del cuadro, del que desaparece cualquier otro elemento narrativo que desvíe la atención del mismo.

KROYER, PEDER SEVERIN

(Stavanger, 1851-Skagen, 1909)

Pintor danés, noruego de nacimiento, perteneciente al **realismo**. Ya desde su infancia mostró grandes aptitudes para el dibujo y la pintura, de tal manera que a los nueve años ilustró ya una obra de geología. Estudió en la Escuela de Bellas Artes de Copenhague y en París, y viaja también a Italia y España, la cual le inspiró el tema de

algunos cuadros, estableciéndose finalmente, en 1882, en Skagen, un pueblecito costero en una apartada e inhóspita región, que se convierte en un centro de atracción para los jóvenes artistas escandinavos, que formarán un especie de colonia, de la que él será el director. El realismo exagerado con que realiza sus cuadros, a veces de gran crudeza, produjo rechazo en ocasiones, como sucedió con su *Herrero italiano* (1880). En ellos se esmera por plasmar complejos efectos lumínicos. Pintó numerosos paisajes y escenas populares. De su producción pictórica destacan *Habitación de gitanos en Granada, Sombreros italianos,* que consigue la primera medalla del Salón de 1881, y *Autorretrato.*

Anciano en la plantación.
CARL-GOLF LARSSON.

LAMEYER Y BERENGUER, FRANCISCO

(El Puerto de Santa María, 1825-Madrid, 1877)

Pintor, dibujante e ilustrador español, es uno de los representantes del **romanticismo** madrileño. De formación autodidacta, su vida transcurre entre diversos viajes a París, Marruecos, Filipinas y Japón. Entre sus temas destacan los cuadros costumbristas y populares, dentro de la línea goyesca de **Alenza**, así como orientales de estilo preciosista. También compone obras de historia como *La defensa de Zaragoza*. Como grabador destacan sus ilustraciones para las ediciones de obras de Quevedo, como *El Buscón*.

El desafío.
EDWIN LANDSEER.

LANDSEER, EDWIN

(Bristol, 1802-Saint John's Wood, 1873)

Pintor y escultor inglés. De familia de artistas, estudia en la Royal Academy de Londres y se especializa en pintura de animales, un género apreciado por las capas altas de la sociedad romántica y que se acrecienta y perfecciona a lo largo del siglo XIX. Se dedica a ello con tanto entusiasmo que incluso llega a diseccionar cadáveres para conocer mejor su anatomía; consigue el máximo realismo y una extraordinaria calidad, produciendo unas creaciones en las que los animales suelen aparecer con sentimientos humanos, como *El más dolido por la muerte del viejo pastor* (1837), cuadro conmovedor que, como otros muchos, también contiene cierto exceso de sentimentalismo. Con todo, su obra gusta a **Ruskin**, quien le cita en su trascendental biografía de pintores ingleses. Realiza cuadros de numerosas especies de animales y cacerías. Profesor de la Royal Academy desde 1851, consigue un gran éxito y gusta a la reina Victoria de Inglaterra, quien a menudo le solicita que retrate a sus animales domésticos.

LARSSON, CARL-GOLF

(Estocolmo, 1853-1919)

Pintor sueco, formado en la Academia de Estocolmo, muy pronto logra el reconocimiento oficial en sucesivos premios académicos. Viaja a París y da a conocer su habilidad en la acuarela cuando expone en los Salones de 1880 y 1883. Entonces se dedica a la ilustración de libros y continúa con la pintura. Sus cuadros, como sus acuarelas y dibujos sobre la vida familiar, son destacables, aunque no llegan a la fama que le granjea su pintura decorativa para algunos de los edificios oficiales de Goteborg y Estocolmo.

Mrs. Wolff.
THOMAS LAWRENCE.

LAWRENCE, SIR THOMAS

(Bristol, 1790-Londres, 1830)

Pintor inglés, destacado retratista de la escuela inglesa, sucede a Joshua Reynolds como pintor de cámara. Desde joven demuestra una gran precocidad en los pinceles y con 20 años ingresa como estudiante en la Royal Academy, destacando rápidamente como retratista. Sus primeros modelos son personajes de la aristocracia y la monarquía, tanto británica como la de otros países europeos, entre los que destacan *Jorge III, Jorge IV, Lady Blessington, Carlos X de Francia, El duque de Richelieu,* etc. También realiza retratos al pintor **Füssli** y a la actriz Elizabeth Farren, obra esta última de 1789 y de gran fama. Su estilo es brillante y fluido, aunque a veces resulta artificioso. En ocasiones cultiva el género histórico, como el encargo que recibe para decorar la galería del castillo de Windsor con el fin de celebrar la derrota de Napoleón y la victoria inglesa: *Los vencedores de Waterloo.*

L

187

Tres mujeres en la iglesia.
WILHEIM LEIBL.

Ciudad castellana.
EDWARD LEAR.

LEAR, EDWARD

(Londres, 1812-San Remo, 1888)

Pintor y escritor inglés, su obra se enmarca dentro de la escuela paisajista inglesa. Excelente dibujante, destaca por su pintura animalística y es uno de los primeros en publicar un tratado de ornitología con dibujos y diseños científicos. Recorre gran parte de Europa y Oriente Próximo y escribe varios libros sobre sus experiencias viajeras. Destaca su cuadro *Atardecer en la Isla de Philae*, entre otras vistas que recoge en Egipto.

LEGA, SILVESTRO

(Modigliana, 1826-Florencia, 1895)

Pintor italiano perteneciente al **realismo**. Estudió en la Academia de Florencia, donde tuvo como maestro a **Pollastrini**, y más tarde en el estudio de Mussini y, después, en el de Antonio Ciseri. En principio su pintura, sobre todo histórica y religiosa, estuvo condicionada por ellos y por los **Nazarenos**, pero en 1860 se une a los **Macchiaioli**, de los que sería uno de los miembros más representativos, asumiendo el estilo de éstos a base de manchas de color. Los primeros cuadros que pinta con esta técnica, tanto paisajes como escenas costumbristas, que representan la vida burguesa y la rural (*La visita, El paseo por el jardín*) están impregnados de ingenuidad y delicadeza, que más tarde, a partir de 1870, ceden paso al dramatismo de acentuados contrastes de colores y entre luces y sombras, reflejo quizá de su situación personal y en algunas obras se vislumbra ya la influencia del **impresionismo**. Al final de su vida el hombre desplaza al paisaje, como motivo central de sus cuadros. Otras obras destacadas son *El canto del estornino* (1867), *La pérgola* (1868), *Los novios, La vida del paralítico, Pasa el viático, Después de comer* y *La mala mujer* (1890).

LEIBL, WILHELM

(Colonia, 1844-Würsburg, 1900)

Destacado pintor de figuras del naturalismo alemán. Comienza a estudiar en 1861 en su ciudad natal y en 1864 ingresa en la Academia de

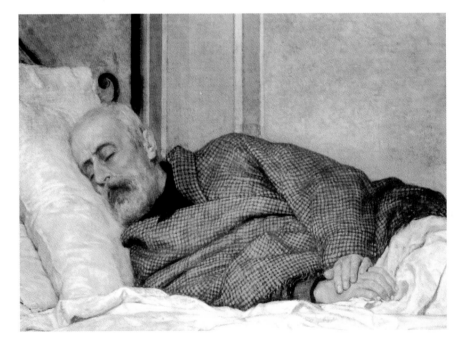

Manzzini moribundo.
SILVESTRO LEGA.

La hilandera.
WILHEIM LEIBL.

Arte de Munich bajo la dirección del pintor de cuadros históricos **Piloty** y del pintor de cuadros de género Arthur Ramberg. Sus primeras producciones están influidas por la pintura holandesa, especialmente por Rembrandt y Vermeer. Los objetos y figuras que pintan son composiciones sencillas que se alejan del sentimentalismo romántico típico de la época. *Los críticos* y el *Retrato de la Señora Gedon*, ambos de 1868, son significativos de su producción, caracterizada por una gama temática muy limitada de retratos y grupos de figuras. En 1869 se traslada a París y trabaja con **Courbet,** pintor que aprueba y estima su obra. Enseguida se adscribe al movimiento pictórico realista y realiza cuadros como *Vieja parisiense* y *Cocotte* (ambas de 1870). A causa del estallido de la guerra franco-prusiana tiene que abandonar París y regresar a Alemania. Se establece en Munich hasta 1873 y viaja por varios pueblos de Baviera para retratar campesinos y gente del pueblo llano, insistiendo en los detalles y en el alma de los seres humanos. De estos años es su cuadro *El burgomaestre Klein* (1871). A la sencillez de sus composiciones añade un gran interés por la luz y los efectos del claroscuro, siempre muy potenciados. Es además un excelente dibujante y grabador. Entre 1878 y 1881 se instala en la pequeña localidad bávara de Berling y allí realiza una de sus obras maestras, *Tres mujeres en la iglesia* (1881), cuadro que refleja a la perfección uno de sus lemas, «los seres humanos deben pintarse tal y como se ven», así como su continuo interés por la pintura holandesa del siglo XVII. Su trabajo es alabado y estudiado por pintores posteriores, en

Muchacha alimentando a los pavos.
FREDERICK LEIGHTON.

Jonathan se muestra a David.
FREDERICK LEIGHTON.

concreto por los «nuevos objetivistas» de 1920, que revalorizaron su obra.

LEIGHTON, FREDERICK

(Scarborough, 1830-Londres, 1896)

Pintor inglés, su obra de estilo académico y temática religiosa le proporciona una brillante y célebre carrera en la Inglaterra victoriana, llegando a ser miembro honorario de casi todas las Academias de Europa. Su formación artística se inicia en Roma y, más tarde, en Francfort, y sus primeros cuadros recogen temas de la historia medieval italiana, asuntos religiosos y, finalmente, leyendas mitológicas. Adquiere gran prestigio su obra *La Virgen de Cimabue en procesión por las calles de Florencia,* realizada en 1852, en Roma, en el momento en que conoce a **Cornelius** y la estética nazarena. El cuadro expuesto en la Royal Academy en 1855 es adquirido por la reina Victoria. Desde

ese momento su carrera es fulgurante, fija su residencia en Londres y desde 1866 viaja por Europa, visitando España y Egipto. Entre sus trabajos sobresalen *Elías en el desierto, Odalisca* y *Perseo liberando a Andrómeda.* También es digna de señalar su pintura mural al fresco en el Museo Victoria and Albert y en la iglesia de Lyndhurst.

LENBACH, FRANZ VON

(Schrobenhausen, 1836-Munich, 1904)

Pintor alemán, fundamentalmente retratista, y dentro de la corriente realista. Comenzó su formación pictórica en la Escuela de Artes decorativas de Landshut, y en 1857 entra en el taller de **Piloty**, tras haber recibido anteriormente unos cursos de pintura. Después viaja a Roma, donde permanece un año, y allí realiza sus primeros bocetos tomados del natural, que le servirán para realizar algunos de sus cua-

dros. Posteriormente se instala en Munich, y conoce al conde Schach, coleccionista de obras de arte, con el que viaja a España e Italia, lo que le permite conocer a los grandes maestros, y copiar sus obras por encargo de dicho conde. Aunque pintó escenas de género y algún paisaje, destacó de manera especial en el retrato, de tal forma que no sólo fue el más solicitado por las mayores personalidades de la vida de su época, sino que además Guillermo II le nombra su retratista oficial, al igual que Bismarck, de quien era amigo, y cuya serie de retratos, que comenzó a partir de 1879, constituyen sus obras más notables. Realizó innumerables retratos, de gran fidelidad y virtuosismo en la técnica, en los que se aprecia la influencia de Velázquez y Tiziano, pero les falta la espontaneidad de éstos y pecan de una cierta ampulosidad; entre ellos cabe destacar *Luis II, El conde de Molke, Richard Wagner, El conde Chack, Johann Strauss, El Papa León XIII, El emperador Francisco José,*

Bismarck.
FRANZ VON LENBACH.

El retorno de la Cruzada.
KARL FRIEDRICH LESSING.

LESSING, KARL FRIEDRICH

(Breslau, 1808-Karlsruhe, 1880)

Pintor alemán, es uno de los principales miembros de la Escuela de Düsseldorf de pintura de historia, género que estudió con **Schadow**. En 1858 fue nombrado director de la Galería de Arte de Karlsruhe y estableció allí su residencia definitiva. En sus cuadros de historia, algunos inspirados en rebelión husita del siglo XV, como *Plegaria husita* (1836), *Jans Hus ante el Concilio de Constanza* (1842) o *Jans Hus caminado hacia la hoguera* (1850), se manifiesta un **romanticismo** melodramático y académico, pero con un estudiado detallismo histórico, que preludia su progresiva evolución hacia el naturalismo, tanto en ellos como en sus paisajes. También cultiva el paisaje romántico, idealizado, inspirándose en **Friedrich** y en Carl Gustav Carus; sigue el modelo ideal de paisaje italiano, con un profundo sentido de la naturaleza, pero de un gran esquematismo en la composición, apreciándose en los de carácter histórico cierta sequedad y desolación.

LEUTZE, EMANUEL GOTTLIEB

(Schawäbisch-Gmünd, 1816-Washington, 1868)

Pintor estadounidense de origen alemán. Comenzó su formación como pintor en Düsseldorf y en 1859 marcha a Estados Unidos, donde pasa gran parte de su vida, alternando la estancia con otras en su país de origen. Realiza varias cua-

Alberto de Sajonia, La princesa Clementina de Coburgo, el explorador *Nansen, Doña Paz de Borbón, Hans de Bülow,* etc. Su obra está representada en los principales museos de Alemania.

paisajes y retratos, pero fundamentalmente pintó grandes murales de tema histórico para decorar varios edificios de la capital estadounidense, como *La expansión del imperio hacia el Oeste* (1861-1862), en el Capitolio, en la que hay una exaltación patriótica del joven país.

LEYS, HENDRIK

(Amberes, 1815-1869)

dros de historia, como *Washington cruzando el Delaware* (1851), así como de género, con un estilo cuidado y minucioso. También realizó

El cazador de pájaros.
HENDRIK LEYS.

Pintor belga dedicado al género histórico y a la pintura mural, representa el **romanticismo** pictórico de su país. Comienza su formación asistiendo a la Academia de Bruselas, donde estudia con Gustave Nappers y con su cuñado **Braeke-** **leer** entre 1830 y 1835. Un viaje a París determina su estilo compositivo, impresionado por la obra de **Delacroix** y los románticos franceses. Su educación artística continúa con un viaje a Holanda, donde estudia la pintura de la escuela holandesa, fascinado por la obra de Rembrandt, y a Alemania en 1852. A su vuelta se dedica a la pintura al fresco, decorando la sala de honor del Ayuntamiento de Amberes, obra que a su muerte deja incompleta. En 1862 es nombrado barón y miembro de la Real Academia de Bélgica.

LIEBERMANN, MAX

(Berlín, 1847-1935)

Pintor e ilustrador alemán, su trayectoria transcurre dentro de las

Terraza restaurante.
MAX LIEBERMANN.

tendencias artísticas del último tercio del siglo. Estudia en Berlín y en 1874 viaja a Francia para visitar **Barbizón** –entonces la «meca» de la pintura de paisaje–, y estudiar las técnicas pictóricas de los artistas allí instalados. De todos ellos es **Millet** el que mayor impresión le produce por su composición sincera y simple de la temática campesina y rural. Algunos efectos de ambiente y luz característicos de esta escuela se encuentran en sus cuadros y, sobre todo, en los dibujos y aguafuertes, cuya técnica domina y realiza con altísima calidad, hasta el punto de

ser considerado el más auténtico seguidor del ilustrador alemán **Menzel**. A obras como *Trabajadores en un campo* (1876) o *La tienda del remendón* (1881), próximas a la Escuela de Barbizón, le siguen

otras con un estilo que debe influencia al **impresionismo**, en cuanto a la técnica (*El granero* o *Las*

Mujeres en una fábrica de conservas.
MAX LIEBERMANN.

El hombre de los guacamayos.
MAX LIEBERMANN.

195

L

Luna de la siega de las mieses.
JOHN LINNELL.

hilanderas). Sin embargo, en cuanto se establece en Berlín –donde, en 1884, es nombrado profesor de la Academia–, su figura y su obra quedan ligadas a la estética característica de fin de siglo como representante de la *sezession.* Obras de esta época son *Jugadores de Polo* (1902), *Hacia el colegio* (1904) y *Paisaje holandés* (1912).

LINNELL, JOHN

(Londres, 1792-Redhill, Surrey, 1882)

Pintor realista inglés. Alumno de **West**, realizó numerosos retratos *(Ann Hawkin, Samuel Rogers, Carlylie, Malthus),* que le hicieron famoso, pero también cultivó la miniatura y, sobre todo, el paisaje *(El arenal de Kensington,* 1812); alguno de los primeros son algo visionarios, quizá por influencia de **Blake.** En 1852 se instala en Redhill y produce una gran cantidad de escenas idílicas y más convencionales, que le hicieron tremendamente popular y le enriquecieron. También fue un notable ilustrador.

LLIMONA I BRUGUERA, JOAN

(Barcelona, 1860-1926)

Pintor español y hermano del escultor Josep Llimona (1864-1934), es uno de los artífices más influyentes del Cercle Artistic de Sant Lluc, del que es su primer director y cuyos miembros ofrecieron una peculiar versión del simbolismo bajo una ideología esencialmente católica. Estudia en la Escuela de Bellas Artes de Barcelona y es discípulo de **Martí Alsina.** Entre sus obras destacan algunos temas campesinos y otros de carácter costumbrista, pero muy intimista, como *La esposa* (1916). Asimismo, hay que destacar su obra mural, en especial las pinturas para el camerino del Monasterio de las Carmelitas de la Caridad de Vic, de 1904.

LÓPEZ PORTAÑA, VICENTE

(Valencia, 1772-Madrid, 1850)

Pintor español. Exponente de la asimilación del lenguaje neoclásico, es el pintor español más representativo del reinado de Fernando VII. Se forma en su ciudad natal, en la academia valenciana de San Carlos, consiguiendo una subvención para estudiar en la de Madrid. Aquí aprende con Mariano Salvador Maella y con las obras de Rafael Mengs como modelo. Desde sus inicios demuestra un dominio portentoso en el dibujo y el diseño, aunque su colorido en ocasiones llega a ser estridente; valga como ejemplo uno de sus primeros cuadros de historia: *Los Reyes Católicos recibiendo una embajada de los reyes de Fez.* Sin embargo, es en el retrato donde sus cualidades destacan más, género al que se dedica a su regreso a Valencia. Con motivo del viaje de Carlos IV a esta ciudad, el pintor toma contacto con los círculos cortesanos y el propio monarca queda sorprendido ante la maestría de su obra, especialmente al ver el cuadro que realiza para la ocasión: *Visita de Carlos IV y su familia a la Universidad de Valencia* (1801). Tras finalizar la Guerra de la Independencia es nombrado pintor de cámara de Fernando VII. Desde entonces ejerce una verdadera dictadura artística y se convierte en el retratista del gusto oficial. Además del retrato de Goya, merecen destacarse los de las sucesivas reinas: *María Isabel de Braganza, María Josefa Amalia de Sajonia* y *María Cristina de Borbón.* En 1823, fecha de la fundación del Museo del Prado, es el primer director de esta pinacoteca. En los retratos realizados en su

Retrato de Goya.
VICENTE LÓPEZ PORTAÑA.

Don Antonio Ugarte y su esposa.
VICENTE LÓPEZ PORTAÑA.

197

vejez se hallan, tanto en la composición como en la expresión, ciertos rasgos del sentimentalismo romántico. Además de ser un interesante pintor de temas religiosos, destacan sus frescos, técnica que domina a la perfección, como se demuestra en la decoración de la bóveda del Salón de San Carlos en el Palacio Real de Madrid.

LORENZALE, CLAUDIO

(Barcelona 1816-1889)

Pintor español, de ascendencia italiana, cuyo estilo queda enmarcado dentro de la escuela nazarena. Estudia en la Escuela de Bellas Artes (o de la Lonja) de Barcelona y, en 1837, obtiene una beca para continuar su formación en Roma. Allí se instala hasta 1844 y conoce a **Overbeck** y a los artistas del círculo nazareno. A su regreso a Barcelona es nombrado profesor y director de la Escuela de la Lonja. Su pintura se orienta hacia el retrato, destacando su excelente *Autorretrato* (1843). Se ocupa igualmente de temas religiosos, como *El nacimiento de la virgen*, de cuadros de historia, como *Las bodas de la reina Petronila con Ramón Berenguer*, así como de paisajes y alegorías.

LUCAS VELÁZQUEZ, EUGENIO

(Alcalá de Henares, 1817-Madrid, 1870)

Pintor romántico español, heredero de la inspiración y el expresionismo goyesco. Se forma en la Academia de San Fernando gracias al mecenazgo de Leandro Álvarez, capellán

Retrato de su familia.
CLAUDIO LORENZALE.

de honor de Fernando VII. En esta institución recibe la influencia del pintor neoclásico **José de Madrazo**, influencia de la que pronto se aleja al quedar fascinado por la obra de **Goya**. En su alejamiento de la estética neoclásica también incide la obra del pintor romántico **Pérez Villaamil**, con cuya hermana tiene cuatro hijos, entre ellos el afamado pintor Eugenio Lucas Villaamil. Técnicamente recoge el **expresionismo** goyesco, cultivando el óleo y el guache y llegando a pintar con los dedos directamente. Utiliza todos los soportes habituales, como lienzo, tabla, cobre y papel. Destaca

su producción costumbrista, como *La plaza partida* (1848), escena taurina con la que inicia una exitosa carrera. En 1850, al construirse el Teatro Real de Madrid, le encargan la decoración al temple del techo de la platea; para ello realiza cuatro paneles en forma trapezoidal que contienen los símbolos de las artes, el baile, la música y la poesía, separados por cuatro *madonnas*, todo acompañado por las efigies de Velázquez, Calderón de la Barca, Francisco Herrera, Bellini y Moratín. Viaja a París en dos ocasiones, primero en 1852, para realizar el retrato de Alexandre María Roche y, en 1855, con motivo de la Exposición Internacional. Aquí expone sus obras, como *La revolución de*

1854, con rotundo éxito. Siguen una serie de viajes a Italia (1859) y Marruecos (1859) que le influirán en su temática. Sin embargo, los asuntos más conocidos de su producción son las escenas populares (*El cazador*, *La lavativa* o *Corrida de cucana*) y aquellas relacionadas con la última obra de Goya: escenas fantásticas, siniestras y de brujería, como *El aquelarre*, *El ajusticiado* y *Condenados por la Inquisición*. Casi todas estas obras están sin fechar y a las dificultades de la datación se suma cierta confusión con algunas obras de Goya y de Eugenio Lucas Villaamil. También es buen paisajista y retratista. Por motivos políticos y por su relación con Francisca Pérez Villaamil se fue separando de la vida social y de la clientela burguesa que compraba sus cuadros.

LUPI, MIGUEL ÁNGEL

(Lisboa, 1826-1883)

Pintor portugués. Estudia en principio en la Academia de Bellas Artes de Lisboa, pero posteriormente se le concede una pensión para continuar su formación en la de San Lucas de Roma, donde pronto destacará. Más tarde marcha a París, ciudad en la que permanecerá catorce años hasta que, en 1867, vuelve a su país y sustituye a Antonio Manuel da Fonseca como director de la Academia de Lisboa. Preocupado por los temas históricos y por el retrato, logra en este último género un elevado nivel técnico y expresivo, que influyeron fuertemente en su discípulo Columbano Bordalo Pinheiro. Es el primero en Portugal en pintar al modo realista, especialmente por los temas elegidos más que por sus características pictóricas, por lo que es considerado como el precursor de la corriente, cuyo estilo asimiló e incorporó a su arte en sus viajes a París. Entre sus composiciones históricas hay que citar *Ninguém, El beso de Judas* y *El marqués de Pombal examinando los planos de Lisboa*. Entre sus retratos, tratados con gran **realismo**, y en los que late una crítica social soterrada, denunciando la mediocridad de la mayoría de los retratados, burgueses y gente de la alta sociedad lisboeta, destacan *Madre de Sousa Martins* (1878), *Duque de Ávila* y *Bulhao Pato* (1883).

Escena de Inquisición.
EUGENIO LUCAS VELÁZQUEZ.

La rotonda de Palmieri.
GIOVANNI FATTORI.

MACCHIAIOLI, Los

Grupo de pintores italianos, formados en Florencia, y activos sobre todo en dicha ciudad desde 1855 hasta 1865, aproximadamente. En el Café Michelangelo de Florencia se reunían los miembros del grupo pictórico, cuyo nombre, «manchistas», deriva de *macchia*, mancha, ya que éstas eran el elemento constructor del cuadro y muy idóneas para captar la deslumbrante luminosidad italiana, y que aplicaban de colores vivos, claros y oscuros. El movimiento pictórico va unido a un trasfondo político: pretenden con su pintura contribuir al resurgimiento de la nación, Italia, a su unificación, representando las facetas más naturales, auténticas y vivas del presente del país, que ejemplificaban sobre todo en la vida rural (representada muchas veces al aire libre) y en las tradiciones, consideradas ambas como el camino para el renacer del país. Por otra parte, en su aspecto meramente artístico hay una reacción contra las reglas clásicas de la Academia, tanto en cuanto a temas, como a estilo: por una parte, huyen de los asuntos literarios e históricos a la

Bajo la pérgola.
SILVESTRO LEGA.

La lectura.
SILVESTRO LEGA.

manera académica, a los que consideran alejados de la realidad, aunque en los cuadros de estos pintores hay un marcado componente literario en sus cuadros, y la obra maestra de Fattori es *La batalla de Magenta* (pero, eso sí, en un concepto moderno de la misma); por otra, reaccionan frente a la forma, empleando las manchas, como contraste luminosos (aunque sin que las formas pierdan su corporeidad y solidez) que se oponen al convencionalismo del dibujismo y del es-

Le Moulin de la Galette.
ZANDOMENEGUI.

fumato, y con las que consiguen una pintura más fresca y simplificada en su construcción, que se reduce a simples contrastes de color. Aunque pintan abundantes paisajes, en los que muestran la influencia de la **Escuela de Barbizón**, también realizan retratos y cuadros de costumbres e históricos, estos últimos en mucho menor número. El nombre de "Macchiaioli" tenía en un principio una connotación negativa, despectiva, a raíz de una exposición colectiva de los mismos, realizada en 1862, al igual que pasaría después con el nombre de los «impresionistas» (hasta 1905 no se consiguió una exposición de todo el

El suburbio Porta Adriana en Ravenna.
TELÉMACO SIGNORINI.

grupo al completo). No fueron bien acogidos por los críticos de su momento, pero su movimiento pictórico es considerado lo más interesante de la pintura italiana del siglo XIX. Entre los más importantes individuos que constituyeron el grupo, algunos de los cuales tomaron parte en las guerras del «risorgimiento» italiano, hay que citar a **Signorini, Fattori, Boldini, Lega, Abbati** y el crítico Diego Martelli, que fue el teórico del grupo, aunque hubo más miembros, ya que se fueron incorporando a él otros pintores.

MACLISE, DANIEL

(Cork, 1806-Londres, 1870)

Pintor e ilustrador y caricaturista irlandés. Tras iniciar sus estudios en Irlanda, marcha a Londres en 1821 para continuar su aprendizaje en la Royal Academy, donde en 1831 consiguió, gracias a sus buenas aptitudes, la medalla de oro en la sección de pintura histórica. Considerado el pintor de historia más importante de su época, se le encargan dos grandes murales para decorar las paredes del Parlamento, *Encuentro de Wellington y Blücher en Waterloo* (1861) y *La muerte de Nelson en Trafalgar* (1865), en las que representa casi un amasijo de figuras que complican la composición y dificultan su visión comprensiva, pero que son de gran fuerza expresiva y de carácter heroico. También cultivó el retrato, de notable calidad y la caricatura, en la que destacó, como no podía ser de otra manera al ser un magistral dibujante. Dibujó una serie de retratos, con los que colaboró en el *Fraser's Magazine* desde 1830 a 1838. Otras obras suyas son *El espíritu caballe-*

Madelein después de rezar.
DANIEL MACLISE.

resco y *El espíritu de la Justicia*, para el edificio del Parlamento.

MADRAZO Y AGUDO, JOSÉ DE

(Santander, 1781-Madrid, 1859)

Destacado pintor español, genuino representante del **neoclasicismo**. Inicia sus estudios artísticos en Madrid con Gregorio Ferro, quien le enseña el estilo y la técnica de la pintura de Antonio Mengs. Los estrictos principios del neoclasicismo los recibe a partir de 1803 en París, ciudad a la que viaja becado para continuar su formación en el taller de **David**. Allí entabla amistad con su condiscípulo **Ingres** y produce una de sus primeras obras, dentro del estilo frío y dibujístico neoclásico, *Jesús ante el Sumo Sacerdote* (1805), obra elogiada por su maestro. Durante el gobierno de José Bonaparte viaja a Roma, también en condición de becado, y es aquí donde realiza sus cuadros de historia más conocidos, *La muerte de Viriato* (1814) y *La muerte de Lucrecia*, obras que siguen el carácter declamatorio, un tanto espectacular y de rica precisión aprendido con David y que estaban de moda por toda Europa. En Roma recibe el nombramiento de pintor de cámara del

El descanso del capitán.
RICARDO DE MADRAZO.

Aline Masson con mantilla blanca.
RAIMUNDO DE MADRAZO.

depuesto y exiliado Carlos IV. Su oposición al gobierno intruso y su fidelidad a los Borbones le harán acaparar mucho poder en los círculos culturales y academicistas a su vuelta a España en 1819. Cinco años después, logra que se comience el estudio del natural en la Escuela de la Academia de San Fernando, de Madrid. Cultivó tanto el tema histórico como el retrato o los asuntos religiosos. Cuenta con una producción de retratos muy importante en los que, en ocasiones, revelan ciertos matices propios del **romanticismo**: vale la pena señalar *Carlos IV*, *Isabel II*, *Conde de Requena*, etc. José de Madrazo y Agudo, sus hijos Federico, Luis y Juan, y sus nietos Raimundo y Ricardo constituyen una admirable dinastía de artistas.

MADRAZO Y GARRETA, RAIMUNDO DE

(Roma, 1841-Versalles, 1920)

Pintor español. Hijo y discípulo del pintor **Federico de Madrazo y Kuntz**, su obra es una de las más representativas e influyentes de la escuela de pintores españoles en París. Instalado en Madrid, su formación la completa a lo largo de su vida con varios viajes a París y a diversos países americanos. Relacionado con **Fortuny** y **Rosales**, su producción más importante es una amplia serie de temas decorativos y retratos, en los que prevalecen motivos alegres y optimistas. Fue muy comentado el retrato compuestos a su hermana Cecilia, así como los cuadros *La carta*, *Lección de música* y *Retrato de familia*.

MADRAZO Y GARRETA, RICARDO DE

(Madrid, 1851-1917)

Hijo y discípulo de **Federico de Madrazo y Kuntz** y hermano de **Raimundo de Madrazo**, sus trabajos se hallan dentro de una marcada influencia de **Fortuny**, tanto en la técnica preciosista como en la temática orientalista. Obras de esta tendencia son *Marroquíes*, *Un mercado de Fez* y *Alto de una caravana árabe*. Extraordinario retratista, su capacidad le hace plasmar en sus lienzos la psicología y los sentimientos de los personajes, obteniendo un tipo de retrato de gran veracidad. Gran conocedor de la historia del arte, fue una verdadera autoridad en la clasificación de la pintura antigua.

MADRAZO Y KUNTZ, FEDERICO DE

(Roma, 1815-Madrid, 1894)

Hijo del pintor neoclásico **José de Madrazo**, es uno de los artistas de mayor celebridad y gloria del siglo XIX español. Entre sus cargos destaca el de pintor de cámara, director del Museo del Prado y de la Escuela de Bellas Artes de San Fernando, y entre sus menciones honoríficas la de comendador de la Legión de Honor. Iniciado en el dibujo y la pintura por su padre, su formación se consolida en París, a partir de 1833, en el taller de **Ingres**. A su regreso a Roma entabla amistad con los pintores alemanes **Cornelius** y **Overbeck** y el grupo de los **Nazarenos**. Sus obras responden al purismo neoclásico aprendido en París; ejemplo de ello son *Godofredo de Bouillon, rey de Jerusalén* (1837-1839) y *La continencia de Escipión*, obra esta última gracias a la cual es elegido académico de San Fernando en 1839. La influencia nazarena se manifiesta en sus cuadros de temática religiosa, como *Las tres Marías ante el sepulcro*, composición de 1842. A partir de ese

Amalia de Llano y Dotres.
La condesa de Vilches.
FEDERICO DE MADRAZO.

Entrada de Carlos V en Amberes.
HANS MAKART.

año fija residencia en Madrid, ciudad en la que adquiere gran prestigio e inicia su triunfal carrera retratística. Sus retratos se distinguen por la elegancia del dibujo y peculiar colorido. Además, deja una completa galería de figuras y personajes de la época: *Isabel II, Alfonso XII, Carolina Coronado, Bravo Murillo,* etc., retratos que, progresivamente, van adquiriendo rasgos expresivos y realistas.

MAKART, HANS

(Salzburgo, 1840-Viena, 1884)

Pintor, grabador, decorador y estilista austriaco. A los 18 años entró en la escuela de Bellas Artes de Viena y en 1859 viaja a Munich, donde recibe formación de **Piloty**, que le ayuda a desarrollar su rico sentido cromático y le hace encauzar su labor pictórica hacia la pin-

tura histórica, de la que dicha ciudad era el centro más relevante en ese momento. En 1868, tras viajar a París, Londres e Italia, marcha a Viena, donde estuvo bajo la protección del emperador Francisco José, que le proporciona un buen estudio, donde conseguirá un enorme éxito, siendo más tarde nombrado profesor de la Academia de Bellas Artes de Viena. Además de pintura histórica *(Entrada de Carlos V en Amberes,* 1875), género al que se dedicó de modo especial, sobre todo en gran formato y con acusado **realismo**, y que le consagró como conocido e importante pintor, también se dedicó a las temáticas mitológica y alegórica, siendo un buen ejemplo de ellas las *Los Sentidos, Las Estaciones, La Noche* y *El Día.* Su estilo, ampuloso y artificioso, gusta de los acusados contrastes luminosos, creados por fuertes destellos de luz y da una gran importancia a las figuras que se encuentran en el primer plano, dejando el fondo poco más que esbozado; esto es patente en *La peste en*

Florencia (1868). Realizó también algunos retratos, como el de *Amalia Makart* (1871-1872). Otras obras destacables son *La muerte de Pappenheim* (1861-1862), *Los frutos de la tierra y los frutos del mar* (1870) y *Caterina Cornaro, reina de Chipre.*

MANET, EDOUARD

(París, 1832-1883)

Pintor francés, considerado el máximo representante del **impresionismo** a la vez que su obra se estudia como la única salida válida ante la crisis que acusa la larga trayectoria del desarrollo naturalista y del **realismo** francés. Es uno de los mayores genios en la historia de la pintura del siglo XIX. Desde sus estudios en el colegio Rollin encuentra en la pintura un poderoso desahogo de su fuerza creadora. De familia de

Arriba a la derecha, Olimpia.
Abajo, Las golondrinas.
EDOUARD MANET.

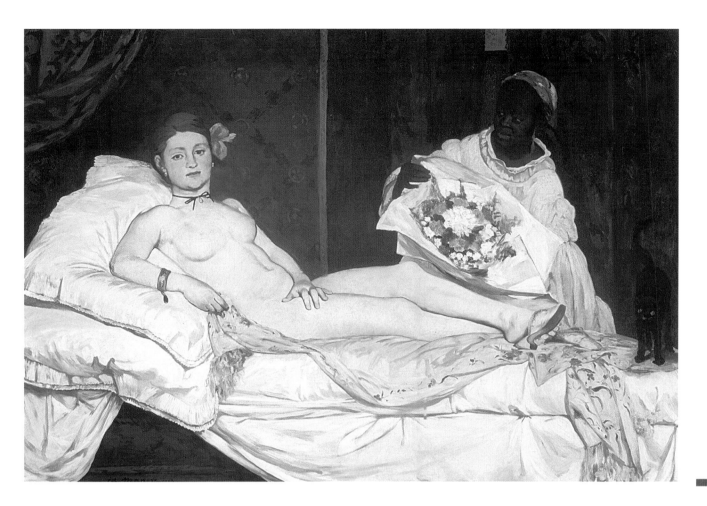

M

Desayuno en la hierba.
EDOUARD MANET.

la alta burguesía, es hijo de un juez y hermano de futuros funcionarios, un contexto donde prevalecen las tradiciones sociales y en las que no está previsto la menor rebelión. Intenta hacer comprender cuáles son sus verdaderos intereses, pero todo resulta inútil. La imposición familiar de estudiar la carrera de Derecho le obliga a huir y enrolarse como marino. Llega a Brasil, donde encuentra los primeros motivos exóticos para dibujar. Cuando regresa en 1850 estudia pintura a través de las obras maestras de los museos, pero sobre todo en el taller del pintor de más prestigio del momento, **Couture**, autor de la obra

más considerada por el público y la crítica oficial, *Los romanos en la época de la decadencia*. Se forma, pues, en la pintura de historia y permanece con Couture durante más de seis años, en los cuales establece contacto con artistas y literatos del momento, como Baudelaire. Un periplo por toda Europa le libera del rigor academicista aprendido y le proporciona tanto una formación definitiva más amplia y madura como una temática que, más tarde, desarrolla en sus composiciones. En 1856 se establece como pintor autónomo e independiente y comienza su auténtica carrera. El cuadro *El bebedor de ajenjo* es rechazado en el Salón de 1859, pero un año después expone *Música en las Tullerías* con gran elogio por parte de la crítica.

En 1861 vuelve a ser halagado por *Retrato del padre del artista* y *Guitarrista español*, este último alabado por **Monet** y **Bazille**, e inicia una larga serie de temas que recogen los tópicos folclóricos españoles, característicos del **romanticismo** tardío europeo. En este sentido deben incluirse *Danza española*, *La Lola de Valencia* o *Joven vestido de majo*, obras todas ellas de 1862, fecha culminante del cenit de su carrera artística, ya que este año inicia las dos obras mayores de toda su producción. Se trata del *Almuerzo en la hierba*, una actualización de la obra de Giorgone, *Concierto campestre*, y que supone ante la moralidad de la época un auténtico atentado contra el pudor y que sólo puede exponer en el Salón de 1863. Lo mismo ocurre con la *Olimpia*, una visión de la *Venus de Urbino* de Tiziano, en la que incorpora la imagen de una prostituta de su tiempo a una composición que continúa el esquema clasicista. El tratamiento artístico del pasado y, ante todo, vulgarizarlo en una situación del presente, supone un monumental escándalo en el Salón de 1864, efecto que produjo importante polémica en variados ambientes de la gran sociedad, así como la indignación de los moralistas burgueses. Para esa época, Manet ya ha conocido a **Morissot**, su cuñada, a quien retrata en varias ocasiones, así como a su amante, Victorine Louise Meurent, modelo de sus provocadores cuadros. Viaja a España, donde contacta con **Lucas**, y vuelve a los motivos y temas españoles. Su obra *El pífano* es rechazada en la Exposición Universal de 1867, y harto de estos y otros desplantes comienza a exponer de forma individual, pese a la crítica negativa que recibe en todas sus presentaciones. De 1868 son *Almuerzo en el estudio*, *La lectura* y *Madame Manet tocando el piano*, entre otras. Borrado del arte oficial y con el aderezo constante del escándalo, Manet se convierte en el líder de un grupo de pintores que frecuentan el Café Guerbois, muy próximo a su taller. Entre los artistas destacan **Degas**, **Monet**, **Renoir**, **Sisley**, **Bazille** y, posteriormente, **Cézanne** y **Fantin-Latour**; este último le retrata con todos en *Homenaje a Manet*. La guerra franco-prusiana de 1870 le incita a realizar dos litografías evocadoras del suceso bélico: *La barricada* y *La guerra civil*. Resulta sorprendente que Manet no intervenga en la primera exposición de

El pífano.
EDOUARD MANET.

M

La lectura.
EDOUARD MANET.

MARÉES, HANS VON

(Elberfeld, 1837-Roma, 1887)

Pintor alemán, retratista y autor de cuadros de historia, de estilo impresionista. Estudia en Berlín desde 1854 y en Munich desde 1857. Completa su formación con una serie de viajes a Francia, Italia y España. A finales de la década de los años setenta vuelve a Italia,

La camarera.
EDOUARD MANET.

los impresionistas, pese a que toma de ellos la pincelada, el paisaje y el gusto por la pintura al aire libre; no obstante, se adentra en la temática que caracteriza al movimiento, el referente a la vida moderna, como *Naná* o *Cantando en el café concierto*. Entre otras grandes obras destaca la realizada en 1879, de clara inspiración goyesca, *Mujeres en el balcón*. En 1881 obtiene el reconocimiento oficial al recibir la condecoración de la Legión de Honor, una consagración para su carrera, pero una grave enfermedad en una pierna le impide continuar trabajando con la misma riqueza e intensidad. Empeñado en una nueva serie de cuadros dedicados a asuntos florales y anuncio de una transformación en su estilo, su evolución plástica se trunca al sufrir la amputación de la pierna en 1883, una operación que acaba con su vida. Catorce años después su magnífica y escandalosa *Olimpia* entra en el Museo del Louvre.

El balcón.
EDOUARD MANET.

Dordrecht.
JACOB MARIS.

raels. Estudia en Amberes y en 1865 reside en París. Allí conoce la pintura de **Corot** y **Fantin-Latour**. En sus comienzos se dedica a captar escenas de género de la vida cotidiana de Holanda, pero pronto cultiva el paisaje, realizando cuadros con un acusado sentido dramático y un claroscuro de gran vigor. Su técnica se acerca al **impresionismo** con una notable habilidad para los efectos lumínicos. Además de recoger escenarios naturales, destacan sus paisajes urbanos y, entre éstos, *Escena del puerto*, realizado hacia 1885.

MARIS, MATTHIJS

(La Haya, 1837-Londres, 1917)

Pintor holandés de paisajes, hermano de **Jacob Maris**, forma parte de la escuela de La Haya, fundada por **Israels**. Estudia en la Academia de La Haya y en la de Amberes. A partir de 1858 trabaja con su hermano Jacob, con quien marcha a París y donde permanece hasta 1875. Parte de una pintura de paisaje de estilo realista que evoluciona influida por la escuela romántica alemana y por los prerrafaelistas, cuya pintura conoce a partir de 1877 en sus estancias en Londres. También compone retratos y algunas de sus obras incorporan un halo de penumbra muy característico, como se puede observar en *Recuerdo de Amsterdam*, de 1881. Impregnó su obra de una exquisita espiritualidad que recuerda a los maestros de la Edad Media.

M

donde reside hasta su muerte. Obras representativas de su pintura abocetada y de fuertes contrastes son *Los remeros*, *El baño de Diana* y *Portaestandartes*.

Escena en el puerto.
JACOB MARIS.

MARIS, JACOB

(La Haya, 1837-1899)

Pintor holandés de paisajes, es junto a su hermano **Matthijs Maris** y **Anton Mauve** integrante de la escuela de La Haya fundada por **Is-**

Mujer desnuda.
RAMÓN MARTÍ ALSINA

MARQUÉS DA SILVA OLI-VEIRA, João

(Oporto, 1853-1927)

Pintor portugués, es un destacado representante del **realismo** académico en su país, amigo del pintor **Carvalho da Silva**, con quien estudia en París y funda más tarde el grupo Leão en Portugal. En la capital francesa se inicia en la pintura de historia y allí realiza una buena composición de género mitológico, *Céfalo y Procris* (1879), sin embargo, es la pintura de paisaje el género que más le interesa y en la que se muestra deudor de los recursos de la **Escuela de Barbizón**. En una de sus mejoras obras, *Povoa do Varzim* (1884), demuestra su dominio en la plasmación de la luz y el ambiente atmosférico.

Mujer de Laren con cabra.
ANTON MAUVE.

MARTÍ ALSINA, Ramón

(Barcelona, 1826-1894)

Pintor español. Iniciador del paisaje realista en Cataluña, cuyo estilo y obra enlaza con las tendencias de fin de siglo. A los 14 años asiste a clases nocturnas en la Escuela de Bellas Artes de Barcelona. En 1848 lleva a cabo su primer viaje a París, conoce la obra de **Courbet** y los principios estéticos de la **Escuela de Barbizón**, conocimiento que determina su producción de paisajes. En 1852 gana la cátedra de dibujo en la Escuela de Bellas Artes barcelonesa y se dedica a la docencia, introduciendo las tendencias francesas en el panorama catalán. Realiza varios viajes a París y Holanda, e intenta presentar parte de sus creaciones en la Exposición Universal de 1867, pero se lo impidieron dificultades burocráticas. Martí Alsina es además figura prototípica de la bohemia: problemas económicos, desgracias familiares y conflictos políticos le obligan a renunciar a su cátedra y a trabajar simultáneamente en distintos talleres, de manera casi industrial, hecho que explica la desigual calidad de su obra. Entre su extensa producción de paisajes y retratos destacan *Día nevado*, *El somatén*, *La siesta* (1884) y *La vista del Boulevard Clichy*, obra esta última que anticipa ciertos principios impresionistas.

MAUVE, Anton

(Zaandam, 1838-Arnhem, 1888)

Pintor holandés dedicado a la pintura de paisaje, es miembro integrante, junto a **Jacob Maris,** de la Escuela de La Haya fundada por **Israels.** Pese a la oposición de su familia, comienza a formarse como

El Marne.
ELISEO MEIFRÉN I ROIG.

pintor y es alumno de Pieter Frederick van Os, pintor al que retrata en su estudio *(Estudio del pintor P. F. van Os,* 1856). Entre 1856 y 1859 pinta con el hermano de Jacob Maris, Willen, en Oosterbeek. Se traslada a Amsterdam en 1865 y cinco años después a Haarlem para después pasar a residir en La Haya. En esta ciudad imparte clases de dibujo a su primo **Van Gogh** en 1882, coincidiendo con él en padecimientos enfermizos y depresivos. Su obra paisajística es característica de la Escuela de La Haya, cuya actitud hacia la naturaleza es muy semejante a la de la **Escuela de Barbizón**. Destacan *El*

huerto y *Scheveningen nevado,* así como cuadros al óleo y acuarelas de árboles, marinas y retratos caracterizados por el empleo delicado de los tonos y los efectos de luz. Su habilidad es reconocida y apreciada particularmente en Gran Bretaña y Estados Unidos, ganando varios premios y medallas.

MEIFRÉN I ROIG, ELISEO

(Barcelona, 1857-1940)

Pintor español. Reconocido pintor de marinas y uno de los primeros representantes en España de la asimilación del **impresionismo**. Discípulo del pintor Antoni Caba y formado en la Escuela de Bellas

Artes de Barcelona, su viaje a París y su relación con los pintores **Casas** y **Rusiñol** determinan su pintura de paisajes, caracterizada por una pincelada suelta y espontánea. Sus marinas, realizadas con gran rapidez, excelente técnica y tonos amables, le valen un reconocimiento general, tanto en las exposiciones nacionales en las que participa como en el extranjero. Entre sus obras destacan los cuadros *Gente de mar* y *El Marne,* éste fechado en 1933.

MEISSONIER, ERNEST

(Lyon, 1815-París, 1891)

Pintor francés, su producción pictórica caracterizada por un **rea-**

El lector.
ERNEST MEISSONIER.

M lismo sumamente detallista alcanza gran fama, pero su celebridad igualmente viene dada por plasmar numerosas campañas de Napoleón III. Es hijo de una pintora especializada en miniaturas y decoración de porcelana, lo que influye de forma decisiva en su carrera como pintor, pero sobre todo en su estilo. Estudia en el taller de León Cogniet y a los 16 años expone su primer cuadro en el Salón de 1831. Su alta calidad pictórica queda atestiguada en una obra temprana que evoca los sucesos revolucionarios de 1848, *La barricada.* En sus comienzos también se dedica a la pintura de tema religioso y de gran formato, aunque su tendencia a la minuciosidad y el detalle le encaminan a centrarse en cuadros de género, como *El flautista, La partida de naipes, Los jugadores de bolos* o *La riña,* este último de 1855. Muchos de estos cuadros están considerados una clara divulgación de los temas de **Daumier**. Nombrado miembro

de la Academia de Bellas Artes de París en 1861, realiza cuadros de tema histórico exaltadores de la política y el gobierno contemporáneo, como *Napoleón y su estado mayor,* así como retratos de Napoleón III, a quien acompaña en 1870 a Italia mandando un regimiento de infantería y encargado de describir las campañas italianas. Este trabajo es muy interesante, ya que recoge con sobresaliente minuciosidad toda clase de incidencias bélicas. Sus cuadros de soldados presentan un notable naturalismo. Otras obras suyas son *El Decamerón, El Sitio de París, El hombre de la espada* y el retrato de *Alejandro Dumas.* Asimismo, se dedica a la estampa y cola-

Habitación con balcón.
ADOLF VON MENZEL.

bora como ilustrador del libro de Saint-Pierre *Paul et Virginie.*

MENZEL, ADOLF VON

(Breslau, 1815-Berlín, 1905)

Pintor alemán y uno de los más importantes ilustradores del siglo XIX. Su obra pictórica representa la culminación del **realismo** alemán y un presagio clarividente del estilo impresionista. Natural de Berlín y huérfano a los 17 años de un maestro de escuela que le inició en la

técnica litográfica, su primer éxito radica en las estampas litográficas que realiza para las obras de Goethe en 1834. En 1840 recibe uno de los encargos más importantes de su vida: elaborar las ilustraciones para el libro de Franz Kluger *La vida de Federico el Grande*. Se trata de cuatrocientos grabados plenamente románticos para los que realiza cuidadosos estudios, pero concebidos con una imaginación que le incluyen dentro de ciertas corrientes simbolistas, al tiempo que le vinculan al pleno realismo del momento. Ejemplo de ello son sus más famosas estampas, como *El discurso de Federico el Grande* (1858) o *Batalla de Hachkirch* (1856), donde

capta la temática bélica de una forma realista, exhibiendo la agonía, la muerte y la miseria de la guerra. Con sus ilustraciones traspasa muy pronto las fronteras alemanas. En Francia se sigue con admiración la excelente habilidad que Menzel tiene en sus dibujos preparatorios, caracterizados por unos temas de inusual imaginación que, no obstante, parecen palpitar una sincera representación naturalista acorde con los movimientos más renovadores de la época. A partir de la segunda mitad de la década de los años cuarenta aplica su estilo a composiciones pictóricas que, como en los cuadros *Habitación con balcón* (1845), *Jardín en el jardín del*

príncipe Alberto en Berlín (1846) o *El Tren de Potsdam a Berlín* (1846), son un ejemplo más de una pintura innovadora en la que incluye indistintamente temas de historia y temas cotidianos, pero que la crítica del momento no sabe apreciar. Menzel es conocido sobre todo por su obra gráfica y no tanto por su pintura, a pesar de que sus temas de historia y sus retratos, sobre todo los que le encarga el rey Guillermo I de Prusia, son dignos de figurar entre las cimas de la historia contemporánea de la nación alemana.

Colón en la Rábida pidiendo agua y pan para su hijo.
BENITO MERCADÉ Y FÁBREGAS.

MERCADÉ Y FÁBREGAS, BENITO

(La Bisbal, 1831-Barcelona, 1897)

Pintor español, representa en Cataluña la pintura oficial y el eclecticismo característico de la segunda mitad de la centuria. Estudia en Barcelona hacia 1833 y en Madrid a partir de 1853. Desde sus inicios se encamina por el género histórico, obteniendo a lo largo de su carrera varias menciones y medallas en las exposiciones nacionales, como en la de 1858 con su cuadro *Colón en la Rábida pidiendo agua y pan para su hijo.* En ese año se traslada a París y, posteriormente, a Roma, donde contacta con los **Nazarenos** y recibe críticas elogiosas. Profesor de la Escuela de Bellas Artes de Barcelona, entre sus obras también hay que destacar cuadros de asuntos religiosos, como *Los últimos momentos de Fray Carlos Clímaco* (1862) y *La traslación del cuerpo de San Francisco de Asís* (1876).

MESDAG, HENDRIK WILLEM

(Groningen, 1831-La Haya, 1915)

Pintor y mecenas holandés. Su obra, que comienza a realizar a partir de 1866, con casi cuarenta años, se halla entre el postromanticismo y el **impresionismo** y dentro la escuela de La Haya, fundada por **Israels**. Estudió con **Alma-Tadema**. En principio pintó paisaje de marcado realistas, sobre todo de zonas costeras, como la amplia vista de *La aldea pesquera de Schveningen* (1881), su obra más conocida, y más tarde marinas, que desprenden cierto dramatismo. Sus paisajes, inspirados en el Mar del Norte, y que reproducen sus aguas revueltas y oscuras, cielos tormentosos, etc., tienen un tono melancólico y su tratamiento de la naturaleza recuerda a la de los paisajistas de **Escuela de Barbizón**, con un estilo entre el **realismo** y el **romanticismo**, y continúan en la línea de la numerosa escuela de marinistas holandeses. A pesar de estas reminiscencias, su arte es de una gran originalidad y fue muy admirado. En 1903 lega al Estado holandés su colección de pintura, que se halla hoy en día en el museo que lleva su nombre en La Haya. De su producción pictórica cabe destacar *Rompientes del Mar del Norte*, con el que consigue medalla de oro en Salón de 1862; *Efecto de tarde en Scheveningen, Atardecer en Scheveningen, Crepúsculo* (1877) y *Después de la tempestad* (1895).

METRASS, FRANCISCO AUGUSTO

(Lisboa, 1825-1861)

Pintor portugués, su estilo tiene una influencia determinante en el desarrollo pictórico de su país. Inicia los estudios artísticos en su ciudad natal y los continúa en Roma, donde toma contacto con los dos representantes más importantes del grupo de los **Nazarenos, Overbeck** y **Cornelius**. Pero la huella de estos maestros se difumina en las estancias que pasa en

París, en 1847 y 1850, al incorporarse al **romanticismo** histórico, como se refleja en sus cuadros *Inés de Castro esperando a sus asesinos*, *El poeta Camoens en la gruta de Macao* y el famoso *¡Sólo Dios!*, obra de 1856. Fue profesor de la Academia de Bellas Artes de Lisboa.

MEUNIER, CONSTANTIN

(Bruselas, 1831-1905)

Artista belga, es más escultor que pintor y sus temas derivan en gran parte de la temática de la **Escuela de Barbizón**. Huérfano de padre, su madre le induce a estudiar escultura en la Academia de Bruselas, aunque pronto se inclina por la pintura y entra en el taller del pintor **Navez**. Expone por primera vez en el Salón de Bruselas en 1851. Tras las primeras obras de un estilo academicista evoluciona revelando influencias de **Millet** y **Courbet**, apreciable en algunas composiciones religiosas y cuadros de historia, como *Escritorio de un monje* (1860) y la serie *Episodios de la guerra campesina* (hacia 1862), cuyos bocetos preparatorios realiza en la soledad de un monasterio. Sin embargo, pronto abandona estos géneros pictóricos para dedicarse a unos temas sociales protagonizados por labradores, mineros y trabajadores en general, una panorámica social que recoge en su pintura con cierta idealización romántica. Entre 1882 y 1883 interrumpe la pintura para cumplir una misión oficial en España, país que recorre con **Regoyos** y momento en que vuelve a sentir de nuevo su afán por la escultura. A su vuelta, nombrado profesor de la Academia de Lovaina, se dedica a la plástica escultórica en la que plasma los temas sociales de su pintura, pero no vuelve a coger los pinceles.

MICHALOWSKI, Piotr

(Cracovia, 1804-1855)

Pintor polaco. Es el único importante de la primera mitad del siglo dentro del arte pictórico polaco y el primero conocido internacionalmente. Estudió dibujo con **Brodowski** y continuó sus estudios en Alemania, realizando también un viaje a Austria e Italia, aunque ejecutó casi toda su actividad pictórica en su ciudad natal. En 1831, por motivos políticos, tiene que marchar a Francia, donde se estableció

Tormenta en el valle del Sena.
GEORGE MICHEL.

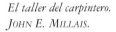

El taller del carpintero.
JOHN E. MILLAIS.

y trabó amistad con los pintores **Vernet** y Charlet, conociendo más tarde a **Géricault** que, junto con **Delacroix**, le condicionarían totalmente su estilo, haciendo que se decantara claramente por el **romanticismo**, con una técnica suel-

ta, de vigorosas pinceladas, en las que usa un colorido brillante de manera muy personal, y una luz netamente romántica. Inicialmente pintó escenas, cuyos motivos principales fueron el ejército y sus jinetes relacionados con el conflicto bélico napoleónico (*Húsares azules*, hacia 1836; *Carga de la caballería polaca en Somosierra*, 1837); pero después fue el retrato el que ocupó el centro de su actividad pictórica (*Campesino con sombrero*, 1846), para más tarde elegir como tema de sus cuadros a Don Quijote, en los que su técnica se hace más suelta y atrevida.

MICHEL, George

(París, 1763-1843)

Pintor paisajista francés que presenta en su obra un estilo que se halla a medio camino entre el **neoclasicismo** y el **romanticismo**. Alumno de Leduc y Bruandet y de

Nicolas Taunay, viaja por Normandía, Suiza y Alemania, que le inspirarán numerosos obras. Por otra parte, su cargo como restaurador de cuadros en el Louvre, donde hay dos suyos, hace que conozca bien a los paisajistas holandeses del siglo XVII, de algunos de los cuales, como Ruisdael y Rembrandt, realiza copias. Ellos influyen en sus paisajes, que representan, fundamentalmente, las colinas de los pueblecitos de los alrededores de París (Montmartre, Saint-Ouen, etc.), en la artificiosidad de su composición *(Paisaje de los alrededores de Chartres)*. Los grandes contrastes entre zonas iluminadas y umbrías, como se aprecia en paisajes como *Tormenta en el valle del Sena* (1830), así como el sentido intimista de la naturaleza, son característicos en los mismos, que más tarde se pueblan de ruinas, tan propias del romanticismo. Fue uno de los primeros en pintar al aire libre, por lo que es considerado por algunos críticos como antecedente de la **Escuela de Barbizón**.

MILLAIS, JOHN EVERETT

(Southampton, 1829-Londres, 1896)

Pintor romántico inglés, es miembro fundador y uno de los artistas más destacados de la Hermandad Prerrafaelista. Su obra inicialmente responde a los ideales estéticos de esta asociación, aunque a partir de la década de los años sesenta su evolución a los cánones académicos se hace progresivamente patente. Superdotado para la pintura desde niño, ingresa muy joven en la Royal Academy, donde en 1845 conoce a **Hunt**. Los dos artistas llegan a tener una gran amistad, reconociéndose en uno y otro los mismos gustos por la pintura. En su propio estudio funda en 1848 la Hermandad Prerrafaelista, junto a **Hunt** y **Rossetti** y, un año después, realiza una de sus obras más polémicas: *Cristo en casa de sus padres*, que intenta exponer en 1850, siendo rechazada. Se trata de una peculiar versión de la pintura religiosa tradicional, la Sagrada Familia con San Juan Bautista en un taller de carpintería, composición descriptiva, minuciosa en los detalles, virtuosa en la técnica y anecdótica en el tratamiento religioso, pero que escandaliza a los círculos conservadores y protestantes y recibe una dura crítica. La perfección técnica de Millais se aprecia en su pintura *Isabelle*, pero especialmente en *Ofelia*, cuadro de 1852 que recoge una escena especialmente trágica de *Hamlet* tratada con una profunda imaginación: el momento en que Ofelia, enloquecida, es arrastrada por las aguas de un río mientras canta. El cuadro, expuesto en París en 1855, procede de los estudios al natural que realiza Millais.

Ofelia.
JOHN EVERETT MILLAIS.

Las espigadoras.
JEAN-FRANÇOIS MILLET.

Causa admiración por el tratamiento psicológico de la figura femenina, en realidad la modelo Elizabeth Siddal, amante y posterior esposa de Rossetti, cuya belleza encarna el ideal femenino de los prerrafaelistas. A pesar de la falta de profundidad, el paisaje es minucioso al máximo, con un realismo extraordinario en la representación exacta de la vegetación. *La fuga del hereje* constituye un ejemplo típico de su intensidad emocional y expresividad dramática. Fue asimismo el mejor pintor inglés de retratos de su tiempo, como puede advertirse en *Gladstone* (1885), *El cardenal Newman, Carlyle,* y tantos otros, entre ellos su propio autorretrato. El éxito conseguido y la calidad de su obra le granjean el nombramiento socio de la Royal

Academy en 1853, iniciando un distanciamiento muy claro con los restantes pintores prerrafaelistas y que culmina en 1854 con una definitiva ruptura al casarse con la que había sido mujer de **Ruskin**, el ideólogo del grupo. En adelante su pintura se aparta de sus antiguos ideales y se acomoda a los gustos del público y a la tradición académica con la realización de numerosos retratos, escenas costumbristas y temas históricos. Es elegido presidente de la Royal Academy en 1895, un año antes de morir.

MILLET, JEAN-FRANÇOIS

(Gruchy, 1814-Barbizón, 1875)

Pintor francés, es uno de los más destacados miembros de la **Escuela de Barbizón**, su obra represen-

ta la vida del campesinado y los trabajadores rurales. Hijo de una familia de campesinos normandos, inicia sus primeras clases de pintura en Cherburgo a la edad de 19 años a la vez que ayuda a sus padres en las tareas del campo. En 1837 una beca municipal le permite ir a París, donde asiste a la Escuela de Bellas Artes y entra en el taller del pintor de historia **Delaroche**. A pesar de tan buen comienzo, sus costumbres campesinas y su carácter rudo no congenian con el tipo de vida parisiense y regresa a Cherburgo, tres años después, en 1840. Hasta 1845 subsiste vendiendo retratos y escenas de género, aunque realiza algunas marinas, tema raro en su producción, y una de sus primeras composiciones de calidad, *La lechera* (1844), obra que junto a *La lección de equitación* es aceptada en el

Primavera.
JEAN-FRANÇOIS MILLET.

Salón de París. Tras casarse en 1848 marcha a Barbizón, integrándose en la escuela y uniéndose al grupo de artistas residentes, como Rousseau, que le ayudan a paliar sus dificultades económicas. De estos años son *San Jerónimo*, *La niña* y *Época dorada*. Trabaja duramente, pero su pintura no es admitida en los Salones. A lo largo de la década de 1850, Millet explora una temática campesina que le lleva a descubrir su verdadero estilo personal, la representación de la vida del campo con toda su crudeza, sacrificios y privaciones. Con *El sembrador*, de 1850, se da a conocer en el Salón de París de 1851. Le siguen *El cribador*, *Las espigadoras* y *El ángelus*. Es, sin duda, este último cuadro el más conocido, realizado entre 1858-1859, auténtico manifiesto de su peculiar visión del mundo rural, tema que reproduce de forma objetiva y realista y aplicando una luz y una atmósfera que dignifica y solemniza a sus figuras con una carga de gran fuerza poética. El reconocimiento de su obra es parcial, dado que sus temas llenos de injusticia, desigualdad, amargura y miseria no resultan gratos, sino más bien inquietantes cuando no angustiosos: una pintura subversiva de denuncia social. No obstante, la calidad de su obra se impone y en 1867 es premiado en la Exposición Universal de París. Años más tarde el gobierno francés le encarga decorar con el tema de las cuatro estaciones la iglesia de Santa Genoveva, luego Panteón de Hombres Ilustres. La muerte le sorprende realizando los bocetos. La obra de Millet, poco apreciada en su época, resulta revolucionaria para artistas posteriores que quedan impresionados con cuadros como *Los segadores* o *El ángelus*. Es el caso de **Pissarro**, **Van Gogh** y Salvador Dalí.

MINARDI, TOMMASO

(Faenza, 1787-Roma, 1871)

Pintor italiano, gran dibujante, su pintura se relaciona con el grupo de los puristas o pintores italianos que asimilan las tendencias del clasicismo romántico europeo. Profesor en la Academia de Peruggia y, desde 1828 a 1858, en la de San Lucas de Roma, su perfección en el dibujo le hace realizar unas composiciones que, en su mayoría, son coloreadas y finalizadas por sus discípulos.

Joven muchacha.
JEAN-FRANÇOIS MILLET.

MIR I TRINXET, Joaquín

(Barcelona, 1873-1911)

Pintor español, renovador en el género paisajístico de finales del siglo XIX, su obra da un paso adelante en la concepción de esta temática. Re-

Aguas de Moguda.
Joaquín Mir i Trinxet.

cibe su formación asistiendo a la Escuela de Bellas Artes de Barcelona y a las clases del taller del pintor Luis Graner. Admirador de **Casas** y **Rusiñol**, forma junto a otros pintores (como Nonell, Pichot i Canals, Gual y Vallmitjana) un pequeño movimiento en los inicios de la década de 1890, conocido como la Colla del Safrá, interesado en la temática suburbial y en

los juegos luminosos propios del **posimpresionismo**. Sin embargo, su trayectoria plástica es absolutamente personal y evoluciona al margen del grupo. En los últimos años del siglo se relaciona con el ambiente artístico de Els Quatre Gats y su obra inicia una dinámica con mayor colorido y expresividad. En 1899 obtiene una segunda medalla en la Exposición Nacional con

Interior de la estación de Saint-Lazare.
CLAUDE MONET.

el cuadro *El huerto de la ermita*. En ese mismo año se traslada con Santiago Rusiñol a Mallorca, donde reside hasta 1904. De esta época son algunas de sus obras más representativas, como *Crepúsculo* y *La cala encantada*. Un desgraciado accidente le provoca un proceso depresivo que le lleva a un hospital de enfermedades nerviosas. Ya recuperado, marcha a Tarragona y comienza un nuevo proceso pictórico que le acerca a unos planteamientos vanguardistas que aplica a sus paisajes. En 1930, con un prestigio consolidado, recibe una medalla de honor de carácter institucional por el conjunto de toda su producción.

MONET, CLAUDE

(París, 1840-Giverny, 1926)

Pintor francés con cuya obra el **impresionismo** alcanza su cima. Hijo de un modesto comerciante, a los cinco años se traslada con su familia a la localidad atlántica de Le Havre, donde muy pronto empieza a pintar con carboncillo. En 1855 conoce a **Boudin**, el pintor que le anima a iniciar su carrera artística, y un año después regresa a su ciudad natal. Se inscribe en varias academias, contacta con la pintura de **Delacroix**, **Courbet** y **Daubigny** y entabla amistad con **Pissarro** y **Renoir** y los jóvenes artistas que componen más adelante el grupo de los impresionistas. En 1861 cumple el servicio militar en Argelia, país que encuentra fascinan-

Jarrón con crisantemos.
CLAUDE MONET.

223

M

Arriba, *Támesis y Westminster.*
A la derecha, *Calle Volle Honfleur.*
CLAUDE MONET.

te a través del cual toma contacto con un mundo de luz y color revelador de nuevas emociones. Al año siguiente enferma y vuelve a Le Havre, donde continúa sus paisajes al aire libre junto a Boudin y **Jongkind**. Se traslada de nuevo a París y asiste a clases en el taller de **Gleyre**, junto con Renoir, **Sisley** y Pissarro. Con ellos deja París y se traslada a una aldea próxima a Barbizón, en el bosque de Fontainebleau. En 1865 inicia una composición en homenaje a la obra de **Manet**, pintor al que admira, pero que no llega a concluir ante los comentarios negativos de Courbet. Su primera exposición en el Salón de 1865 pasa sin pena ni gloria; sin

El boulevard des Capucines.
CLAUDE MONET.

La japonesa.
CLAUDE MONET.

embargo, un año más tarde compone *Mujeres en el jardín* con la que obtiene uno de sus primeros galardones, éxito tardío que no le ayuda a mejorar su dramática situación económica; ni siquiera logra impedir que sus cuadros sean embargados y mal vendidos en lotes. La ayuda de Manet y del marchante Gaudibert le animan a no abandonar los pinceles y a partir de 1869 comienza a representar su tema preferido, la instantaneidad de la luz y el movimiento del río, a orillas del Sena, donde en compañía de Renoir realiza numerosos estudios del paisaje y los embarcaderos, como *Los baños de Grenovillère en Bougival*. En 1870 se casa con Camille Doncieux con la idea de residir en Trouville, pero ante la guerra franco-prusiana decide, como otros muchos pintores, huir de Francia. En Londres se reúne con Pissarro y ambos descubren los paisajes de **Constable** y **Turner**. La atmósfera brumosa del Támesis les fascina y confirman sus objetivos estéticos de captar la fugacidad de la luz en el reflejo del agua, como anticipa en *Puente de Westminster* (1871). Acabada la guerra visita Holanda y recorre sus canales y molinos. Retorna a su país y se instala en la localidad de Argenteuil, donde permanece hasta 1878 y pinta de forma incansable la naturaleza y las riberas del río con una técnica de pinceladas pequeñas, toques de colores yuxtapuestos con una intensa luminosidad. En una corta excursión a Le Havre realiza la obra más emblemática del impresionismo, *Impresión, sol naciente*, fechada en 1872. El cuadro se exhibe en la exposición organizada en

El gran canal de Venecia.
CLAUDE MONET.

1874 en la Sociedad Anónima de Pintores, Escultores y Grabadores. Se trata de la primera exposición del grupo de los impresionistas, un grupo artístico renovador, que al ser rechazados sistemáticamente en los Salones oficiales, decide organizar una exposición paralela. El cuadro recibe la crítica burlona de un periodista que califica a los artistas con el término satírico de «impresionistas», dando lugar al nombre del movimiento. Sigue viviendo en Argenteuil, pero en París también continúa parte de su producción y

Impresión, sol naciente.
CLAUDE MONET.

realiza, en recuerdo de Turner, la serie de *La estación de Saint-Lazare*, cuadros que captan el lugar a diversas horas del día e instantes de

Mujeres en el jardín.
CLAUDE MONET.

luz y muestra los distintos efectos que provoca el humo de las locomotoras. A estos trabajos siguen paisajes nevados, vistas y escenas urbanas, entre las que destaca *La calle de Montergueil con banderas* (1878), verdadero ejemplo de su

técnica y colorido. En 1883 compra una casa y se instala en Giverny; surge entonces la serie de cuadros sobre álamos, como *Álamos a orillas del Epte* (1891). En busca de sensaciones atmosféricas y lumínicas comienza en 1892 las más de

treinta versiones sobre la *Catedral de Rouen*, recogidas en distintos momentos del día. Su estilo es ya algo fluido y transparente. En un nuevo viaje a Londres sigue el mismo sistema con *El Parlamento de Londres* o *El Támesis*. Enfermo de la vista, pasa sus últimos años pintando en su casa de campo de Giverny, donde instala un jardín con estanque y realiza la serie de *Nenúfares*, grandes paneles donde su estilo se hace casi abstracto, estilo considerado como la culminación del impresionismo.

MONTEIRO DA CRUZ, ANDRÉS

(Lisboa, 1770-1843)

Pintor portugués que desarrolla su obra, dentro del **neoclasicismo** en la temática de los bodegones y el paisaje y que, cuando se crea la Academia de Bellas Artes de Lisboa, es nombrado profesor de las especialidades que mejor domina, las mencionadas anteriormente. Fue discípulo de Simón Cayetano Numes y de Baczynski. De su producción pictórica cabe subrayar la decoración del techo que realizó para el palacio de Ajuda.

MONTICELLI, ADOLPHE

(Marsella, 1824-1886)

Pintor romántico francés. Estudió en la Escuela de bellas Artes de su ciudad y fue alumno de **Delaroche**. A su formación contribuyó mucho su estudio de los antiguos maestros en el Louvre, así como la influencia que sobre él ejercieron pintores como **Díaz de la Peña** y

La cacería.
CLAUDE MONET.

Delacroix, sus amigos, especialmente en el sentido del color. El resultado de ello fue un estilo muy personal caracterizado por un bri-

llante cromatismo y una pincelada muy cargada, que influirían en su momento en **Van Gogh**, y que trasmiten dureza a su pintura. Entre sus temas destacan los retratos, de gran calidad pictórica, como el *Retrato de Madame René* (1871),

229

bodegones, paisajes románticos y escenas circenses y galantes. En gran parte de sus cuadros aparecen grupos de personajes bulliciosos sobre delicados paisajes románticos. Su obra llegó a conseguir un gran éxito, pero a partir de 1870 volvió a Marsella, donde llevó vida alejada del gran bullicio en el que había vivido hasta entonces. Otras obras importantes suyas son *Reunión en un*

parque, La parada de saltimbanquis y *Serenata*.

MOORE, ALBERT

(York, 1841-Londres, 1893)

Pintor e ilustrador inglés, su obra, esencialmente decorativa, es una síntesis de diferentes estilos, de tendencia prerrafaelista y clásica. Hijo de un pintor de retratos, William Moore, estudia en Londres en la Royal Academy, centro que abandona al no congeniar la institución con sus aspiraciones estéticas. Se dedica a la pintura decorativa de mansiones aristocráticas y edificios públicos. Muchas de sus composiciones se destinan a vidrieras y papeles pintados. Fiel reflejo de su concepción artística es *La sulamita*, cuadro que expone en 1866, y *Los sueños*, su obra más célebre, característica de la época victoriana.

MOREAU, GUSTAVE

(París, 1826-1898)

Pintor francés, su obra discurre dentro de la corriente simbolista con composiciones bíblicas, mitológicas o fantásticas de gran complejidad temática. Su estilo inicial parte de la obra de **Delacroix**, a quien admira durante su juventud, y más tarde se inspira en los pintores italianos del *Quattrocento*, especialmente en las obras mitológicas de Mantegna. La evolución de su pintura se mantiene siempre en las mismas coordenadas temáticas, eligiendo temas grecorromanos y espiritualistas, con una técnica de gran calidad, precisa y detallada, y de brillante colorido. *Edipo y la esfinge* (1864), *La cabeza de Orfeo* (1867) y *San Sebastián* (1875) son obras que demuestran sus esquemas colorísticos con figuras de ricos atuendos y espectaculares joyas y que denotan un fuerte espíritu oriental. En todas ellas crea exóticos ambientes que, en ocasiones,

Joven traciana llevando la cabeza de Orfeo.
GUSTAVE MOREAU.

Salomé con la cabeza del Bautista.
GUSTAVE MOREAU.

son blanco de las iras de los críticos más tradicionales. A pesar de tener un carácter introvertido y poco sociable, en sus últimos años de vida, entre 1892 y 1898, Moreau se ve obligado a trabajar como profesor en la Escuela de Bellas Artes de París. Allí tiene como alumnos a futuros genios de la pintura, como Matisse y Marquet. A otro de sus discípulos, Rouault, le promociona convirtiéndole en el conservador de su casa-museo al donar gran parte de su obra al Estado francés poco antes de morir. Entre sus obras también destacan *Prometeo, Hesíodo y las musas, Leda, La aparición* y *La danza de Salomé,* esta última uno de sus cuadros más conocidos.

MOREL, CARLOS

(Buenos Aires, 1813-1894)

Pintor, grabador y miniaturista argentino. Su obra se encuentra a ca-

El Unicornio.
GUSTAVE MOREAU.

ballo entre el **romanticismo** y el **realismo** y es considerado el primer pintor argentino que sobresalió por la calidad de su obra pictórica. Pintor versátil que supo aplicar con un cierto dominio todas las técnicas pictóricas, óleo, dibujo, acuarela... a obras que abarcaban el más amplio abanico de géneros, paisaje, retrato, escenas costumbristas, religioso, etc. Entre ellas destacan las escenas populares de la pampa ar-

gentina, como *La media caña, Usos y costumbres del Río de la Plata* (1844), *Payada en la pulpería* y *El cielito,* algún retrato como el de *Juan Manuel de Rosas y su mujer* (1836), cuadros de temática religiosa, a la que se dedicaría sobre todo en los últimos años de su vida, debido a la profunda depresión psicológica que

Cazando mariposas.
BERTHE MORISOT.

le ocasionó una dramática vivencia familiar relacionada con los acontecimientos políticos de su país, como *El Descendimiento*, del mismo año que el anterior.

MORELLI, DOMENICO

(Nápoles, 1826-1901)

Pintor italiano, la mayor parte de su obra recoge temas religiosos e históricos de formidable éxito en su época. Infatigable viajero, sus visitas a Roma le ponen en contacto con los **Nazarenos**, mientras que su es-

tancia en París, en 1855, le sirve para conocer a **Delacroix** y el esplendor de la pintura romántica de historia. A su vuelta traslada y difunde en Italia los modelos aprendidos y emula composiciones de carácter literario, pero ligadas con la historia italiana, como *Tasso lee su poema a Leonor d'Este* (1863). Su pintura religiosa presenta algunos puntos en común con la obra de los pintores de la Hermandad de San Lucas, pero el tratamiento de luces y sombras, lleno de contrastes y muy efectista, y las composiciones espectaculares, remiten a la tradición barroca del siglo XVII y se alejan del ideario estético de los Nazarenos. Ejemplo de ello es *El entierro de Cristo*, uno de sus cuadros

más conocidos. En la última fase de su trayectoria artística evoluciona hacia una pintura simbolista en la que más que reflejar inventa la realidad.

MORISOT, BERTHE

(Bourges, 1841-París, 1895)

Pintora francesa. El hecho de ser mujer en un mundo de creación plástica dominado por el hombre subraya el interés de la productividad de esta pintora, como de algunas otras, en el panorama de la pintura

Psique.
BERTHE MORISOT.

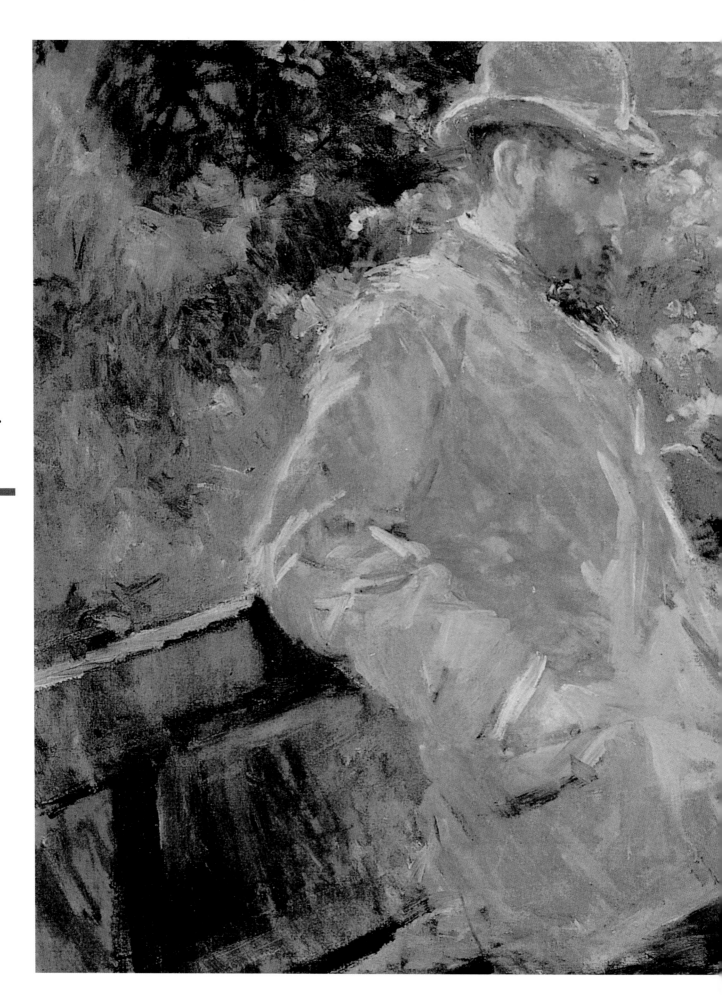

Manet y su hija.
BERTHE MORISOT.

del siglo XIX. Alentada por sus padres para iniciarse en la pintura, comienza estudiando las obras maestras del Louvre y pintando al natural bajo los consejos de **Corot**. Gracias a **Fantin-Latour** conoce al pintor **Manet**, quien se convierte en su cuñado en 1874 y quien le influye de forma decisiva, aunque los aportes entre ambos artistas son recíprocos, pues Manet aclara su paleta y abandona los temas sombríos tras conocer su obra. Su trayectoria estética parte de un **realismo** avanzado y de una temática de género al aire libre para aproximarse e integrarse con el **impresionismo**. Presenta una serie de obras en la primera exposición del grupo y deja bien claro su energía y vigor en composiciones suaves y dinámicas a la vez. Sus escenas favoritas son las familiares y las que representan la vida cotidiana de la burguesía francesa. Entre ellas destacan *La cuna, Campo de trigo, Caza de mariposas, Mujer y niño en un prado de Maurecourt, Marina inglesa, En barco* y *Argenteuil*, entre otras muchas. El colorido fresco y vivo, la luminosidad, el renovador espacio pictórico en el que se sitúan sus personajes son buenos y excelentes ejemplos de su adscripción al impresionismo de la primera época, pese a que sus obras no siempre consiguieron los elogios de la crítica y del público.

MORRIS, WILLIAM

(Walthamstown, Essex, 1834-Londres, 1896)

Pintor, decorador, ilustrador, poeta, arquitecto y teórico británico. Junto

La reina Ginebra.
WILLIAM MORRIS.

a **Brown**, y socialista como él, pretende poner el arte al servicio del pueblo, y a su alcance, pero la elaboración artística y artesanal de los objetos de la vida cotidiana convertía a éstos en inaccesibles para la mayoría. No obstante, tendrán una importancia fundamental en el desarrollo de las artes plásticas, fundando ambos, junto a **Rossetti**, una sociedad de artes decorativas, Morris and Co., en 1861, que difunde un tipo de decoración a base de motivos vegetales, precedente del modernismo, y que más adelante dará lugar al *Arts and Crafts*. Perteneciente, al igual que los otros dos, a la cofradía de los prerrafaelistas, a partir de 1856 se dedica fundamentalmente a la pintura, aunque sólo realiza, al parecer, una única obra estrictamente pictórica, su *Reina Ginebra* (1858), también conocida como *La bella Isolda,* de tono medievalizante, condicionado por su admiración por la Edad Media, y con una esbeltez y belleza melancólica que recuerda a Botticcelli y que preludia el «art nouveau».

MOUNT, WILLIAM SIDNEY

(Setanket, 1807-Nueva York, 1868)

Pintor estadounidense, especializado sobre todo en una pintura costumbrista que refleja la vida y la realidad americana de mediados de siglo. Desde 1826 comienza su formación artística en la recién creada Academia Nacional de Dibujo de Nueva York. Una enfermedad le obliga a abandonar sus estudios y a regresar a su pueblo natal. A partir de entonces se dedica a plasmar asuntos religiosos y a componer retratos, hasta que se siente atraído por la vida cotidiana de su entorno y la rutina de sus gentes. Su mayor interés radica en ser uno de los primeros artistas americanos que pinta al aire libre escenas de género y paisajes, consiguiendo una obra de gran valor, tanto en el campo documental, como compositivo y técnico. Se trata de composiciones que reflejan asuntos triviales, con rasgos anecdóticos y de gran sencillez. Su estilo es lineal a causa de su excelente dominio del dibujo, con luminoso colorido y una pincelada que, en ocasiones, roza la tendencia impresionista. Nunca sale de Esta-

El sorteo del ganso.
WILLIAM MOUNT.

dos Unidos, pero su experiencia plástica tiene puntos paralelos y coincidencias con algunas corrientes europeas. En este sentido, se han señalado los puntos en común que los asuntos de sus cuadros tienen con los centroeuropeos de estilo Biedermeier. Igualmente se suele subrayar el paralelismo de sus temas con la literatura coetánea de Washington Irving. Entre sus obras destacan *El poder de la música*, *Granjeros* y *La venta del caballo*.

MUCHA, ALFONS

(Ivancice, 1860-Praga, 1939)

Pintor y dibujante checo, es uno de los promotores del «art nouveau»,

así como un afamado ilustrador y cartelista. Gracias a su protector, el conde Karl Kluven Belasi –para quien decora el castillo Emmahof en Moravia (1881)–, viaja a París en 1887 con el fin de perfeccionar su formación artística. Allí es discípulo del pintor Laurens y se concentra en la pintura de historia. Sin embargo, es la técnica de la ilustración lo que más le interesa; comienza a destacar en este género cuando el teatro de la Renaissance le encarga el cartel anunciador de *Gismonde*, obra de uno de los autores de mayor éxito, Victorien Sardou, interpretado por la máxima diva de entonces, Sarah Bernhardt. A partir de entonces crea el prototipo femenino del «art nouveau», encarnado en la actriz, y la serie

M

Diseño de la etiqueta de los cigarrillos «Job».
ALFONS MUCHA.

más conocida de litografías de color sobre *La dama de las camelias* (1896), *Medea* (1898) y *La princesa lejana* (1898). Su gran reputación aumenta con los diseños que elabora para etiquetas de casas comerciales de champaña, cigarrillos y dulces. También destaca en el repujado de cuero para la encuadernación y en el diseño de ex libris. La estética de su producción final se aproxima mucho al simbolismo. A su vuelta a Checoslovaquia se dedica a la pintura religiosa.

MULREADY, WILLIAM

(Ennis, 1786-Londres, 1863)

Pintor irlandés, que desarrolla su actividad pictórica en Inglaterra. Estudió en la Academia londinense y fue discípulo de Graham, John Varley y del escultor Thomas Banks. Aunque comenzó pintando paisajes y cuadros de historia y de género, sus primeras obras notables son aquellas que, bajo la influencia de **Wilkie**, representan escenas de la vida contemporánea, alcanzando gran popularidad, especialmente las de niños en la escuela. En un principio muestra la influencia de los holandeses del siglo XVII, con una gran meticulosidad en su pincelada, pero desde 1820 su estilo se muestra maduro y personal, y utiliza en sus cuadros colores claros y fuerte sobre fondo blanco, continuando, no obstante, con su cuidado y perfecto dibujo. Esto, unido en algunas de sus últimas pinturas,

al tono poético de las mismas y a su carácter más espiritual, como *El soneto* (1839), de excelente naturalismo, ha hecho que se le considere precursor de los prerrafaelistas, de los que será amigo y protector. También ilustró novelas con ingeniosos dibujos. Del resto de su obra hay que señalar *Lucha interrumpida* (1816), considerada su mejor obra, y *El vicario de Wakefield*.

Las estaciones.
ALFONS MUCHA.

El vicario de Wakefield.
WILLIAM MULREADY.

M

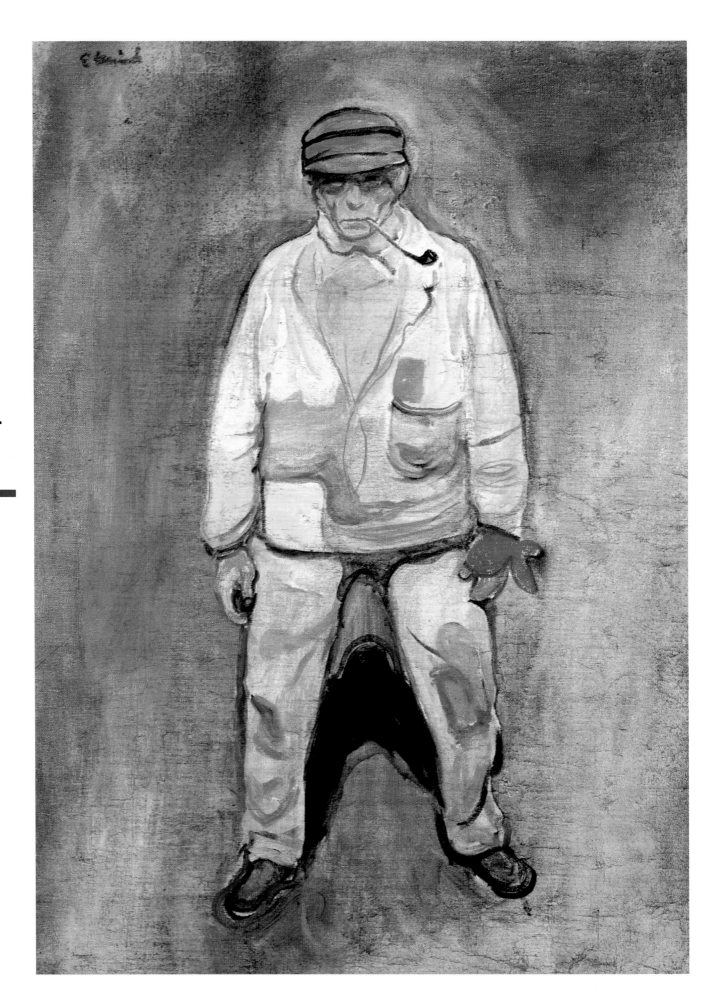

El pescador.
EDVARD MUNCH.

El grito.
EDVARD MUNCH.

MUNCH, EDVARD

(Löten, 1863-Ekeley, 1944)

Pintor y grabador noruego, considerado uno de los pioneros de las vanguardias del siglo XX, en su pintura está el origen del **expresionismo** germánico y europeo. Una trágica niñez originada por las muertes de su madre y de su hermana de tuberculosis marca la temática de sus obras, un mundo de angustia, soledad, a veces de catártica desesperación. Con 19 años y en Oslo se inicia en una pintura de corte impresionista, pero con un interés preferente por la representación de la figura humana. Tras un corto viaje a París, en 1885, compone un cuadro cuyo asunto es ya característico de su temática en torno a la muerte: *La niña enferma* (1885-1886). Gracias a una beca de estudios en París accede a la obra de **Gauguin** en el Salón de los Independientes de 1897. La simplificación de la forma y el colorido del artista francés le influyen de forma notable en su estilo y tiende hacia unas composiciones que le liberan de todos los recursos tradicionales. Se caracteriza por el vigor del colorido que queda sometido a la primacía del dibujo a través de unas líneas siempre ondulantes y sinuosas, verdaderos protagonistas del cuadro. La exposición que realiza en Oslo en 1892 tiene gran importancia en su carrera, ya que cincuenta y cinco de sus cuadros

Casa roja y píceas.
EDVARD MUNCH.

Niños y patos.
EDVARD MUNCH.

presentación adquiere fuertes connotaciones negativas, como la vampírica *Madonna* de 1895. Entre 1896 y 1898 reside en París y colabora con grabados para la *Revue Blanche*. A partir de 1900 pinta una serie de cuadros simbólicos, como *La danza de la vida* o *Paisaje con cielo estrellado*, aunque su producción sigue siendo claramente expresionista. Una crisis depresiva en 1908 le obliga a buscar reposo en Oslo, ciudad en la que se dedica a realizar una serie de frescos para la Universidad (1909-1915), siendo ya un artista reconocido oficialmente. *Caballo al galope* (1912) y *Paisaje de invierno* (1915), perte-

necen a un expresionismo realista. Con *Paisaje con cielo estrellado* (1923) vuelve al simbolismo poético.

MUNKACKSY, MIHALY VON LIEB

(Munkacs, 1844-Endenich, 1900)

Pintor húngaro, perteneciente a la corriente realista y uno de los grandes maestros de la pintura de género. De familia humilde, aprende las primeras nociones de dibujo y pintura con un pintor de su localidad, pero posteriormente, a los 14 años, continuará sus estudios, alternán-

M

son seleccionados para ser exhibidos en Berlín, hecho trascendental por las reacciones pictóricas que se producen y en especial por el peso que tiene para la formación de la *sezession* y el expresionismo. De 1892 es su cuadro *La noche en la calle Karl Johan en Oslo*, demostrativo de sus formas simplificadas y de los rostros alucinados de sus personajes. Algunos de sus temas proceden de la literatura del escritor sueco August Strindberg, con quien le une gran amistad. Los cuadros conocidos como *El grito* (1893) y *La angustia* (1894) están considerados claros manifiestos del expresionismo. Su estilo encuentra mayor eficacia en el momento en que se inicia en el grabado, en la xilografía, el aguafuerte y la litografía, dando lugar a más de quince mil estampas que son variantes de sus obsesiones y en las que la re-

Madonna.
EDVARD MUNCH.

dolos con su trabajo de carpintero, en las Academias de Viena, de Munich, donde conoce a **Leibly**, y de Düsseldorf, ciudad a la que se trasladó en 1868, y donde realiza escenas de género de potente caracterización y gran **realismo** en el tratamiento de los detalles, aunque algo melodramáticas; tienen una clara influencia del costumbrismo de los Knaus, sobre todo de Ludwig, así como de la pintura histórica de Kaulbach, que fueron sus maestros, y le reportaron bastante éxito, como *El último día de un prisionero condenado,* su primer cuadro importante premiado con la medalla del Salón de París de 1870, o *Fabricando vendajes* (1871). En 1875 se estableció en París, ciudad que había visitado anteriormente, y en la que permanecerá unos veinticuatro años realizando una pintura más amable y burguesa, que se ve a su vez influida por **Courbet**, al que admira, y por la **Escuela de Barbizón**, así como por **Manet** (*Interior parisiense,* 1877). Sus temas son principalmente religiosos, en gran formato, e impregnadas de un hondo sentimiento religioso, en un intento de conmover al espectador, y están realizadas sobre todo a partir de 1878, año en el que ya, debido a su gran fama, expone en su propio taller (*Cristo ante Pilatos,* 1881; *El Calvario,* 1883) Pero también pinta cuadros históricos, paisajes y retratos, como el de *Franz Liszt* (1884). Sus cuadros en general están realizados en tonos oscuros y con un colorido algo monótonos; en ellos abundan los contrastes entre las zonas sombrías, casi negras y algún toque blanco casi deslumbrante, desprendiendo un cierto dramatismo, y con un estilo enérgico, de pincela suelta, y de gran perfección técnica. Su obra se halla representa-

da fundamentalmente en el museo de Budapest.

MUÑOZ DEGRAIN, ANTONIO

(Valencia, 1843-Málaga, 1924)

Pintor español de paisajes y temas de historia de finales del siglo XIX. Inicia los estudios de arquitectura, que pronto abandona por los de Bellas Artes en la academia valenciana de San Carlos. Sin embargo, su formación es autodidacta, más propia de su carácter temperamental e independiente, características que se traducirán en la totalidad de su producción. En 1862 se da a conocer como paisajista en la Exposición Nacional, certamen al que desde entonces acude con asiduidad recibiendo numerosos galardones por cuadros como *Vista del Valle de la Murta* (1864) y *Paisaje del Pardo al disiparse la niebla* (1867), obras de gran precisión y brillante luminosidad. En 1870 es requerido por su amigo Bernardo Ferrándiz para decorar el techo del teatro Cervantes de Málaga, ciudad que da un giro a su carrera. Comienza con una im-

Chubasco en Granada.
ANTONIO MUÑOZ DEGRAIN.

portante labor docente en la escuela de San Telmo como profesor y futuro maestro de toda una generación de artistas, entre los que hay que incluir a un joven Pablo Ruiz Picasso. Esta labor docente culmina con el nombramiento de director de la Escuela de Bellas Artes de San Fernando de Madrid, en cuya cátedra de paisajes sucede en 1898 a **Haes**. De gran interés son sus cuadros de temática histórica que presenta a diversas exposiciones, como *Otelo y Desdémona,* cuyo premio le permite viajar a Italia, y, sobre todo, *Los amantes de Teruel,* obra realizada en Roma, primera medalla de la Exposición Nacional de 1884 y pieza capital en el género de la pintura de historia española. Con el tiempo, su inicial realismo de ascendencia romántica pierde terreno frente a una imaginación desbordada, casi visionaria y con ciertas implicaciones simbolistas. Destaca uno de sus últimos paisajes, *El Tajo, lluvia* (1915), con pinceladas cortas y vivas que recuerdan un **impresionismo** tardío.

Después de la comida.
EDOUARD VUILLARD.

NABIS

Convencidos de la necesidad de buscar una nueva salida a la pintura partiendo exclusivamente del color, una serie de artistas jóvenes forman el denominado grupo de los Nabis. Su propuesta estética resulta ambigua por la mezcla de eclecticismo y sintetismo plástico siguiendo muy diversos criterios. No obstante, consiguen dar una salida a la corriente pictórica del simbolismo. El grupo se constituye en París con la participación de pintores como **Bonnard**, **Vuillard** y **Denis**, así como críticos de arte, poetas y literatos. Es el poeta Cazalis quien da el nombre de «Nabis» al grupo, término que en hebreo significa «profeta». Parte de la admiración hacia artistas simbolistas, como **Puvis de Chavannes** o **Moreau**, y del **posimpresionismo**, como **Cézanne** y **Gauguin**. Este último y la denominada escuela de Pont-Aven establecen muchos contactos con la agrupación de los Nabis. El ideario estético corre a cargo de Denis, con un artículo publicado en la revista *Art et Critique* de 1890 y cuyo título es «Definición del Neotradicionalismo». Según Denis, el papel del artista no es imitar la naturaleza sino visualizar sus sueños, y define el cuadro como «una superficie plana recubierta de colores organizados con cierto orden». Al considerar el color como un elemento procedente de nuestra emoción, los Nabis dieron un valor absolutamente decorativo a la pintura que les hace en muchos sentidos convertirse en la puerta de entrada del «art nouveau».

NASMITH, ALEXANDRE

(Edimburgo, 1857-1940)

Pintor escocés. Realizó su actividad pictórica en Edimburgo, pero

Crepúsculo.
PIERRE BONNARD.

El mantel.
EDOUARD VUILLARD.

tuvo como maestro en Londres a Allan Ramsay, de quien también fue ayudante. En 1782 emprende un viaje de tres años a Italia, donde se inclina por el paisaje como tema principal para sus cuadros, en los que se ve influido por paisajistas italianos como Claudio de Lorena (en el clasicismo), al que añade características derivadas de sus propias observaciones naturalistas. Dicho género continuará practicándolo a su vuelta a Gran Bretaña, y contará con gran número de seguidores jóvenes, considerándose el fundador de la escuela paisajística escocesa. También pintó retratos, como el del *Poeta Robert Burns.* Igualmente trabajó como diseñador escénico y consejero arquitectónico.

NAVEZ, FRANÇOIS-JOSEPH

(Charleroi, 1787-Bruselas, 1869)

Pintor belga, el más destacado del **neoclasicismo.** Formado en Bru-

Autorretrato.
FRANÇOIS-JOSEPH NAVEZ.

selas, muy joven aún logra un reputado premio por un cuadro de tema histórico: *Virgilio leyendo la Eneida a Augusto.* A los 26 años marcha a París y entra en el taller de **David,** donde estudia desde 1813 a 1816. Se dedica al retrato, género que domina ampliamente, como demuestran *La familia de Hemptinne* (1816) y, sobre todo, el *Retrato de David,* su maestro. Otras pinturas representativas son *Agar en el desierto* y *Las hilanderas de Fundi.* Reside en Roma durante unos años y al regreso a su país di-

245

Autorretrato con su hermano Rudolf y con el escultor Thorvaldsen.
WILHELM VON SCHADOW.

funde la pintura neoclásica y las nuevas tendencias. Llega a ser director de la Real Academia de Bellas Artes de Bruselas.

NAZARENOS

Corriente pictórica romántica alemana, desarrollada por un grupo de pintores nacidos en torno a 1785, y discípulos de la Academia de Bellas Artes de Viena, al frente de los cuales se hallaba **Overbeck**; entre ellos hay que citar a Ludwig Vogel, **Franz Pforr, Schadow, Carolsfeld** y Johann Konrad Hottinger, a los que más tarde, en Roma, se unen otros como **Cornelius** y **Veit**. El grupo fue constituido en

1809 en Viena, con una clara intención de expresar su rechazo a lo que se hacía en la escuela alemana en ese momento, es decir, la pintura oficial y académica de Winckelmann. Se instalan en Roma, donde entre 1810 y 1815 trabajan conjuntamente y llevan una vida casi monástica en el Convento de San Isidoro del Pincio, fundando la Cofradía de San Lucas. Su arte parte del primer **romanticismo** alemán medievalizante y patriótico, pero impregnado de un misticismo y religiosidad cristianos. Pretenden retomar las obras de los viejos pintores anteriores a Rafael (Perugino, Fra Angélico, etc.), intentando resucitar el ingenuo idealismo de la pintura del Trecento y Cuatrocento italianos; también se aprecia en ellos

influencias del barroco clasicista, con lo que el estilo resultante es bastante ecléctico, y en él otorgan al dibujo un papel predominante como medio expresivo, frente al color. Su espíritu patriota les lleva a interpretar escenas de la historia

Bianca von Quandt.
JULIUS SCHNORR VON CAROLSFELD.

alemana, tanto literaria como real, pero también son muy aficionados a los temas religiosos y alegóricos, así como a ilustrar temas literarios. Sienten especial predilección por el fresco, que utilizan con frecuencia para decorar casas, como la del cónsul de Prusia en Italia (1810-1816), con escenas de la *Vida de José,* o el Palacio Massimi (1817-1827), con temas de *La Divina Comedia* de Dante, del *Orlando Furioso* de Ariosto y de la *Jerusalén liberada* de Tasso. Son claros precursores de los prerrafaelistas.

NEOCLASICISMO

Movimiento artístico que aparece en la cultura occidental a partir de 1750 y cuya duración llega hasta 1800 aproximadamente. Un conjunto de factores, entre ellos la revalorización de la Antigüedad clásica, los descubrimientos arqueológicos y el agotamiento de la estética barroca, provoca la reacción neoclásica. Las artes intentan volver a la simplicidad de los «antiguos» y se relacionan los hechos del pasado con los acontecimientos del propio tiempo. Para la pintura, el epicentro del movimiento se sitúa en Roma, donde muchos artistas se congregan en torno al historiador alemán Johann Winckelmann, uno de los teóricos fundamentales del neoclasicismo y defensor de imitar «la noble simplicidad y el gran sosiego del estilo grecorromano». En este círculo se incluyen, entre otros, a Antonio Rafael Mengs, pintor y teórico, al escocés Gavin Hamilton y al estadounidense **West**. La composición simple, la eliminación de personajes superfluos y la serenidad en las actitudes son elementos patentes en la pintura neoclásica, a los que se añaden la importancia del dibujo y de la línea en detrimento del color. El punto de partida queda fijado en las primeras obras del pintor francés **David**, uno de los máximos exponentes y cuyo heredero es **Ingres**, una importante figura que mantiene la tendencia neoclásica a lo largo del siglo XIX. La expansión del movimiento afecta a toda Europa y en España destacan

Amor y psique.
JACQUES-LOUIS DAVID.

La muerte de Sócrates.
JACQUES-LOUIS DAVID.

los pintores **José de Madrazo, José Aparicio y Carlos de Luis Ribera**.

NEOIMPRESIONISMO

Movimiento artístico pictórico que, conocido también con el término de «puntillismo» o «divisionismo», rompe con la estética naturalista anterior y cuya técnica sistematiza una fórmula que los impresionistas aplicaban de forma intuitiva. El punto de arranque del movimiento se encuentra en un cuadro de **Seurat** presentado en 1884 en el Salón de los Independientes de París con el título de *Baño en Asnières*, una composición impresionista en cuanto al

tema, pero revolucionario en cuanto a la práctica. Influido por las teorías ópticas de la época y por los libros científicos de Michel-Eugène Chevreul (*La educación del espíritu de las formas* y *Educación del espíritu de*

los colores) y de Charles Henry (*Tratado sobre la estética científica*, 1885), Seurat aplica la pintura al

Un baño, Asnières.
GEORGES SEURAT.

Tanques de gas en Clichy.
PAUL *SIGNAC.*

lienzo en minúsculas manchas de pigmento puro, de colores primarios y elementales, que se funden en la mirada y retina del espectador cuando se contemplan desde una distancia adecuada. El proceso plástico resulta laborioso, lento y sistemático por la multitud de puntos de color que el artista debe plasmar y el resultado produce composiciones sugerentes, frías en su calculada precisión, de contornos muy delimitados y masas muy estructuradas y volumétricas, pero de gran encanto y poesía. En muchos sentidos, el neoimpresionismo es una

ruptura con la pintura anterior, la superación de la crisis impresionista; sin embargo, en lo que se refiere a los asuntos temáticos continúa en la misma línea que el **impresionismo**, temas burgueses y cotidianos, paisajes e interiores líricos. Se trata, pues, de un movimiento que trata de incorporar una nueva lógica y una disciplina técnica a la pintura más en boga del momento, la de **Manet, Monet** y **Renoir**. El término de «neoimpresionismo» o «puntillismo» es acuñado por el crítico de arte Félix Fénéon al contemplar el cuadro de Seurat en el Salón de

los Independientes, lugar donde también **Signac** admiró el cuadro para incorporarse de inmediato al nuevo fenómeno estético y convertirse en el teórico del grupo al publicar su libro *De Delacroix al neoimpresionismo* en 1899. Al movimiento se unen los pintores **Pissarro,** Henri Edmond Cross, Charles Angrand y Albert Dubois Pillet, formando un grupo en clara oposición a la entonces naciente estética de los **Nabis**. Otros pintores de la época

Tiempo de primavera en Eragny.
CAMILLE PISSARRO.

ensayaron la técnica divisionista, como Georges Lemmen, Maximien Luce y **Van Gogh**. En Italia se organiza un grupo de pintores «divisionistas» que evolucionan independientemente de los franceses.

NONELL, ISIDRO

(Barcelona, 1873-1911)

Pintor español, perteneciente al modernismo, forma parte de la vanguardia del arte moderno en Es-

Interior de un restaurante.
VINCENT VAN GOGH.

Pobres esperando la sopa.
ISIDRO NONELL.

paña. Tras formarse en diversas academias, como en la de Luis Graner, se convirtió en el más importante del grupo de pintores que se reunían en Els Quatre Gats (Picasso, **Rusiñol**, etc.), viviendo marginado, junto con ellos, de la sociedad burguesa en que se movían, y contra la que empleará su pintura, con un acentuado sentido crítico, y llegando a ser el pintor que de forma más eficaz y contundente trató la que luego se llamaría «pintura negra», (junto con **Regoyos**, Solana, etc.). Hacia 1891 forma un pequeño grupo de paisajistas y se dedica a este género en pequeño formato.

En 1893 expone por primera vez su obra. En 1894 se dedica a realizar pequeños pero expresivos cuadritos de «cretinos», tema que formará parte desde entonces en su pintura. En 1897 marcha a París, donde realiza dos exposiciones, con cierto éxito (aunque hasta 1910 no conseguiría el reconocimiento general) y compartió estudio durante un tiempo con Picasso. Es conocido fundamentalmente por los protagonistas de sus cuadros, extraídos de los sectores sociales más bajos, regodeándose en la miseria y el dolor de los mismos, que trata con tonos oscuros, casi monocromos, en un intento de remover la conciencia del espectador y con una pincelada suelta y pastosa; el resultado

son cuadros de gran dureza, que constituyen el comienzo de la pintura expresionista en España. Desde 1907 aclara su paleta y pinta figuras femeninas y sobrios bodegones de gran calidad pictórica, con los que realizó una exposición en 1910. También son muy conocidos sus dibujos satíricos, que muestran de forma descarnada la situación social que vive en estos momentos Cataluña, y que constituyen verdaderas crónicas de la época; con ellos colabora en revistas satíricas como *Papitu*. Muchos de sus cuadros más importantes se hallan en el Museo de Arte Moderno de Barcelona. Obras importantes son *Dos gitanas, La Trini, Julia* y *Mujer con mantón*.

Italia y Germania.
JOHANN F. OVERBECK.

O'CONNOR, JAMES ARTHUR

(Dublín, 1793-Londres, 1841)

Pintor irlandés, especializado en el género paisajístico; su obra se encuadra dentro de los parámetros estéticos de la escuela inglesa. Hijo de un grabador, las dificultades económicas no le permiten una formación artística. Desde 1822 reside en Londres, año en que expone en la Royal Academy, realiza diversos viajes por Europa recogiendo apuntes y bocetos para sus paisajes. Sólo después de muerto recibe considerable reconocimiento.

ORPEN, WILLIAM

(Dublín, 1878-Londres, 1931)

Pintor inglés, especializado en pintura de género y retratos. Se forma inicialmente en Dublín y una buena parte de su trayectoria artística discurre en Inglaterra, donde gana gran estima por su excelencia en el retrato y se convierte en unos de los pintores más estimados de las primeras décadas del siglo XX. Entre los cuadros de género que realiza en Irlanda destacan *Familia de Bloombury*, *Joven de Irlanda* y *Joven del oeste*. Prueba de su buen hacer en el retrato es su *Autorretrato* y *El arzobispo de Liverpool*.

OVERBECK, JOHANN FRIEDRICH

(Lübeck, 1789-Roma, 1869)

Pintor alemán. Figura destacada en la historia de la pintura del siglo XIX, uno de los primeros pintores del **romanticismo** alemán y funda-

Homenaje a Manet.
WILLIAM ORPEN.

O

Triumfo de la religión dentro de las artes.
JOHANN F. OVERBECK.

dor de la Hermandad de San Lucas, considerada una de las primeras asociaciones artísticas y cuyos integrantes en Roma fueron calificados como los **Nazarenos**. Perteneciente a una familia de la alta burguesía, se formó en la Academia de Viena desde 1806, interesándose desde sus inicios por los pintores alemanes tardomedievales y por los italianos del siglo XV. Tal interés le convier-

te en un alumno antagónico de la normativa académica y en 1809, junto a **Pforr**, funda una hermandad artística en honor a San Lucas con planteamientos estéticos que unían la religión con la inspiración de temas medievales. En ese mismo año la Hermandad se traslada a Roma, donde sus integrantes son apodados «nazarenos». Junto a otros artistas alemanes ocupa un monas-

terio abandonado, dispuesto a llevar una existencia de recogimiento y profunda relación con la naturaleza y los medios de vida artesanales. Como otros muchos pintores del grupo, interviene en las decoraciones pictóricas del Palazzo Zuccaro y del Casino del Marqués Massimo. Sus

creaciones son claros exponentes de la ideología de la hermandad, como el retrato del cofundador *Franz Pforr* (1810), una composición con encuadramiento gótico, a manera de una tabla gótica, en que plasma el ideal nazareno del pintor-artesano y con un complejo programa iconográfico. *Jesús vendido por sus hermanos* (1816-1817) revela su interés por la iconografía religiosa medieval. En *Italia y Germania*, obra de 1828, intenta reconciliar la fusión de la cultura italiana con la alemana, en pleno nacionalismo europeo, a través de la ingenua y cándida imagen de dos jóvenes que se cogen la mano manifestando su amistad. Su estilo adopta los aspectos lineales y cromáticos de la plástica italiana «quattrocentista» y de Rafael, así como de la pintura sobre tabla del mundo germánico de la Baja Edad Media, incluyendo la importante sugestión que produce la obra de Durero en todos los integrantes de la Hermandad. Mientras que el grupo de los Nazarenos se dispersa por otras ciudades y países, Overbeck permaneció en Roma, donde murió.

El concierto.
VICENTE PALMAROLI.

Paisaje nocturno.
SAMUEL PALMER.

PALIZZI, FILIPPO

(Vasto, 1818-Nápoles, 1899)

Pintor italiano, es uno de los fundadores de la escuela pictórica napolitana conocida como Pausilippo y formada por un grupo de pintores de paisajes y escenas de género interesados por el colorido y la luz. Se inicia con el pintor Bonolis, pero en su formación artística influye mucho su amistad con **Morelli**. Se especializa en una pintura realista de temas tranquilos y muy luminosos que recuerdan la obra del pintor español **Barbasán**, con escenas rurales o de animales apacentando bajo el cielo. *Paisaje después de la lluvia*, de 1860, es un óleo

representativo de su obra. Tres de sus hermanos, Giuseppe, Nicola y Francesco, también se dedican a la pintura. En 1892 dona la mayor parte de su obra al Estado italiano, que la destina al Museo de Arte Moderno de Roma.

PALMAROLI GONZÁLEZ, VICENTE

(Zarzalejo, 1834-Madrid, 1896)

Pintor español. Hijo de un litógrafo italiano, Gaetano Palmaroli, es fundamentalmente un pintor de historia, género que le reporta éxito y galardones. Inicia sus estudios en la Escuela de Bellas Artes de San Fernando y con **Federico de Madrazo**. En 1857 marcha a Roma como pensionado de la Academia y donde reside, de forma intermitente, hasta 1866. Un año después realiza un viaje a París formando parte de la delegación española en la Exposición Universal. Allí conoce a **Meissonier**, quien le influye en los temas de género dieciochesco, tan en boga por esos años. Entre su producción de temas históricos destaca *El tres de mayo de 1808* (1871), aunque fueron muy aplaudidos sus cuadros de mujeres, tema predominante en su primera etapa, en donde la figura femenina aparece en diferentes escenarios, como en un jardín, un interior, un paseo o una playa. Es también un solicitado retratista de la burguesía madrileña, como es el caso de *Conchita Marimón*. Además de académico de San Fernando y de director de la Academia de España en Roma, ocupa el cargo de director del Museo del Prado desde 1893 hasta su muerte. Otras obras suyas son *En el estudio del pintor*, *Coquetería* y *Mal de amores*.

PALMER, SAMUEL

(Londres, 1805-Reigate, 1881)

Pintor inglés, dedicado al paisaje, su estilo puede enmarcarse dentro del **romanticismo** visionario tardío. Formado inicialmente con su padre y con un pintor de paisajes de estilo tradicional, William Wate, puede decirse, sin embargo, que es un artista autodidacto. Sus primeras producciones, bajo la influencia de la obra de **Turner**, las expone al público en 1819 en la Royal Academy. Su estilo se transforma cuando en 1822 conoce en casa de su amigo John Linnell a **Blake**. Éste se convierte en la fuente de inspiración de su obra, basada

en una concepción mística de la naturaleza. Junto con otros artistas, Edward Calvert y **Richmond**, forma un grupo que respira estéticamente bajo la poderosa influencia de Blake y pregonan la superioridad del hombre de épocas pasadas sobre el moderno. Su cuadro *El regreso del oficio vespertino*, de 1830, es significativo de su interés por los temas religiosos y medievales, además de una obra que remite a una

tabla tardogótica. A partir de la década de 1830 su estilo se transforma y comienza una fase, que dura hasta 1837, dedicado a la realización de acuarelas paisajísticas, recogiendo los escenarios naturales con unas precisiones casi topográficas. En 1837 viaja a Italia, país en el que reside hasta 1839, especiali-

El regreso del oficio verspertino.
SAMUEL PALMER.

zándose en paisajes bucólicos. También realiza dibujos a pluma, aguafuertes y algunos óleos.

PASSAVANT, JOHANN DAVID

(Frankfurt, 1787-1861)

Pintor y grabador alemán, pertenece a la escuela neoclásica. Establecido en París para estudiar pintura, tiene como maestros a **David** y **Gros**. Desde 1817 reside en Roma y se relaciona con los pintores nazarenos **Overbeck**, **Cornelius** y **Schnorr**. Entre sus cuadros destacan el retrato del *Emperador Enrique II*, sin duda uno de los mejores, y su *Autorretrato*.

PEALE, CHARLES WILSON

(Chesterton, Maryland, 1741-Filadelfia, 1827)

Pintor y grabador norteamericano seguidor de John Singleton Copley y formado por él en Boston. En 1770 viaja a Londres, donde estudia bajo la dirección de **West**, de quien aprende las técnicas pictóri-

El artista en su museo.
CHARLES WILSON PEALE.

cas. A su vuelta a Filadelfia funda la Peale Gallery. Fue una figura característica de la Ilustración norteamericana, por lo que a la vez que practicó la pintura, también mostró gran preocupación por las ciencias, y en especial las de la naturaleza, lo que se refleja en algunas de sus obras, como *La exhumación del mastodonte* (1806). Su estilo, en la línea del realismo de Copley, se caracteriza por un gran sentido del detalle, de lo matérico, con un cuidado dibujo, y por su preocupación por captar los diversos matices de la luz. Se destacó como pintor histórico, pero sobre todo como retratista, de gran éxito, que fue el predilecto a la hora de representar a los prohombres de su país, principalmente los personajes que desempeñaron un papel relevante en la Guerra de la Independencia Americana, en la que él mismo tomó parte; realizó más de cien retratos, muchos de los cuales se conservan hoy en el Salón de la Independencia Americana en Filadelfia. Entre ellos destacan los que realizó a Georges Washington (unos catorce), ennoblecido e idealizado y muy dentro de la corriente romántica; pero su obra maestra en el retrato es el que tituló *Grupo de la escalera*, datado en 1795, en el que se aproxima a las concepciones de la pintura de género, dentro de la línea del **romanticismo** inglés. Otros retratos, menos importantes pero de gran calidad, son *Benjamin Franklin*, *John Hancock*, *Robert Morris*, *Hamilton* y, su última obra, su *Autorretrato*, a los 83 años. Contribuyó a la creación de la Academia de Bellas Artes de Pensilvania y fue fundador del primer museo de historia

Georges Washington.
CHARLES WILSON PEALE.

natural de Estados Unidos. Se le señala como el patriarca de la primera dinastía de pintores de estadounidenses, ya que indujo a sus hijos y demás familiares hacia la pintura.

PEALE, RAPHAELLE

(Bucs, 1774-1825)

Pintor norteamericano, hijo de Charles Wilson Peale y hermano de Rembrandt Peale. Su especialidad son las naturalezas muertas, a los que confiere una inigualable calidad en los volúmenes. Su *Naturaleza inerte*, de una transparencia y simplicidad inigualable es buena prueba. Se sintió atraido por la pintura de Zurbarán, del que imita con gran soltura la blancura de sus telas. En *Venus saliendo del mar. Una decepción*, critica con ironía la rigurosa moral antidesnudista de la sociedad americana y en dicho cuadro es donde mejor puede apreciarse

Venus saliendo del mar. Una decepción.
RAPHAELLE PEALE.

esa fascinación por imitar las telas blancas del pintor extremeño,

PEALE, REMBRANDT

(Bucs, Pensilvania, 1778-1860)

Pintor norteamericano, hijo de **Charles Wilson Peale**. En 1796 se afinca en la ciudad de Charleston, donde desarrolla su profesión pictórica en el género del retrato y dentro de la tendencia clasicista romántica. Desde 1801 y durante casi cuatro años, acrecienta sus conocimientos técnicos de la mano de **West**, lo que le permite, posteriormente, desarrollar su actividad como retratista en París, ciudad en la que realiza numerosos retratos de personajes de la sociedad parisina, antes de volver en 1809 a Filadelfia. Entre sus obras destacan *The Roman Daughter* y *The Court of Death*, así como los retratos de Thomas Jefferson, el general Amstrong, el comodoro Bainbridge y el escultor Houdon.

Rubens Peale con geranio.
REMBRANDT PEALE.

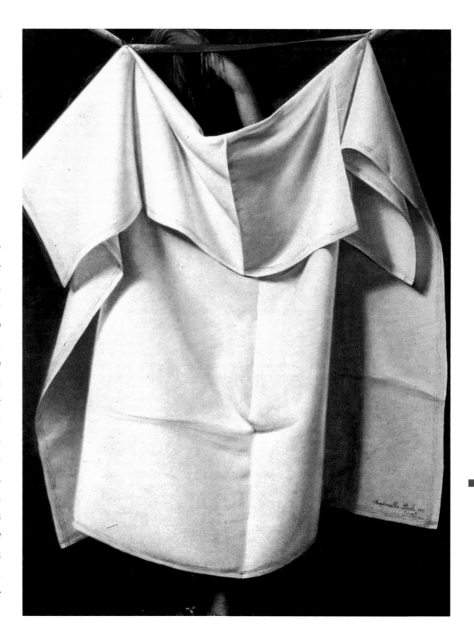

PÉREZ VILLAAMIL, GENARO

(Ferrol, 1807-Madrid, 1854)

Pintor español. Es el principal paisajista del **romanticismo** español. Hijo de un topógrafo militar, inicia la carrera de las armas en Santiago de Compostela y marcha a Andalucía para intervenir en las campañas militares. En la cárcel de Cádiz refleja su dominio del dibujo y comienza a pintar. Con su hermano se traslada a Puerto Rico, donde se especializa en paisajes de características prerrománticas. En 1833 vuelve a España. Conoce al pintor **David Roberts** en Sevilla, personaje que le encamina hacia el tipo de paisaje romántico inglés de **Turner**. Se instala en Madrid en 1834 y al año siguiente inicia su carrera académica como profesor de paisajes de la Academia de San Fernando. Mantiene estrecho contacto con literatos y artistas a la vez que recibe consecutivos nombramientos de la cultura oficial. *Las lavanderas del Manzanares* (1835) es uno de los más destacados paisajes de esta época. Un viaje por Europa de 1840 a 1844, en el que expone sus obras por diferentes ciudades de Francia, Holanda y Bélgica le con-

El último viaje.
VASILI G. PEROV.

vierte en una celebridad internacional. A las panorámicas de ruinas y temas orientales, como *Paisaje oriental con ruinas clásicas* o *Caravana a la vista de Tiro*, deben añadirse las perspectivas montañosas que tanto gustaron al público romántico, como *La procesión de Covadonga*. Es de destacar su colaboración en una de las publicaciones litográficas más importantes de la época, *España artística y monumental*, publicada a partir de 1842.

PEROV, VASILI GRIEGORIEVICH

(Tobolsk, 1833-Moscú, 1822)

Pintor ruso perteneciente a la corriente del **realismo**. Formado en Moscú, bajo la tutela de Mokritsky, pronto se aleja del academicismo conservador y prefiere copiar del natural los temas que la vida misma de cada día le ofrece, especial-

La ahogada.
VASILI G. PEROV.

mente en su país. Realiza cuadros, fundamentalmente costumbristas, en los que destaca una intención crítica, ya que la forma de realizarlos, en algunos, peca de mediocridad, debido a un cierto amaneramiento y anquilosamiento en su estilo, al que por otra parte tampoco prestaba demasiada atención, ya que la finalidad moral de sus cuadros le interesaba más, dejando más de lado la preocupación por la forma. Precisamente por ese deseo de moralizar, de reformar las costumbres, algunos de sus cuadros fueron prohibidos, por su contenido anticlerical y social, como *Sermón en la aldea* (1861) o *Procesión de la Pascua* (1862), que no obstante fueron muy bien recibidos por la crítica. Otros cuadros suyos son *La llegada del comisario del distrito para instruir diligencias* (1857), *Guardia vigilando el cadáver de una ahogada*, *Festín en el convento*, *Retrato de F. M. Dostoievski*, *Entierro en la aldea* y *Troika*.

PFORR, Franz

(Francfort, 1788-Albano Laziale, Italia, 1812)

Pintor y dibujante alemán, de corta vida y uno de los representantes más destacados del arte nazareno. Su primer maestro es su padre, pintor animalista. Desde 1805 continúa sus estudios en Viena; conoce a **Overbeck**, con quien funda la Hermandad de San Lucas, integrada por una serie de artistas empeñados en hacer renacer el arte alemán bajo rigurosos principios religiosos. La Hermandad se traslada muy pronto a Roma, donde tiene su auge y acoge a otros artistas, que desde entonces pasan a ser conocidos como **Nazarenos**. A Pforr le interesan especialmente los asuntos históricos medievales pero impregnados de connotaciones patrióticas, como los cuadros que dedica a Rodolfo de Habsburgo: *Rodolfo de Habsburgo y el sacerdote* (hacia 1809) y *La entrada de Rodolfo de Habsburgo en Basilea en 1273* (1808-1810). Ambas obras son significativas de su estilo un tanto artificioso, a base de un colorido plano y unas figuras tremendamente hieráticas. Se traslada a Roma en 1810 y se instala con otros pintores alemanes en un monasterio abandonado; posterior-

La entrada de Rodolfo de Habsburgo en Basilea.
FRANZ PFORR.

Suerte de varas.
JOHN F. PHILLIP.

mente viaja a Nápoles y a la localidad de Albano, donde la tuberculosis termina con su vida a los 24 años.

PHILLIP, JOHN

(Alberdenn, 1817-Londres, 1867)

Pintor escocés. Estudió en la Royal Academy de Londres y fue discípulo de **Roberts**. En principio se especializó en cuadros de costumbres y personajes de Escocia, siguiendo la manera de hacer de **Wilkie**, como *Bautizo en Escocia*. Desde 1851 realiza varios viajes a España, país por el que se siente tremendamente atraído y que le inspiró numerosos cuadros, de pintorescas escenas de estilo fluido y colorista, que le hicieron célebre y que fuese conocido como «el Phillip español»; entre ellos hay que destacar *Escribano público en Sevilla* (1854), *Dolores* (1862), *Contrabandista moribundo* (1856), *La Gloria* (1864), *Tertulia en torno al brasero* (1866) y *Antonio* (1867). También ejecutó retratos.

PILOTY, KARL THEODOR VON

(Munich, 1826-Ambach, 1886)

Pintor alemán. Después de comenzar sus estudios en Amberes y París, fijó su residencia en Munich, en cuya escuela de Bellas Artes fue alumno de **Schnorr von Carolsfeld** y, más tarde, profesor y después director. Consiguió la fama con enormes y suntuosos cuadros de historia, en los que con gran exactitud casi naturalista reproduce telas, mobiliarios, etc. Desde 1842, año en que asiste a una exposición de pintores de historia belgas, su estilo comenzó a alejarse del riguroso y academicista de los **Nazarenos**, como en *Seni ante el cadáver de Wallenstein* (1855). En sus

Lección de memoria.
IGNACIO PINAZO CAMARLENCH.

Al borde del estanque.
IGNACIO PINAZO CAMARLENCH.

cuadros se aprecia la influencia cromática de Rubens y Veronés. También cultivó la pintura de género, como *La dueña*. Nombrado profesor de pintura de la Academia de Arte de Munich en 1858, bajo su tutela se formaron numerosos discípulos, en gran parte de los cuales dejó huella esa manera pomposa de representar la historia. Entre otras obras destacan *Colón* (1866), *La muerte del Cesar* (1874), *Las vírgenes prudentes y las locas* (1881) y *La muerte de Alejandro Magno*.

PINAZO CAMARLENCH, IGNACIO

(Valencia, 1849-Godella, 1916)

Pintor español. Es uno de los más destacados artistas valencianos de fin de siglo, cuya producción de temática histórica se aleja de los convencionalismos del género. De familia modesta, tiene que desempeñar diversos oficios mientras cursa sus estudios nocturnos en la Academia de Bellas Artes de San Carlos en Valencia. En 1873 la venta de un cuadro le permite hacer su primer viaje a Roma, periplo que repite en 1876 como becado de la Academia. Allí comienza sus grandes producciones de historia, como *Las hijas del Cid*, obra de gran realismo y libertad compositiva que finaliza en 1879. También en Roma inicia el cuadro que le supone la segunda medalla de la Exposición Nacional de 1881: *Los últimos momentos del rey Don Jaime el Con-*

quistador en el acto de entregar su espada a su hijo Don Pedro, una obra renovadora en su técnica suelta y en un colorido basado en grandes manchas. Pinazo presenta dos líne-

as pictóricas y creativas muy bien diferenciadas y que supo compatibilizar: la primera, vinculada a los encargos y exposiciones oficiales, de carácter academicista, y la segunda,

Las hijas del Cid.
IGNACIO PINAZO CAMARLENCH.

P

Huerto de Pontoisse.
CAMILLE PISSARRO.

a partir de 1874, más íntima, impresionista y espontánea, influido por **Fortuny** y **Sorolla**, que le sitúa como uno de los precursores de la luminosa pintura valenciana; ejemplo de ello son *El guardavías* (1877) y *Barca en la playa* (1890). En 1903 le nombran académico de San Fernando.

Mañana soleada sobre la nieve en Eragny.
CAMILLE PISSARRO.

PISSARRO, CAMILLE

(Santo Tomás, 1830-París, 1903)

Pintor francés, es uno los representantes más destacados del **impresionismo**. Su obra sigue una evolución que parte de la madurez de una pintura realista, derivada de la **Escuela de Barbizón**, para convertirse en uno de los pioneros del movimiento impresionista y terminar adaptando la técnica puntillista de **Seurat** y **Signac**. Hijo de un comerciante de las islas Antillas

Danesas, en 1855 marcha a París para estudiar pintura. Al estallar la guerra franco-prusiana se refugia en Londres en 1870, mientras que las tropas alemanas arrasan su estudio y destruyen toda su obra, influida entonces por la Escuela de Barbizón. En la capital británica descubre la obra de **Constable** y **Turner**, coincide con **Monet** y sufre el impacto del impresionismo, integrándose en el movimiento a su regreso a Francia. Su género pictórico preferido es el paisaje y sus intereses se dirigen a los problemas

263

Boulevard Montmartre, atardecer.
CAMILLE PISSARRO.

de los efectos de la luz. Pinta sobre todo escenas rurales, ríos y alguna vista urbana. *Tejados rojos*, de 1877, y *La carretilla*, de 1879, son cuadros característicos de los años setenta, cuando se instala en la localidad de Pontoise. Siempre inquieto y ávido de cambios, atiende el consejo de **Degas**, quien le dijo que se atreviera a pintar personas. Así, en 1881 compone *La pastora o Muchacha con vara*, un retrato en pinceladas divididas, anuncio del **neoimpresionismo.** A partir de la década de 1880 se hace divisionista al adoptar la técnica puntillista de Seurat y Signac; sin embargo, no encuentra éxito en esta experiencia y vuelve a su estilo impresionista, más libre, para estudiar los efectos de la luz en la serie de vistas que realiza de París en los años noventa, como *Atardecer en el Boulevard de Montmartre* (1897). Destaca en su biografía su labor pedagógica como profesor de **Gauguin** y **Cézanne**, quien se refiere a él con afecto y respeto diciendo que «todos hemos salido de Pissarro».

Madame Pissarro cosiendo.
CAMILLE PISSARRO.

Puesta de sol.
GEORGES SEURAT.

POSIMPRESIONISMO

Término que engloba los diferentes estilos pictóricos que suceden al **impresionismo**, movimiento en crisis durante la década de 1880 por su dependencia de la naturaleza y a la reproducción objetiva de las apariencias visuales. Ante este naturalismo, los artistas posimpresionistas presentan una serie de diversas alternativas basando su obra en una nueva experimentación del color y la visión subjetiva de la realidad. En este sentido, deben incluirse a los pintores neoimpresionistas, divisionistas o puntillistas, como **Seurat** y **Signac**, a los pinto-

Polvos de arroz.
HENRI DE TOULOUSE-LAUTREC.

res **Toulouse-Lautrec** y **Gauguin**, a los simbolistas del último periodo y a los **Nabis**, así como a **Cézanne**, **Van Gogh** y **Munch**. La obra de estos artistas resulta capital en los movimientos de vanguardia de las primeras décadas del siglo XX.

POYNTER, SIR EDWARD

(París, 1836-Londres, 1919)

Pintor inglés. En 1853 viajó a Italia, donde conoce a Frederic Leighton y puede admirar la obra de los grandes maestros, sintiéndose especialmente atraído por Miguel Ángel. Más tarde, en París, estudió con **Gleyre** (1856-1859). Ya en Londres, su popularidad comenzó con un enorme cuadro de historia antigua, *Israel en Egipto* (1867), y

seguiría con otros muchos del mismo género y de otros como el mitológico, en estilo realista y con gran maestría en el dibujo. También pintó paisajes y figuras a la

Cressida.
EDWARD POYNTER.

Doña Juana la Loca.
FRANCISCO PRADILLA ORTIZ.

acuarela, así como dos series de magníficos dibujos; y, ya en la última etapa de su obra, se inclina por los cuadros de formato mucho menor, representando escenas de género que recuerdan a las clásicas de **Alma-Tadema**. Debido a su notoriedad fue nombrado miembro de la Royal Academy y más tarde, en 1896, presidente de la misma. Entre sus obras hay que destacar su *Autorretrato, La carrera de Atalanta* (1876), *Una visita a Esculapio,* (1880), *La buenaventura, Entrevista de Salomón y la reina de Saba* (1891) y *La danza jónica* (1899).

PRADILLA ORTIZ, FRANCISCO

(Villanueva de Gállego, 1848-Madrid, 1921)

Pintor español, uno de los más influyentes en el género de historia.

Su formación artística comienza con el pintor y escenógrafo Mariano Pescador y con los estudios de la Escuela de Bellas Artes de Zaragoza. A partir de 1866, en Madrid, continúa en la Escuela de Pintura, Escultura y Grabado, copiando obras del Museo del Prado, y en el taller de **Federico de Madrazo**. En 1874 viaja becado a la Academia de

España en Roma. Es aquí donde pinta su obra maestra, *Doña Juana la Loca,* cuadro que le reporta un inmediato prestigio internacional y la medalla de honor de la Exposición Nacional de 1878. Se trata de una composición histórica cautivadora por sus valores histórico-literarios y su técnica realista. El éxito de la obra es tan grande que el Senado le encarga otro cuadro de historia, *La rendición de Granada,* creación de gran efectismo y realizado en 1882. Diez años después repite el tema de la guerra de Granada con el cuadro conocido como *El suspiro del moro,* en el que toma protagonismo la imagen del derrotado. Nombrado director del Museo del Prado en 1897, es autor también de obras de género costumbrista, como *La vendimia en las lagunas pontinas* (1905) y *El rastro de Madrid,* así como de variada y amplia producción, entre la que se incluyen retratos, paisajes y marinas. Tuvo importante participación como dibujante en la revista *La Ilustración Española y Americana.*

La casa del mar.
A. HUGUES.

La boda de San Jorge y la princesa Sabra.
DANTE G. ROSSETTI.

PRERRAFAELISMO

Movimiento pictórico surgido en Inglaterra a mediados del siglo XIX como reacción al arte posromántico de la época. Parte de la asociación de un grupo de jóvenes artistas (conocida como la Hermandad Prerrafaelista) que intentan apartarse de la temática frívola de la pintura oficial y buscar la auténtica «verdad en la naturaleza». Para ello vuelven a la simplicidad en los procedimientos pictóricos revalorizando el buen hacer artesano del pasado, incluso las costumbres medievales del anonimato, ya que muchos firman tan sólo con las iniciales de P.R.B. *(Pre Raphaelits Brotherhood)*, prescindiendo de sus nombres. Los modelos de sus obras son los primitivos italianos, los artistas del *Quattrocento* y los pintores anteriores a Rafael, venerado por los historiadores del arte y la crítica contemporánea, pero a quien consideran afectado y teatral. Los prerrafaelistas critican la hipocresía victoriana del arte oficial; sin embargo, adoptan una actitud en exceso moralista y su producción fluctúa entre un simbolismo y un **realismo** peculiar y difícil de manejar. Pese a su carácter impopular consiguen exponer en la Royal Academy y en 1853 su estilo se impone con la exhibición de la obra pictórica de **Millais**. Además de este pintor, forman parte del grupo **Hunt, Rossetti, Hugues** y **Burne-Jones**.

269

En la pradera.
GAETANO PREVIATI.

PREVIATI, GAETANO

(Ferrara, 1852-Lavagna, 1920)

Pintor italiano, se especializa en el género histórico y su obra evoluciona hacia una pintura simbolista. Inicia sus estudios artísticos en su ciudad natal con los pintores Domenichi y Pagliarini, continúa en Florencia en el taller de Amos Cassioli y luego en la Academia de Milán bajo la dirección de Bertini. Obtiene su primer triunfo en 1880,

La Justicia y la Venganza persiguiendo al Crimen.
PIERRE-PAUL PRUD'HON.

en la exposición de Turín, con la obra *César Borgia en Capua*. Otras composiciones de inspiración histórica son *Cleopatra* o *Tasso moribundo*. A partir de 1891 su estilo se hace más artificial y sus cuadros religiosos, como *Madonna del lirio*, *Las tres Marías*, *Primera Comunión* o *Ángeles*, presentan un halo místico y visionario que le encaminan hacia una obra de claros rasgos simbolistas. Es también un destacado pintor de flores.

PROUT, SAMUEL

(Plymouth, 1784-Camberwell, 1852)

Pintor inglés y teórico del arte. Viajó por los condados de Cornualles y realiza numerosos apuntes del natural, muchos de los cuales los dedica a la decoración de la obra del investigador Britton. Empleó mucho la acuarela, técnica con la que reproduce las ruinas de monaste-

rios, castillos, etc. visitadas a lo largo del citado viaje, con poesía y delicadeza, así como edificios pintorescos y calles de Normandía, haciéndose muy popular. Editó varias series de su trabajo, como *Vistas de Inglaterra* y *Apuntes ejecutados en Flandes y Alemania.*

PRUD'HON, PIERRE-PAUL

(Cluny, 1758-París, 1823)

Pintor francés de estilo neoclásico, su carga expresiva, sentimental y dramática en muchas de sus composiciones anuncian el **romanticismo**. Tras sus estudios iniciales en la Academia de Dijon, continua en la de París y en 1784 recibe una beca para terminar su formación en la Academia de Roma. En Italia permanece de 1785 a 1788, estancia decisiva para la creación de un estilo compositivo que modela a través del estudio de los grandes maestros del Renacimiento, sobre todo de Leonardo, Rafael y Correggio. En Roma coincide con uno de los pintores que más fama tendría en la Francia revolucionaria, **Jacques-Louis David**, paisano y diez años mayor, pero no es él quien le influye y encamina en su trayectoria artística, sino el escultor neoclásico Antonio Canova, figura que le anima a estudiar la Antigüedad clásica. También mantiene amistad con los círculos de intelectuales, estudiosos y arqueólogos del momento, como el teórico A. Mengs o la pintora **Angélica Kauffman**. Cuando regresa a Francia, en pleno estallido de la Revolución, le resulta muy difícil mantenerse con la pintura, pero años después, en 1798, recibe el encargo de decorar al fresco los techos del

El rapto de Psique.
PIERRE-PAUL PRUD'HON.

castillo de Saint-Cloud, trabajo que le introduce en los círculos cortesanos. Se convierte en el retratista oficial de las esposas de Napoleón, primero de la emperatriz Josefina, a quien retrata en 1805 *(La emperatriz Josefina)* en el bosque de la Malmaison, y luego de la emperatriz María Luisa. Entre sus obras destacan los asuntos históricos y mitológicos, como *Andrómaca abrazando a Astiánax*, *Venus y Adonis*, *El rapto de Psique* y *Cupido castigado*, pero el cuadro que le da verdadera fama es *La justicia y la venganza persiguiendo al crimen*, encargado en 1804 para el palacio de Justicia de París y que expone en el Salón de 1808. En una fecha tan temprana

su **neoclasicismo** resulta claro por la fuerza que otorga a la línea, pero la magia y el misterio plástico y dramático de esta composición le otorgan un razonable anuncio del romanticismo.

PUEYRREDON, PRIDILIANO

(Buenos Aires, 1823-Barracas, 1871)

Pintor e ingeniero argentino, es el artista de ese país más representativo del siglo XIX. Ya desde muy joven marchó a Francia, país en el

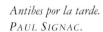

Antibes por la tarde.
PAUL SIGNAC.

que, como en España (1845-1847), estudió pintura, especializándose en el retrato, género en el que destacará, aunque también representó escenas de costumbres de poco poder expresivo *(Elvira Lavalleja de Calzadilla)*, en las que reflejaba la sociedad argentina de su momento, paisajes *(Rodeo,* 1861; *Un alto en el campo,* 1861) y cuadros de historia. Su estilo es bastante académico en la factura, muy colorista y con tintes románticos, pero en él no se aprecia apenas la influencia de los pintores franceses ni italianos, sino de **Vicente López** y **José de Madrazo**. De su abundante producción retratística, en un estilo académico en la factura, en relación con el **neoclasicismo** de Mengs, hay que destacar *Retrato de su padre* (1848), *Retrato de Manuelita Rosas*

(1851), *General Belgrado* y *Autorretrato con paleta en la mano delante del caballete* (1859). También realizó dos cuadros de desnudos ejecutados en 1860, que escandalizaron en su época, *La siesta* y *La dama del baño, Cecilia Robles de Peralta y su hijo* (1861). Y de su primera época y realizado en España es el cuadro titulado *Ciego popular*.

PUNTILLISMO

Técnica pictórica que consiste en distribuir de manera regular sobre la superficie del cuadro pequeños toques de color puro, diminutos, de igual tamaño y forma esférica de puntitos, de manera que, aplicando la teoría de los colores complementarios, actúen en la retina, fundiéndose al observar el cuadro a una distancia adecuada, creando efectos cromáticos más brillantes que si es-

tuvieran mezclados físicamente en la paleta. Esta técnica aparece hacia 1883, iniciada por **Seurat**, que intenta dar una base rigurosamente científica a la que habían hallado **Renoir** y **Manet** de forma intuitiva, al yuxtaponer pinceladas de colores puros. Fue el crítico francés Félix Fénéon quien dio el nombre de puntillismo («peinture au point») a este procedimiento pictórico, en 1886, al observar *La grande Jatte* de Seurat, aunque éste y **Signac**, los máximos representantes del mismo y los únicos en aplicarlo de manera sistemática, preferían la denominación de «divisionismo».

PUVIS DE CHAVANNES, PIERRE

(Lyon, 1824-París, 1898)

Artista francés, de formación neoclásica, su pintura desarrolla un estilo personal dentro de la corriente intelectual y simbolista del último tercio del siglo XIX. Admira tanto a los neoclásicos que inicia su carrera artística bajo la viva influencia de creadores como **David**, **Ingres** y **Chassériau**; de hecho, su obra es en gran parte una secuela de la pintura mural de este último. Alejado por igual de las escuelas oficiales que de los cenáculos marginales, su aportación fundamental es la de adaptar sus nuevas ideas a la tradición, síntesis que consigue en los cuadros que expone en los salones parisienses: *Guerra y Paz*, en el de 1861, *El trabajo* y *El descanso*, en 1863, obras que interesaron de inmediato a la crítica. Las dos últimas fueron adquiridas por el Museo de Amiens, institución que le encarga una serie de pinturas murales (*Labor y reposo,*

Arc Picardia Nutrix y Ludus Pro Patria, finalizadas hacia 1881), técnica en la que se especializa y se consagra. Verdadero innovador en esta materia, consigue fama y encargos oficiales en las decoraciones murales del Panteón con escenas de la niñez

El retorno de Rip van Winkle.
JOHN QUIDOR.

de Santa Genoveva (1876-1878), en las del Palacio de Saint Pierre (hoy Museo de Bellas Artes, entre los años de 1883-1884) y en la serie de alegorías de *Las artes y las ciencias* para el anfiteatro de la Sorbona de París (1887). Además de estas composiciones, destacan sus cuadros dedicados a temas religiosos, mitológicos y alegóricos, enmarcados casi

El pobre pescador.
PIERRE PUVIS DE CHAVANNES.

siempre en un misterioso paisaje, con un colorido brillante y una composición de cierta frialdad académica, pero libres y serenos en su desarrollo temático. Un ejemplo es el enigmático y sobrecogedor cuadro *El pobre pescador* (1881).

QUIDOR, JOHN

(1801-1881)
Pintor estadounidense que compone escenas de género con un estilo realista, inspirándose en la literatura romántica de la época. Es alumno de Jarvis y de Inman. Las novelas sobre las tribus indígenas del lejano oeste americano —escritas fundamentalmente por Fenimare Cooper— le proporcionan muchos temas, aunque también se dedica a representar tipos corrientes de la vida y las costumbres de otras zonas de su país.

Les Enfants Drummond.
HENRY RAEBURN.

RAEBURN, HENRY

(Stockbridge, 1756-Edimburgo, 1823)

Pintor británico, uno de los mejores escoceses, fundamentalmente retratista. Autodidacto, en la formación de su estilo influyeron Romney y el retratista Joshua Rey-

nolds, con el que trabajó en Londres, así como un viaje de dos años por Italia. A la vuelta a su país se establece en Edimburgo, en 1787, y recibe el cargo de miniaturista de la corte de Escocia, trabajo en el que le fue de gran ayuda su anterior aprendizaje de orfebre. También se dedica a retratar a la elite de la sociedad escocesa, convirtiéndose sus retratos, más de mil, en los más cotizados en la Escocia de su tiempo, gracias a su

vitalidad y a que en ellos captaba muy bien la psicología del retratado, empleando un estilo caracterizado por rápidas pinceladas aplicadas directamente sobre la tela, sin dibujo previo, con una técnica muy segura, y haciendo resaltar los personajes sobre un fondo oscuro, muchas veces de paisaje. Entre ellos destacan los de *Sir John Sinclair, Robert Walker Skating* (1784), *Sir John y lady Clerk* (1790), *Miss Eleanor Urqhart Raeburn* (h. 1795), *Alexander Dyce, The McNab* (1803-1813), *Mr. Maclean of Kinlochaline, El coronel Alastair Macdonald of Clengarry* y *Walter Scott*. Gracias a

Retrato del coronel Alastair Macdonald de Clengarry.
HENRY RAEBURN.

sus capacidades artísticas, en 1815 fue nombrado miembro de la Real Academia y en 1822 pintor oficial del rey de Escocia, Jorge IV.

RAFFAELLI, JEAN-FRANÇOIS

(París, 1850-1924)

Pintor, grabador y escultor francés, su pintura fluctúa entre el **impresionismo** y el **realismo**. De origen italiano, estudia en el taller de **Gérôme**. Expone sus cuadros a partir de 1870, pero es en 1884 cuando se reconoce su valía. Son notables sus retratos, como el de *Edmundo de Goncourt*, pero más importancia tiene sus escenas de género, como *El mendigo* o *La familia de labriegos*, ejemplos ilustrativos de su interés por un realismo comprometido y social. No obstante, también realiza escenas de la vida burguesa, paisajes urbanos de París y algunas vistas típicas y pintorescas.

RANZONI, DANIELE

(Intra, 1849-1889)

Pintor italiano, su obra se enmarca dentro del **romanticismo** milanés y su figura abandera el grupo de los *scapigliati* o desenfrenados, pintores agrupados en torno a la ciudad de Cremona. Se inicia en su ciudad natal con un pintor local y se forma entre la Academia Brera de Milán y la Academia Albertina de Turín. Realiza su producción más interesante entre 1870 y 1880, diez años de intenso trabajo en los que durante un tiempo reside en Inglaterra. Se dedica a la pintura de género y sobre todo al retrato de las clases altas, entre los que destacan *La princesa de Saint-Léger*, *Princesa Trubetzkoy* y *Madame Luvoni*. Su estilo es delicado, de composiciones en penumbra. Algunos de sus cuadros presentan un carácter novelesco, como *Joven enferma*. Enfermo desde su juventud, en 1887 es internado en un manicomio. Un año antes de morir vuelve a su localidad natal.

Invitados a una boda.
JEAN-FRANÇOIS RAFFAELLI.

Los picapedreros.
GUSTAVE COURBET.

REALISMO

No puede hablarse de un movimiento ni de una escuela pictórica como tal. Suele emplearse el término de «realismo» para definir obras pictóricas y literarias que describen la realidad tal y como es, en clara confrontación con los moldes ficticios, alambicados o embellecidos de la cultura oficial o de épocas anteriores. Los pintores cuya obra se encuadra dentro del denominado realismo ofrecen una visión que intenta ser «realista» en cuanto que reflejan el comportamiento humano y el entorno verídico; en este sentido, el término también ofrece un sentido y una acepción de clara crítica a las condiciones humanas y sociales. En la pintura del siglo XIX debe destacarse una serie importante de artistas que se expresan bajo diferentes modalidades de realismo: en Francia, **Courbet**, **Daumier** y **Millet**; en Estados Unidos, **Mount** y **Eakins**, en Italia, **Lega**, y en España, **Rosales** y **Martí Alsina**, entre otros.

La vendedora de heno.
SILVESTRO LEGA.

REDON, ODILON

(Burdeos, 1840-París, 1916)

Pintor y escritor francés, su obra se enmarca dentro de una pintura simbolista a base de imágenes fantásticas y visionarias. Un viaje a París y una visita al Louvre le impactan a temprana edad y le impulsan en su formación artística. Comienza en Burdeos estudiando acuarela y se interesa por la botánica y los elementos de la naturaleza, interés que se reflejará en su producción. Continúa en 1857 con la carrera de arquitectura y escultura y en 1870 marcha a París, donde

Cíclopes.
ODILON REDON.

$\mathcal{R}$

reside toda su vida. Se instala en el barrio de Montparnasse y se vincula con los grandes pintores de esos años: **Corot, Courbet** y, sobre todo, con **Fantin-Latour**, quien le enseña la técnica litográfica. La serie de estampas litográficas que realiza entre 1879 y 1889 destacan por su visión literaria y su increíble imaginación, reflejo en gran parte de las obras de escritores atormentados, como el estadounidense Edgar Allan Poe y el francés Charles Baudelaire, así como del sereno espíritu filosófico de los poetas hin-

R

El nacimiento de Venus.
ODILON REDON.

dúes. Algunas de sus más conocidas estampas son *La araña sonriente* y *El sueño se acaba con la muerte*. De tonos muy oscuros y negros, las litografías recogen seres monstruosos e inverosímiles, como plantas con cabezas humanas o cíclopes, imágenes de pesadilla que también plasma en lienzos. Es posible que para este repertorio Redon tuviera en mente las obras de El Bosco o de **Goya**, entroncando su producción con la corriente visionaria y onírica de **Füssli** y **Blake**. Realiza una obra más lírica, pero no exenta de misticismo, en la serie de cuadros dedicados a flores y paisajes. Su obra no fue muy conocida hasta que en 1899 sus amigos le dedican una exposición homenaje que le consagra y fomenta perdurable fama. Su estilo vigoroso y su peculiar temática hacen de Odilon Redon un precursor importante de algunas de las vanguardias históricas, como el **expresionismo** y el surrealismo.

REGNAULT, HENRI ALEXANDRE GEORGES

(París, 1843-Buzenval, 1871)

Pintor francés, su obra está influida por **David**, de quien es discípulo, y es muy representativa del arte oficial francés durante la segunda mitad del siglo. Estudia en 1860 en la Escuela de Bellas Artes de París y seis años después gana el premio de Roma por su obra *Tetis ofreciendo a Aquiles las armas forjadas por Vul-*

Jarrón de flores.
ODILON REDON.

cano. Reside en Italia hasta 1868, estancia en la que realiza una serie de retratos, como el de *Madame Duparc*, a la vez que prosigue su interés por las composiciones mitológicas dentro del estilo neoclásico. Al año siguiente viaja a Marruecos pasando por España, donde realiza el retrato ecuestre de *El General Prim* y con el que consigue una medalla en el Salón de 1869. La producción realizada en Marruecos revela un sentido colorista nuevo en su estilo. Son célebres obras como *Salomé* y *Judith*, así como las escenas en las que recrea ambientes exóticos e imágenes de la Alhambra de Granada, como *Ejecución ante*

los califas de Granada. Muere en la guerra franco-prusiana.

REGOYOS VALDÉS, DARÍO DE

(Ribadesella, 1857-Barcelona, 1913)

Pintor español. Figura clave en la renovación de la pintura del siglo XIX, especialmente en el género de paisaje, al que hace progresar hacia una síntesis de los valores más vanguardistas producidos en Europa: **impresionismo**, **puntillismo** y **expresionismo**. Asturiano de nacimiento, pasa su niñez y adolescencia en Madrid, donde inicia sus

Dolores Otaño.
DARÍO DE REGOYOS VALDÉS.

estudios artísticos en la Academia de San Fernando, interesándose ya por el paisaje gracias a su maestro **Haes**. En 1879 marcha a Bélgica para instalarse varios años en Bruselas con su amigo, el violinista Enrique Fernández Rabos, quien le introduce en el grupo de artistas conocidos como Los Veinte, formado en 1883 y en el que Regoyos participa desde sus inicios. De esta forma conoce a los pintores más inquietos y vanguardistas del momento, como **Meunier**, **Ensor**, Auguste Rodin, **Signac**, **Pissarro**, etc. En 1882 regresa a España con Meunier, Rysselberghe y Charlet para realizar un viaje por Andalucía y Marruecos, componiendo una serie de obras que se exponen en Bruselas en 1883. Interviene en las exposiciones del salón de Los Veinte y en el Salón de Artistas Independientes de París, demostrando conocer las dos tendencias imperantes europeas, como el *Retrato de Emma Bogaerts*, un estudio psicológico claramente expresionista. A partir de 1890 reside en San Sebastián hasta 1911. Entonces su pintura se vincula a paisajes norteños, a los temas rurales y marineros, en los que continúa su interés por el puntillismo y la fragmentación del color. *Playa de San Sebastián* (1893) y *Toros en Pasajes* (1900) son característicos de esta etapa. Dos años antes de morir pasa una pequeña temporada en Granada hasta que marcha a Barcelona, donde transcurren sus últimos días.

REIS, CARLOS

(Lisboa, 1863-1940)

Pintor portugués que sobresale en la pintura de género. Formado en su ciudad natal y posteriormente en París, entre los años 1889 y 1895, sus obras representan temas populares de muy variados asuntos, así como retratos y paisajes. En Lisboa practica la docencia en la Escuela de Bellas Artes y a partir de 1911 asume el cargo de director del Museo Moderno. Sus obras más importantes son *Los gaiteros*, *La fe-*

Siguiendo el rastro.
FRÉDÉRIC REMINGTON.

ria, *Planchadora*, *En familia* y el retrato de *Adelaida Lima Cruz.*

REMINGTON, FRÉDÉRIC

(Canton, 1861-Nueva, York, 1909)

Pintor, grabador, escultor y escritor estadounidense, su obra es conocida por abordar temas característicos del oeste americano, caballos, indios, vaqueros y paisajes realizados con un gran verismo. Estudia arte en Nueva York, pero pronto abandona toda formación académica para formarse como un autodidacto, especialmente cuando pasa una temporada en los estados del oeste, de donde procede su popular temática.

RENOIR, PIERRE-AUGUSTE

(Limoges, 1841-Cagnes-sur-Mer, 1919)

Pintor francés, es uno de los grandes maestros del **impresionismo**,

Fonda Mere Marlotte.
PIERRE-AUGUSTE RENOIR.

al que aporta una temática desbordante de alegría vital y sensualidad. De una familia de artesanos muy humilde, entra a trabajar como obrero decorador en una fábrica de cerámica en París a los 14 años, donde pinta flores y revela ya sus

Grands boulevards.
PIERRE-AUGUSTE RENOIR.

dotes artísticas. Al quebrar la fábrica pasa a decorar abanicos y sombrillas, especialidad que requiere la copia de cuadros franceses del siglo XVIII, especialmente de las escenas galantes de Watteau, Boucher y Fragonard, artistas de los que toma el gusto por las tonalidades claras y los temas amables. En 1862 ingresa en la Escuela de Bellas Artes y asiste al taller de **Gleyre**, donde conoce a **Monet**, **Sisley** y **Bazille** y, más tarde, a **Cézanne** y **Pissarro**. Comienza a pintar paisajes al aire libre, sobre todo en el bosque de Fontainebleau, aunque es el estudio de la figura humana,

El almuerzo de los remeros.
PIERRE-AUGUSTE RENOIR.

especialmente de la femenina, lo que más le interesa. En 1863 expone en el Salón un cuadro basado en la protagonista de una de las obras de Victor Hugo, a quien admira.

A la derecha, *El columpio.*
PIERRE-AUGUSTE RENOIR.

En la obra se muestra la influencia de **Delacroix** en el tratamiento del

color y de Monet en el estudio de la luz. Pasado el paréntesis de la guerra de 1870, su obra anticipa el estilo de los impresionistas, con quienes se agrupa en la primera exposición de 1874. Entre sus obras más conocidas destacan *El columpio*, un recuerdo de la obra de Fragonard, y *El Moulin de la Galette*, obras coloristas y repletas de luz. También se dedica al retrato *(Madame Charpentier y sus hijos*, 1878) y viaja a Argelia y Marruecos. A su

Pareja sentada.
PIERRE-AUGUSTE RENOIR.

vuelta se instala en L'Estaque, cerca de Marsella, junto a Cézanne y, aunque continúa sus temas joviales y su interés por las representaciones de figuras *(El almuerzo de los remeros*, de 1881, y *Baile en Bougival, Baile en el campo* y *Baile en el pueblo*, estas tres últimas de 1883) su estilo se hace cada vez más reflexivo ante la tradición y el clasicismo, interesándose por el volumen y su valor plástico. Retoma la temática del desnudo femenino *(Ninfas, Bañistas)*, insiste en la representación de niños y grupos familiares y en 1896 compone *La familia del artis-*

ta. La artritis que le aqueja desde hace tiempo se agrava a partir de 1894 y para pintar necesita atar los pinceles a sus dedos agarrotados. Intenta esculpir, pero en 1913 queda inmovilizado hasta su muerte, seis años más tarde.

REPIN, ILYA EFIMOVICH

(Jarkou, 1844-Kuokkala, 1930)

Pintor ruso, es el más destacado representante del **realismo** pictórico de su país. Estudia en la Academia

Inesperado.
ILYA EFIMOVICH REPIN.

de Bellas Artes de San Petersburgo y, gracias a su cuadro *La resurrección de la hija de Jairo*, realizado en 1870, consigue una beca para continuar su formación en el extranjero. Antes de partir de viaje pinta y expone la que se considera la primera obra maestra del arte ruso realista, *Burlaki*. Adquiere una mayor experiencia plástica y buena técnica en Roma y en París, ciudad esta última donde se le aprecia en el ambiente artístico y consigue cierta popularidad. A su vuelta a Rusia se hace revolucionario y crítico ante los círculos oficiales académicos y en su producción manifiesta el pesimismo y la opresión del pueblo ruso, plasmado en cuadros de un realismo melancólico. Gran parte de su actividad está dedicada a composiciones de la historia rusa y, sobre todo, al retrato, género en el que deja una preciosa iconografía de artistas y escritores como Turgueniev, Borodin, Mussorgski y Tolstoi, a quien retrata con una aguda visión y una expresión dramática en *Tolstoi caminando tras el arado*.

RETHEL, ALFRED

(Diapenbend, 1816-Düsseldorf, 1859)

Pintor e ilustrador alemán, su obra se reparte entre los grabados, los

Otra danza de la muerte.
ALFRED RETHEL.

dibujos y las escenas de batallas y temas heroicos. Nacido en una aldea próxima a Aquisgrán, su talento para dibujar se hizo evidente siendo niño y realiza más de cien dibujos antes de los 13 años. Estudia en la Academia de Düsseldorf, donde permanece siete años y aprende la pintura del **romanticismo** alemán bajo la tutela de **Schadow**. Entre 1836 y 1847 vive en Frankfurt, a excepción de un año en que viaja a Italia. En 1840 se le encarga la decoración de la Sala Imperial del Ayuntamiento de Aquisgrán, para la que tiene que realizar una serie de paneles al fresco con escenas de la vida de Carlomagno. Tras largas negociaciones, comienza esta obra en 1847 y en 1852 tan sólo tiene realizados cuatro de las ocho escenas proyectadas. Los diseños y las escenas que crea para esta decoración son sumamente originales con composiciones muy dramáticas. Su producción pictórica es escasa, pero de gran calidad como atestigua el retrato que realiza a su madre en fechas muy tempranas. Sin embargo, su fama estriba no tanto en su pintura como en su habilidad en el dibujo y en el grabado, para los que escoge preferentemente temas históricos. De los dibujos destacan *Una lucha callejera,* de 1848, y *Una batalla medieval*, realizado en torno a 1850. Más importancia tienen sus series de grabados en madera en los que el tema de la muerte adquiere un protagonismo especial, dentro del **realismo** alegórico con que representa la historia de su propio país, incluidas escenas de la revolución. Es el caso de *Otra danza de la muerte en el año 1848, La muerte como un estrangulador* y *La muerte como*

amigo. Se ha señalado la importante influencia que este artista recibe de los grabadores alemanes de la época de la Reforma, en especial de Durero y Holbein. Seis años antes de su muerte cae enfermo y pierde la razón, por lo que abandona toda actividad artística y queda al cuidado de su madre y de su hermana.

Canción de los Nibelungos.
ALFRED RETHEL.

RIANCHO GÓMEZ, AGUSTÍN

(Entrambasmestas, 1841-Santander, 1929)

Pintor español, especializado en el paisaje montañés de su tierra natal tratado con gran precisión y realismo. De orígenes campesinos, el patronazgo de un rico impresor santanderino le permite ir a estudiar a Madrid, en la Escuela de Bellas

La conquista de Granada.
CARLOS L. DE RIBERA.

Artes de San Fernando, bajo la dirección del paisajista **Haes**. Después de un viaje a Bélgica, desde donde contacta con los pintores de la **Escuela de Barbizón** y en la que interviene en varias exposiciones ganando diversas medallas, vuelve a Santander de forma definitiva, donde alcanza un cierto reconocimiento. Obras como *El árbol*, fechada en el mismo año de su muerte, son exponentes de su evolución final hacia las técnicas impresionistas.

RIBERA Y FIEVE, CARLOS LUIS DE

(Roma, 1815-Madrid, 1891)

Pintor español, nacido en Roma e hijo y discípulo de Juan Antonio de Ribera, produce numerosos cuadros en los que cultiva el género histórico y, con posterioridad, la te-

mática religiosa. Formado en la academia madrileña de San Fernando y como becario en la de Roma, a partir de 1831, al que sigue un viaje a París, donde estudia con **Delaroche**. Sus primeras obras están caracterizadas por asuntos patrióticos e históricos, entre las que

Retrato de niña.
CARLOS L. DE RIBERA.

destacan *Don Rodrigo Calderón camino del cadalso* o *La toma de Granada por los Reyes Católicos*. Entre su producción de carácter y de asuntos religiosos, cercana a los ideales nazarenos, deben citarse *La conversión de San Pablo* o *La Asunción de la Virgen*. Sus diversos cargos oficiales en Madrid, como el de pintor de cámara de Isabel II, consejero de Instrucción Pública o director de la Academia de San Fernando, no le impidieron dedicarse a decorar los interiores de grandes edificios e instituciones de la capital del reino, como el Congreso de los Diputados, en 1850, y la iglesia de San Francisco el Grande.

RICHMOND, GEORGE

(1809-Londres, 1896)

Pintor inglés. Hijo y alumno del miniaturista Thomas Richmond. Después continuó su formación en la Royal Academy, donde estudió con **Füssli** y conoció al que sería su

287

Vista de Guadarrama.
MARTÍN RICO ORTEGA.

R

amigo, **Palmer**, junto con el que, más tarde, perteneció al grupo de los seguidores del estilo visionario de **Blake**, «The Ancients». Realiza paisajes y escenas fantasmagóricas, tanto en óleo como en dibujos y

La travesía hacia Schreckenstein.
ADRIAN LUDWIG RICHTER.

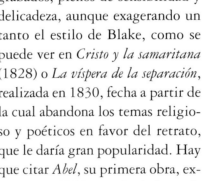

grabados, plenos de sensibilidad y delicadeza, aunque exagerando un tanto el estilo de Blake, como se puede ver en *Cristo y la samaritana* (1828) o *La víspera de la separación*, realizada en 1830, fecha a partir de la cual abandona los temas religioso y poéticos en favor del retrato, que le daría gran popularidad. Hay que citar *Abel*, su primera obra, expuesta en 1825, y todavía fuera de la influencia de Blake.

RICHTER, ADRIAN LUDWIG

(Dresde, 1803-1884)

Pintor, ilustrador y grabador alemán, su obra pictórica y gráfica tiene un sello personal y original pero enmarcado dentro del estilo Biedermeier. Hijo de un grabador en cobre, cuya técnica domina y desarrolla desde 1838 para ilustrar a lo largo de su vida numerosos libros, cuentos y libretos de canciones con temas sentimentales. Interesado por la pintura de paisaje, se forma en la Academia de su ciudad natal dentro de la corriente marcada por **Friedrich**, a la que añade una influencia personal de los maestros de la escuela holandesa, así como del estilo de **Schnorr von Carolsfeld**. En 1823 consigue una beca para viajar a Italia y estudiar el paisaje clásico. Allí conoce la doctrina de los nazarenos y a los pintores **Cornelius**, **Koch** y **Overbeck**, dedicándose a producir paisajes pastorales e idílicos, como *La época de la cosecha en la campiña romana*. Regresa a Dresde y en 1836 obtiene el puesto de pintor de paisajes en la

Academia de dicha ciudad. Con sus alumnos organiza muchas excursiones al valle del Elba y a la región de Bohemia y toma numerosos apuntes y bocetos para sus composiciones posteriores. *La iglesia de Graupen* (1836) o *Dos pastores en paisaje alemán (tarde de primavera)* (1844) son cuadros de esta época y reveladores de su interés por lo idílico, por las escenas locales e ingenuas, donde el hombre está en armonía con la naturaleza, siempre en un ambiente de paz y tranquilidad. Su alejamiento del dramatismo romántico del paisaje y sus escenas agradables con personajes felices hacen encasillar su obra dentro del estilo Biedermeier. No obstante, también se interesa por expresar su personal visión de la vida del pueblo alemán. Algunas de sus composiciones, como *Estanque en los montes de Reisengebirge* (1839) o el afamado cuadro *La travesía hacia Schreckenstein* (1837) también reflejan su estudio profundo de la naturaleza, con matices y exactitudes casi topográficas. En 1847 finaliza su obra al óleo para dedicarse al grabado y la xilografía. Entre sus ilustraciones destacan las realizadas para los *Cuentos de hadas* de Andersen y *La campana* de Schiller, entre otras muchas.

RICO ORTEGA, MARTÍN

(Madrid, 1833-Venecia, 1908)

Pintor madrileño dedicado a una pintura de paisaje que evoluciona desde planteamientos realistas hacia obras de gran luminosidad cercanas al **impresionismo**. Comienza formándose en la Escuela de Bellas Artes de San Fernando y bajo los consejos de su maestro, **Pérez Villaamil,** quien le introduce en un estilo claramente romántico. A partir de 1854 inicia una serie de viajes a Europa, primero a París y, más tarde, a Suiza e Inglaterra, que le impactan y dan un gran giro a su trayectoria. Interesado por las cualidades de los artistas británicos, como **Turner** o Ruysdael, hace evolucionar su paleta y los contenidos de sus paisajes, cada vez más humanizados, como *Las lavanderas*. Sus continuos viajes a París e Italia (sobre todo, a Venecia), así como su relación con **Fortuny,** le encaminan hacia un estilo más preciosista y minucioso, como demuestran sus paisajes granadinos y venecianos, plasmados con toques luminosos e impresionistas. Antes de morir ve publicadas sus memorias, *Recuerdos de mi vida* (1907).

RIGALT I FARRIOLS, LUIS

(Barcelona, 1814-1894)

Pintor, decorador e ilustrador español, sienta las bases para el desarrollo de la pintura de paisajes en su tierra natal. Hijo de un reputado escenógrafo, estudia en la Escuela de Bellas Artes de la Lonja de Barcelona, institución en la que trabaja como profesor desde 1841 y donde llega a obtener la cátedra. Fue nombrado académico de Bellas Artes de San Fernando en 1858 y participa en la Exposición Nacional

Paisaje con ruinas.
LUIS RIGALT I FARRIOLS.

con su obra *Recuerdos de Cataluña*. Colabora como ilustrador en las publicaciones *España pintoresca* e *Historia de Cataluña*, reflejando cualidades netamente románticas. Entre sus cuadros más reseñables deben citarse los dedicados al paisaje, como *Vista de Mongat*, *Falda de Montjuich* o *Montserrat*, entre otros.

ROBERTS, DAVID

(Stockbridge, 1796-Londres, 1864)

Pintor británico, dentro del **romanticismo**. Inició su carrera de pintor en Edimburgo con un decorador de interiores y trabajó como decorador de un circo y de teatros. En 1822 se instala en Londres, donde continúa decorando escenarios de teatro, pero desde 1831 se dedica a viajar por Europa, visitando, entre otros países, España, tan de moda en el romanticismo, y a la que dedicó abundantes cuadros, que se inspiraron en ella, y los de la cuenca del Mediterráneo; estos viajes le sirvieron para pintar abundantes

Una calle en El Cairo.
DAVID ROBERTS.

paisajes, tanto al óleo como a la acuarela. Su obra, que alcanzó notoriedad, se caracteriza, en general, por una gran precisión descriptiva, con dibujo atrevido y por su pintoresquismo, muy propio del movimiento artístico al que pertenece. El viaje a España, además de pinturas, le inspiró una serie de grabados en acero que le proporcionó gran éxito y que sirvieron de instrumento divulgador de la imagen romántica española. También realizó ilustraciones para libros. Entre sus obras, destacan *Vista de la Torre del Oro* (1833), *Seminario y catedral de Santiago de Compostela* (1837), *Cas-*

Vista del Nilo.
DAVID ROBERTS.

Retrato de David Roberts vestido a la oriental.
ROBERT SCOTT LAUNDER.

tillo de Alcalá de Guadaira, Capilla de los Reyes Católicos en Granada (1838) y varias *Vistas de Londres*.

RODAKOWSKI, HENRIK

(Lemberg, 1823-Cracovia, 1894)

Pintor polaco. Estudió en Viena, donde tuvo como maestros a Joseph Danhauser y a **Amerling** y más tarde, en 1832, en París, a Léon Cogniet. Ellos le influyeron en la manera de realizar sus retratos, de gran **realismo**, como se puede apreciar en el que hizo al

General Dembisski, primera obra que presenta en el Salón de París de

1852, y con el que consiguió un notable éxito, siéndole otorgada una medalla de primera clase. También expuso algún otro retrato que fue, al igual que el primero, bien acogido por el público, como *Federico Villot* (1855) y *Príncipe Czartoryjski* (1857). Otras obras suyas son *Su madre* (1853), *Habitantes de Galitzia en una iglesia del rito griego unido*, *El predicador* (1866) y *La condesa J. D.* (1875). Fue nombrado director de la Escuela de Bellas Artes de Cracovia.

ROMANTICISMO

Actitud estética y movimiento cultural, literario y artístico, que se extiende desde 1800 hasta 1850, aproximadamente. El romanticismo no cuenta con un estilo y una técnica únicos y propios, sino que abarca y conjuga diferentes tendencias y corrientes que responden a una serie de sentimientos comu-

Mujer con loro.
EUGÈNE DELACROIX.

nes. Entre ellos, el de expresar los estados de ánimo intensos, los sentimientos místicos, así como ciertas ideas y reflexiones sobre el pasado histórico y el presente. Es por ello un arte y una pintura que se aproxima a la naturaleza, muy imaginativa y emocional, incluso mística y visionaria, sin descartar el gusto por el conocimiento de la historia y la exaltación del presente, un aspecto que va paralelo al desarrollo de los nacionalismos. En Francia, el periodo de formación del romanticismo coincide con las guerras napoleónicas desde 1799 hasta 1815. Entre los creadores franceses que se especializan en este tipo de pintura deben destacarse a **David** e **Ingres** que, pese a ser pintores neoclásicos por excelencia, realizan una parte de su última obra dentro de los presupuestos del romanticismo. Sin embargo, son **Delacroix**, **Gros** y **Géricault** los máximos representantes. En Alemania destaca **Friedrich**, el pintor romántico de paisajes más notable, así como los pintores integrados en la denominada Hermandad de San

Lucas y conocida como los **Nazarenos**, un grupo de artistas afincados en Roma y cuyo objetivo reside en recuperar el estilo y el espíritu de los pintores medievales. El principal representante es **Overbeck**. En Inglaterra también es el paisaje el tema que aglutina el desarrollo pictórico con **Palmer** –de acusado sentimentalismo– y los geniales

Constable y Turner, este último el más radical y renovador de todos los pintores paisajistas del romanticismo. En España se introduce con retraso y se manifiesta a través de **Federico de Madrazo**, **Esquivel**, **Pérez Villaamil**, **Alenza** y **Lucas**, estos últimos siguiendo la estela del romanticismo goyesco; en Cataluña la estética nazarena inspiró a una serie de pintores como **Espalter** y **Clavé**. En el devenir de la pintura del siglo XIX las corrientes románticas perduran en las obras posteriores de Constable, en los planteamientos de la **Escuela de Barbizón** e, incluso, en los artistas impresionistas, aunque es el simbolismo el movimiento más directamente influido por aquéllas.

ROPS, FÉLICIEN

(Namur, 1833-Essonnes, 1898)

Polifacético artista belga que se dedicó a la pintura, el dibujo y la caricatura, así como al grabado, la li-

La bahía de Weymouth.
JOHN CONSTABLE.

La muerte en el baile.
FÉLICIEN ROPS.

tografía y el aguafuerte, técnicas que practica desde muy joven. Estudia en la Universidad de Bruselas y funda un pequeño grupo de artistas hacia los años sesenta. Trabaja para los periódicos satíricos realizando caricaturas, mientras aprende a pintar y sus estampas al aguafuerte le dan celebridad. Muchas de ellas están dirigidas a la ilustración de textos literarios. Son dignos de destacar sus dibujos y, sobre todo, sus acuarelas, entre las que se distinguen *La bebedora de ajenjo* y *Las tentaciones de San Antonio*.

ROSALES GALLINA, EDUARDO

(Madrid, 1836-1873)

Pintor español. Discípulo de **Madrazo**, es uno de los principales pintores de historia del panorama español del siglo XIX, cuya producción evoluciona hacia nuevas perspectivas que van del **realismo** a un preimpresionismo. Tras sus estudios en el colegio de los Escolapios y en el Instituto San Isidro de Madrid, ingresa en 1851 en la Escuela de Bellas Artes de San Fernando; aquí adquiere su principal formación, entre dificultades económicas y una salud precaria que le obliga a ingresar en el hospital de Montserrat de Cataluña en 1857. Ya recuperado, tras grandes esfuerzos logra en 1860 una beca para estudiar en Roma en la Academia Española de Bellas Artes. En la capital italiana realiza, sin llegar a finalizar, su cuadro *Tobías y el ángel* y envía *La nena* a la Exposición Nacional española de

Episodio de la Batalla de Tetuán.
EDUARDO ROSALES GALLINA.

La Anunciación.
DANTE GABRIEL ROSSETTI.

1863, en la que recibe una mención especial. Un año después consigue en el mismo certamen su primera medalla por *El testamento de Isabel la Católica*, obra cuya rotunda aceptación alivia sus penurias económicas. El éxito se vuelve a repetir con *La muerte de Lucrecia*, obra pintada en Roma y con un acusado carácter dramático, pero que se separa del tradicionalismo académico que caracteriza sus primeras composiciones. Desde entonces desarrolla una pintura más personal e independiente del gusto oficial, como son las obras *Desnudo de mujer* o *Retrato del violinista Pinelli*, cuyo estilo comporta una pincelada suelta y espontánea que se acerca al **impresionismo**. Son de destacar sus acuarelas, dibujos y numerosos retratos. Con la llegada de la I República le ofrecen la dirección del Museo del Prado, así como la dirección de la Academia de Bellas Artes en Roma en 1873, pero su grave tuberculosis le impide aceptar estos cargos. En ese mismo año fallece en Madrid.

ROSSETTI, DANTE GABRIEL

(Londres, 1828-Birchington-on-Sea, 1882)

Pintor y poeta inglés, es uno de los fundadores de la Hermandad Prerrafaelista. Su padre, Pasquale G. Rossetti, conservador del Museo de Nápoles, tiene que exiliarse de Italia por razones políticas y se instala en Londres como profesor de italiano. Dante Gabriel Rossetti comienza a estudiar idiomas en el King's College y se inicia en la técnica del grabado. En 1846 inicia

La Anunciación. DANTE GABRIEL ROSSETTI.

su formación artística en la Royal Academy y empieza a trabajar en la pintura junto a **Hunt**, **Millais**, **Burne-Jones** y **Brown**. Junto a ellos participa en la fundación de la Hermandad Prerrafaelista, asociación artística que intenta revalorizar la artesanía, los estilos medievales y de los primitivos renacentistas, y que preconiza un

Lady Lilith.
DANTE GABRIEL ROSSETTI.

mente rechazado por los críticos protestantes. A estos primeros cuadros siguen una serie de acuarelas ilustrativas de leyendas románticas, así como pasajes de la vida y obra de Dante, autor al que admira profundamente. En 1850 conoce a la modelo Elizabeth Siddel, con quien se casa diez años después: una mujer que encarna su ideal de belleza femenina. Muerta dos años más tarde, Rossetti la inmortaliza en *El sueño de Dante ante la muerte de su amada* (1856) y en *Beata Beatrix*, en 1863, obra que marca el camino del pintor hacia una mayor ornamentación y simbolismo, rasgo que ya se había acentuado con la influencia que recibe de las composiciones de **Ruskin** y Burne-Jones. En 1863 deja la Hermandad, aunque su estilo seguirá siendo prerrafaelista, como se refleja en *La novia* (1865) o en sus ocho versiones, desde 1874, de *Proserpina,* composiciones con numerosos elementos simbólicos y arabescos que remiten a la obra de Ruskin (*Las piedras de Venecia*, 1851). Como consecuencia de la muerte de su esposa, su personalidad se torna muy desequilibrada, con momentos de gran desasosiego, a los que sigue desbordante capacidad de trabajo, pintando en un estado casi compulsivo a la vez que de rara perfección. Algunos estudiosos consideran especialmente admirables ciertos títulos de su etapa final: *La mujer de la ventana* y *La doncella herida* (1879), *Ensueño* (1880), *La pía* (1881) y *Juana de Arco* (1882). Sus últimos años transcurren entre la locura y la desesperación. Muere tras un ataque de parálisis cerebral.

arte espontáneo e ingenuo, creando un nuevo ideal femenino de belleza y repudiando la industrialización y la moral victoriana. Sus primeros cuadros datan de la segunda mitad de la década de los cuarenta. En 1845 expone *La educación de la Virgen,* un cuadro lleno de devoción y serenidad que es rechazado por la crítica. Lo mismo ocurre con *Ecce Ancilla Domini! (La Anunciación)*, obra de 1849-1850, una composición luminosa y de gran armonía cromática por su empleo de tonos blancos que remite a las tablas primitivas del siglo XV; laborioso esfuerzo que es sonora-

Beata Beatrix.
DANTE GABRIEL ROSSETTI.

ROUSSEAU, HENRI

(Laval, 1844-París, 1910)

Pintor francés, conocido como «el aduanero Rousseau», se le puede considerar como un artista naif –naturalismo ingenuo que recuerda el arte de las culturas primitivas– con un genio indiscutible. Su obra es única y de gran influencia en el desarrollo pictórico de la primera década del siglo XX. Hijo de un hojalatero, tiene una infancia miserable y nómada. Una condena por un acto delictivo a los 19 años le obliga a enrolarse en el ejército, tomando parte en la guerra francoprusiana de 1870. Al año siguiente encuentra trabajo como empleado de arbitrios y aduanas, ocupación que abandona en 1884. Empieza a pintar hacia 1880 y, tras conseguir un puesto en el Museo del Louvre como copista, decide dedicarse por completo a la pintura. Desde 1885 exhibe sus cuadros en el Salón de los Independientes, exponiendo año tras año. La crítica, en principio entre irónica y decididamente sarcástica por considerar sus composiciones «divertidas e ingenuas», y verle como un autor de obras «poco serias, carentes de la menor trascendencia», acaba valorando su novedad y primitivismo, al tiempo que atrae el interés por los artistas de vanguardia, entre ellos **Gauguin**, admirador entusiasta de su obra en el Salón de 1892. En 1905 y en el Salón de Otoño sus cuadros son objeto de alabanzas por el sentido de la forma y la composición y la fuerza del colorido, aunque en general resultan poco comerciales. La miseria y la desgracia le acompañan de por vida y en 1907 es condenado a dos años de cárcel por una supuesta estafa en el Banco de Francia. Pablo Picasso, a quien conoce en 1905, le compra uno de sus cuadros y organiza una cena en su honor; allí acuden el pintor cubista Braque y el poeta Guillaume Apollinaire. También Kandinsky le compra una de sus obras. Entre éstas destacan *Tarde de carnaval* (1888), *Flores de poesía* (1890), *Tormenta en la jungla* (1891), *Gitana durmiendo* (1897), *La encantadora de serpientes* (1907), *La carreta del señor Juniet* (1908) o *Retrato del señor Joseph Brummer* (1908). En todas ellas demuestra, con colores simples y puros y nítidos contornos en el dibujo, un arte espontáneo, de apa-

Bosque virgen a la puesta de sol.
HENRI ROUSSEAU.

riencia sencilla pero altamente so-fisticado.

ROUSSEAU, THÉODORE

(París, 1812-Barbizón, 1867)

Pintor francés, es una de las mayo-res figuras del paisajismo y el crea-dor e inspirador de la **Escuela de Barbizón**. Sus inicios artísticos co-mienzan a los 14 años con el pintor clasicista Lathière y desde 1829 en la Escuelas de Bellas Artes de París con Charles Rémond. Interesado por el paisaje, hace copias en el Mu-seo del Louvre de obras de Claudio de Lorena, de los maestros holande-ses y, especialmente, de **Constable** y **Bonington**, pintores a los que ad-mira y que influyen en su obra. Desde muy joven pinta al aire libre, procedimiento poco habitual en el paisaje académico y experiencia que implica una técnica renovadora de

Encinas.
THÉODORE ROUSSEAU.

gran trascendencia. Da a conocer sus primeros cuadros en el Salón de 1831 y en el de 1834 vende uno de sus paisajes al duque de Orleans. Sin embargo, desde 1836, a partir de *La bajada de las vacas,* y durante

siete años consecutivos, sus com-posiciones son rechazadas por el ju-rado, compuesto de pintores aca-demicistas que no entienden los nuevos planteamientos estéticos de Rousseau. Alejado del gusto oficial y de las exigencias del mercado, ex-perimenta una dramática soledad y las dificultades de todo tipo que atormentan al artista romántico. Para realizar sus paisajes viaja desde 1830 por diversos departamentos franceses (Auvernia, Bretaña, Nor-mandía, etc.). Entre las obras de estos años destacan *El valle de Saint-Vincent* (1830) y *La avenida de cas-taños* (1837). Pero sus pinturas tam-bién recogen escenarios naturales de los alrededores de París, como *La llanura de Montmartre* (1835) o los estudios del bosque de Fontaine-bleau. Próximo a este lugar se en-cuentra la localidad de Barbizón, donde se asienta en 1840 y funda, junto a **Millet**, la escuela del mis-mo nombre. Los temas que elabora a partir de entonces son paisajes donde predominan los bosques y ár-boles o, bien, las espaciosas llanu-

Paisaje con labrador.
THÉODORE ROUSSEAU.

Los pequeños Hülsenbeck.
PHILIPP OTTO RUNGE.

R

ras, recogidos con una precisa y objetiva visión de la naturaleza, a base de una observación directa, al aire libre. Su pintura es realista, pero en ella se encuentra algo del dramatismo romántico, quizá en las tonalidades lúgubres y sombrías, en la sobria naturaleza y en la atmósfera melancólica que caracterizan sus composiciones paisajísticas. Los cuadros mencionados o *La linde del bosque* (1854) son bien significativos de tales rasgos. Una de sus innovaciones es la de pintar un mismo escenario en distintas estaciones del año o en distintas horas del día, un análisis que recogen los pintores del **impresionismo** y, en especial, **Monet**. El reconocimiento oficial le llega después de la revolución de 1848. La venta de sus cuadros y el presidir el jurado de pintura de la Exposición Universal de París en 1867 no le aparta de su tranquila y artística vida en Barbizón, donde muere a los 55 años.

RUNGE, PHILIPP OTTO

(Wolgast, 1777-Hamburgo, 1810)

Pintor, diseñador, poeta y teórico de la pintura alemán. Es el máximo representante de la pintura romántica alemana, junto con **Friedrich**, aunque cabría señalar que el **romanticismo** de Runge se mantiene

299

todavía cercano a un cierto clasicismo en la forma, sin llegar a la forma desbordada de la producción francesa. Comenzó su formación en Hamburgo con Herterich y Hardof, y más tarde estudió en la Academia de Bellas Artes de Copenhague y en la de Dresde, coincidiendo en esta última, en 1801, con Friedrich, junto con el que se opone de manera rotunda a las formas que impone el academicismo clasicista. Por su temática la obra de ambos pintores puede, en algunos aspectos, considerarse precursora del movimiento prerrafaelista inglés y del simbolismo, corriente que será muy cultivada en Alemania, debido a la tendencia idealista que, en general, se percibe en los artistas de este país. En su deseo de seguir formándose se dedica a

Café de Montmartre.
SANTIAGO RUSIÑOL Y PRATS.

copiar las obras del museo de Dresde, viéndose atraído fundamentalmente por las de Rafael y Correggio. En 1802 participa en un concurso cuya temática se refiere a la mitología griega, en concreto a la Odisea, siendo rechazado su boceto por Goethe. Sus bellos retratos, que realiza fundamentalmente a partir de 1803, año en que retorna a Hamburgo, están impregnados de sensibilidad que se transmite fácilmente al espectador, y la sensación de volumen que producen sus figuras es casi escultórica. Entre ellos, hay que destacar *Autorretrato con su mujer y hermano* (1805), *Los niños Huelsenbeck* (1805), *Sus padres* (1806) y *Autorretrato* (1809-1810). En relación a su actividad paisajística habría que indicar que su profunda espiritualidad se ve reflejada en ella llenándola de un cierto misticismo, como se puede observar en *La lección de canto del ruiseñor* (1804-

1805) y, en especial, en los bocetos que el artista realizó para la que es su obra más importante, *Las cuatro partes del día,* comenzada en torno a 1802, que es una alegoría sobre la vida humana de la que sólo realizaría *La mañana.* Como se aprecia en *Cristo sobre el lago de Tiberiades* (1806-1807), el autor refleja con gran claridad la religiosidad anteriormente mencionada.

RUSIÑOL Y PRATS, SANTIAGO

(Barcelona, 1861-Aranjuez, 1931)

Pintor, escritor y destacado representante del modernismo catalán. En su ciudad natal se inicia en la pintura con su maestro Tomás de Moragas realizando paisajes urbanos y rurales, dentro de un estilo tradicional. A finales de 1889 se

Rusiñol y Casas pintando.
SANTIAGO RUSIÑOL.

traslada a París y entra en contacto con **Casas** e Ignacio Zuloaga. Estudia en una academia de la avenida de Clichy que le aporta influencias de los impresionistas y simbolistas. En 1892 regresa a España y se instala en Sitges, estancia que alterna con continuos viajes a Francia y a otras regiones españolas para pintar paisajes. Obras como *Una lectora*, *Sinfonía* o *La morfina*, esta última de 1894, son exponentes de una peculiar interpretación del modernismo unida al simbolismo. En un viaje por Andalucía, en el invierno de 1896, comienza a pintar jardines y par-

El laboratorio de la Galette.
SANTIAGO RUSIÑOL.

Mar agotador.
ALBERT P. RYDER.

ques con una gran matización y riqueza de colorido, como se refleja en la serie de cuadros dedicados a los jardines del Generalife y de Aranjuez. Es de destacar la decoración de su casa Cau Ferrat, en Sitges, con frescos alegóricos de influencia prerrafaelista. En la actualidad es un importante museo.

RUSKIN, JOHN

(Londres, 1819-Brandtwood, 1900)

Pintor, crítico de arte y escritor inglés. Formado artísticamente en el transcurso de los viajes que realizó por Gran Bretaña y Europa, fue un reputado acuarelista y un notable dibujante e ilustrador, que dejó muestra de ello en las excelentes acuarelas y dibujos que realizó en Venecia. En sus primeras obras se deja influir por la pintura de **Turner**, hasta que encontró su propio estilo que, junto con su libro de crítica *Los pintores modernos,* influiría en los prerrafaelistas. En 1869 es nombrado profesor en Oxford y funda una escuela de dibujo, en la que enseña sus ideas a cerca de la renovación de las artes aplicadas. Con una conciencia social muy marcada, era partidario, al igual que **Morris**, de acercar el arte a la vida diaria del trabajador, y de que cumpliese una función social. Fue el crítico de arte inglés más influyente de su época y entre sus numerosos escritos sobre este tema el más conocido es *Pintores Modernos,* que comenzó a los siete años, ilustrándolo con dibujos de gran delicadeza. En pintura tuvo en muy alto concepto la obra de los pintores del Trecento italiano.

RUSSELL, WALTER WESTLEY

(Londres, 1867-1944)

Pintor inglés, destacan sus retratos y pinturas de interiores con figuras. Formado en la escuela de Bellas Artes de Westminster, expone su obra por primera vez en 1891. Su dominio en el género del retrato durante las primeras décadas del siglo XX le granjean el aprecio de la Royal Academy. Destacan *Retrato de Mr. Minney*, de 1920, y *Juliette*, de 1921.

RYDER, ALBERT PINKHAM

(New Belfdord, Massachussets, 1847-Elmhurt, 1917)

Pintor estadounidense, es uno de los representantes más genuinos de la corriente simbolista en su país, alcanzando unas cotas imaginativas dignas de los mejores ejemplos europeos. De formación académica y alumno del pintor Marshall, consigue varios premios en algunas de las exposiciones internacionales celebradas en Estados Unidos. Sus paisajes son intensamente personales. Los temas legendarios y las escenas literarias son los motivos más comunes de su pintura, como *Sigfrido y las hijas del Rhin*, *Macbeth y las brujas* o *La muerte sobre un caballo pálido*.

Lavanderas.
CASIMIRO SÁINZ SÁIZ.

R

El nacimiento del Ebro.
CASIMIRO SÁINZ SÁIZ.

gía mental, que logra imponer con gran tesón una visión humanista que dignifica a los enfermos mentales frente al desprecio y la violencia con que se les trata. En 1887 ingresa en el propio manicomio que el doctor Esquerdo dirige en Madrid. No obstante, durante sus últimos once años de vida la enfermedad le impide pintar.

SÁNCHEZ BARBUDO, SALVADOR

(Jerez de la Frontera, 1857-Roma, 1917)

Pintor español, especializado en temas de género histórico, trabaja

Retrato de Gabriel Faure.
JOHN SINGER SARGENT.

SÁINZ SÁIZ, CASIMIRO

(Matamorosa, Cantabria, 1853-Madrid, 1898)

Pintor español que destaca por sus paisajes y escenas de interiores con figuras. Es discípulo de **Palmaroli** en la Escuela de Bellas Artes de San Fernando de Madrid, gracias a una

beca que le concede la Diputación de Santander. Continúa el realismo paisajístico de **Haes** y obtiene premios en las exposiciones nacionales de 1881 y 1890. Son obras a destacar *Vista de un jardín, El nacimiento del Ebro* o *Huerto*. Padece unas crisis nerviosas de difícil diagnóstico. Le trata el doctor José María Esquerdo, brillante especialista en patolo-

principalmente en Sevilla, Londres y Roma. En esta última ciudad se hizo popular con *La última escena de Hamlet* (1884), obra que consigue la segunda medalla de la Exposición Nacional. También realiza algunas escenas satíricas y cos-

Monet pintando en la linde de un bosque.
JOHN SINGER SARGENT.

tumbristas dentro de la línea de **Fortuny**.

SARGENT, JOHN SINGER

(Florencia, 1856-1925)

Pintor estadounidense, es conocido fundamentalmente como retratis-ta. Pasa la mayor parte de su juventud en Europa, estudiando en Italia y Alemania y, desde 1874, en París, donde expone con buena fortuna sus retratos y obtiene el primer triunfo en el Salón de 1879 al que siguen otros galardones, a pesar de la crítica negativa que recibe el controvertido retrato de *Madame Cautreau*, también conocido como *Retrato de Madame X*. Entre sus retratos destacan el *Retrato de Charles Carolus Durán* (1879), *Isabella Stewart Gardner* (1888), *Las hermanas Wyndham* (1900) y *Retrato de la duquesa de Sutherland* (1904). Durante la primera década del siglo XX em-

La dama de la sombrilla.
JOHN SINGER SARGENT.

1816 a 1817 en la decoración al fresco de la Casa Bartholdy. En 1826 es nombrado director de la Academia de Düsseldorf. Su producción se caracteriza por la elección de temas religiosos realizados con un estilo delicado y laborioso, como *Los cuatro evangelistas* (en la iglesia Werder de Berlín) y *La Asunción de la Virgen* (en la iglesia de San Pablo de Aquisgrán). En su *Pietas y Vanitas*, de 1840, se refleja igualmente otro rasgo de las composiciones pictóricas de los Nazarenos: la referencia directa a los modelos tardogóticos y *quattrocentistas*.

SCHEFFER, ARY

(Dordrecht, 1795-Argenteuil, 1858)

Pintor, grabador e ilustrador de libros holandés, especializado en paisajes románticos de la escuela francesa. Formado en principio con su padre, que era pintor, más tarde completó su educación en París, donde pasó la mayor parte de su vida, con **Guerin** y **Prud'hon**. Su obra, muy popular en su época, al principio presenta temas literarios (*Francesca de Rímini,*1835), extraídos de Dante y Byron, de tipo greco-latino, con clara influencia de **David** en su estilo académico, y más tarde religiosos de carácter medieval (*San Luis visitando a los apestados,* 1822; *San Agustín y Santa Mónica,* 1854). También realizó retratos a las clases pertenecientes a alta sociedad o importantes personalidades de la cultura (*Retrato de Liszt*) y cuadros de historia, de gran formato. Sus escenas en general son bastante teatrales, con acusados contrastes de luces

pieza a realizar acuarelas con una notable técnica impresionista.

SCHADOW, WILHELM VON

(Berlín, 1788-Düsseldorf, 1862)

Pintor alemán, representante del grupo artístico de los **Nazarenos**. Hijo del escultor neoclásico Gottfried Schadow y hermano del escultor realista Rudolf Schadow.

Comienza su formación pictórica en la Academia de Berlín en 1808. Viaja a Roma en 1811 y se une a los nazarenos de la Hermandad de San Lucas a través de los pintores **Cornelius** y **Overbeck**. Allí realiza uno de sus cuadros más conocidos, *Los hermanos Schadow con el escultor Thorvaldsen* (1815), en el que se autorretrata junto a los dos escultores ilustrando la integración de las artes que pretendía el ideal estético de la Hermandad. Colabora de

y sombras y figuras excesivamente patéticas. Pintó pequeños cuadritos de tema costumbrista que fueron reproducidos en litografías. Otras obras importantes son *Los burgueses de Calais* (1819), *Muerte de Géricault* (1824), *La viuda del soldado, Regreso del inválido, Hallazgo del cadáver de Gastón de Foix, vencedor de Ravena* (1824) y *David Dángers*.

SCHICK, GOTTFRIED

(Stuttgart, 1776-1812)

Pintor de historia y retratista alemán, perteneciente a la corriente neoclásica. Desde 1787 a 1794 estudió en Stuttgart con **Friedrich** y posteriormente fue alumno de **David** en París. En 1802 se afinca en Roma, donde pasará nueve años, entrando en contacto con el ambiente cultural romántico de la capital italiana, a cuyas personalidades retrata en excelentes obras de gran clasicismo, dándose a conocer con el de *La hija de A. von Humboldt*. También representa escenas bíblicas y mitológicas, al estilo de Antón Rafael Mengs, como *Apolo entre los pastores*.

La muerte de Géricault.
ARY SCHEFFER.

SCHNORR VON CAROLSFELD, JULIUS

(Leipzig, 1794-Dresde, 1872)

Pintor alemán de temas religiosos y episodios de la historia medieval, es un claro representante del estilo más puro de la estética nazarena. Comienza sus estudios artísticos en el taller de su padre, Viet Hans Schnorr von Carolsfeld, continuándolos en la Academia de Viena. En esta ciudad comienza su producción artística, donde pinta *Contienda de tres caballeros cristianos y tres paganos* y *San Roque dando limosna*. En sus retratos aplica modelos medievales,

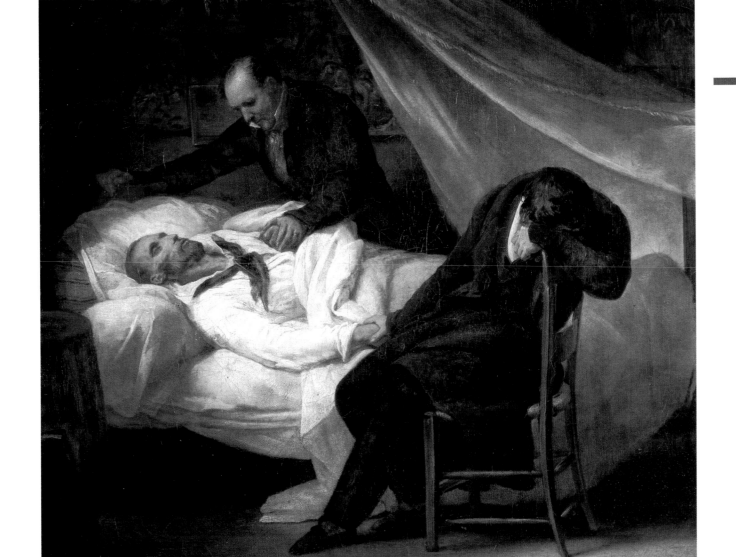

La sinfonía.
Moritz von Schwind.

como en el *Retrato de Clara Bianca von Quandt*, obra que refleja ya su colorido plano, así como la precisión de contornos y líneas de gran dureza, estilo que se acentúa a partir de su estancia en Roma, adonde llega en 1817. Se adhiere al grupo nazareno de la Hermandad de San Lucas, fundada por **Overbeck** y **Pforr**, y se incorpora a los trabajos de decoración al fresco del casino del marqués Carlo Massimo, donde se ocupa de las composiciones de la Sala Ariosto. A su estilo acerado se une ahora un colorido pálido y vago en creaciones que recogen modelos *quattrocentistas*, como se comprueba en su cuadro *Las bodas de Caná*, de 1819. En 1827 regresa a Alemania para ocuparse de la docencia de la Academia de Munich. En ese mismo año le reclama Luis I de Baviera para que decore la Residenz de dicha ciudad con temas inherentes a la historia legendaria de Alemania, como son las escenas de los nibelungos. Nombrado director de la Galería de Pinturas y de la Academia de Dresde en 1846, también sobresale su producción de dibujos de paisajes, diseños que, como gran parte de su obra, denotan la influencia que le ejerce Ferdinand Olivier. Entre sus dibujos de paisaje llama la atención *El Castillo de Wetlass en la Baja Austria*, producción temprana de 1815.

SCHWIND, Moritz von

(Viena, 1804-Munich, 1871)

Pintor austriaco, perteneciente al **romanticismo** tardío de la escuela alemana y enclavado dentro de tendencia Biedermeier. En Munich estudió con **Schnorr von Carolsfeld** y **Cornelius**, especializándose pronto en cuadritos de pequeños formato, cuyos temas están sacados sobre todo de las leyendas, cuentos, baladas y canciones populares. Ejecutados con un dibujo hábil, son de gran fuerza pictórica y expresiva, y están llenos de gracia, imaginación y lirismo. En ellos desfilan aldeas, castillos, personajes fabulosos, etc., que no existen en la realidad, y que están sacados del mundo de la fantasía, de lo popular o de los sueños y se hallan muy relacionados con el mundo medieval, al que fue uno de los pintores más fieles. Desprenden una alegría que los aleja ya de la gravedad del primer romanticismo. También realizó grandes composiciones murales, aunque el resultado fue irregular, y se aprecian en ellas ciertos convencionalismos y un colorido pobre, aunque esto es una característica bastante general de su pintura, en la que el color se subordina a un dibujo de gran fuerza expresiva y gracia, por lo que lo mejor de su producción son sus dibujos y grabados, así como la acuarela, que le permite mayor libertad expresiva. En 1853 decoró el castillo de Wartburg, y ya en su vejez, la Ópera de Viena (1865-1867), con murales en los que Mozart era el tema central, como muestra de su gran amor hacia la música. Así mismo realizó ilustraciones de poemas y cuentos, como los de Perrault, con una buena dosis de fantasía e ingenuidad. Entre su amplia producción pictórica hay que destacar *El sueño del prisionero* (1836), *Don Invierno* (1847), *Monje abrevando unos caballos, El rey Alder* (h. 1850), *El amanecer* (1858), *Krobus y la ninfa del bosque, El caballero de Falkenstein, Sobre el puente del Danubio* (h. 1860), *La

luna de miel (1862) y *El hada Melusina* (1868-1869).

Capilla en el bosque.
MORITZ VON SCHWIND.

SCOTT, DAVID

(Edimburgo, 1806-1849)

Pintor y grabador escocés. Hijo de un grabador, se inicia en la pintura a raíz de un largo viaje que realiza por Italia, desde el año 1832 hasta el 1834, en el trascurso del cual entra en contacto con los grandes maestros de la pintura italiana, que le ayudarán en su formación pictórica. Los temas que elige para su producción son el histórico y el alegórico, que realiza con un estilo bastante suelto, que recuerda a **Delacroix**. También realizó algún aguafuerte, así como la ilustración de una obra de Coleridge. Desde

1830 fue miembro de la Academia Escocesa. Entre las obras más importantes de su producción pictórica hay que destacar *Paracelso el al-

Monje abrevando unos caballos.
MORITZ VON SCHWIND.

Amor en la fuente de la vida.
GIOVANNI SEGANTINI.

∫

quimista enseñando, Aquiles evocando a Patroclo junto al cuerpo de Héctor, Wallace, defensor de Escocia* (1844) y *El vendimiador.*

SEGANTINI, GIOVANNI

(Arco, 1858-Schafberg, 1899)

Pintor italiano. Interesado por la vida rústica y los paisajes alpinos, su producción final se incorpora a la corriente pictórica simbolista. Desarrolla una técnica muy personal consistente en una paleta clara y toques disociados, yuxtaponiendo colores que consiguen efectos lumínicos y que contrastan con sombras muy acentuadas. Parte de una pintura realista y su primer éxito notable lo consigue en Milán, en 1885. Entre sus cuadros de temas rurales y escenas alpinas destacan *En el abrevadero, Regreso al país natal, Vaquería en la Engadine* (1887), *La cosecha de la patata* (1890) o *Recogida de heno* (1899). En

los últimos años de su vida se entrega a investigaciones simbólicas y visiones místicas, muchas veces inspiradas en la obra de los prerrafaelistas, como *El ángel de la vida* (1894), o bien en las composiciones de **Böcklin**. *Las madrastras* o *Amor en la fuente de la vida* son obras que pueden considerarse ejemplos significativos e importantes del simbolismo y modernismo europeos. Muere a los 40 años en Suiza, mientras realiza un gran tríptico alegórico para la Exposición Universal de 1900, *Naturaleza, vida y muerte.*

SEQUEIRA, DOMINGO ANTONIO DE

(Belem, 1768-Roma, 1837)

Pintor y diseñador portugués. Inicialmente dentro de la corriente neoclásica, aunque con posterioridad se deja influir por la tendencia romántica, como puede apreciarse en su cuadro *Ascensión* (1832), es valorado como uno de los más importantes pintores portugueses. Su for-

mación comenzó en Lisboa y en 1788, gracias a una beca, viaja a Roma, pensionado por la reina María I de Portugal, donde fue discípulo de Antonio Cavallucci y de Domenico Corvi. Está considerado, junto con Francisco Vieira Portuense, precursor del movimiento romántico en Portugal y, al igual que éste, realiza pinturas de tema religioso, de género e histórico, aunque lo más sobresaliente de su producción son los retratos, gran parte de los cuales se hallan en el Museo de Lisboa. En este último género, en el que se manifestó como un innovador, hay que subrayar su elegancia y la cercanía del **romanticismo**, con originales efectos de claroscuro, así como, en algunos, ciertas similitudes con **Goya**, e incluso se perciben características de otras corrientes posteriores, como se ve claramente en *Las hijas del artista*, cuadro en el que ya se aprecian algunas características que harán que ciertos autores le conside-

Ángelus a bordo.
GIOVANNI SEGANTINI.

Niñita con melocotones.
VALENTIN ALEXANDROVICH SEROV.

ren precursor de **Manet**. En los primeros años de la década de los noventa ingresa en la Academia de San Lucas de Roma, debido a la aceptación que tuvo su cuadro *Degollación de San Lucas*. Tras viajar por Italia y contemplar a los grandes maestros italianos vuelve a Portugal, donde, gracias a su fama, que ha traspasado fronteras, recibe numerosos encargos, como el de dirigir las obras decorativas del palacio de Ajuda. En 1802 es nombrado pintor de cámara de Juan VI, después de haber pasado siete años en la cartuja de Laveiras, donde pone su pintura al servicio de la orden y refleja la temática religiosa al viejo estilo tenebrista *(Vida de San Bruno)*. De 1805 a 1808 se hace cargo del Aula de Diseño de Oporto en sustitución del fallecido Francisco Vieira Portuense. Tras la invasión francesa, ya en Lisboa, tiene problemas con sus compatriotas debido a su ambigüedad política que le llevó a realizar un cuadro, *Alegoría de Junot protegiendo a Lisboa*, que es interpretado como un claro apoyo a los, en su momento, invasores. Este episodio produce una enmienda pictórica, que se refleja en cuadros de signo contrario, y que pretenden limpiar su imagen como *Lisboa protegiendo a las víctimas de la invasión francesa* y *El genio de la raza defendiendo Religión, Trono y Patria*, etc. Durante el proceso revolucionario de 1820 es nombrado presidente perpetuo de la Academia y recibe el encargo de realizar una alegoría de la Constitución de 1822, pero la llegada de la restauración le obliga a exiliarse en Europa, realizando un periplo que le lleva por Londres, París y

Roma. En su obra, en la que destaca su dominio del dibujo, se pueden rastrear diversos estilos de una calidad desigual, con inclinación hacia los colores suaves, aunque siempre dentro del romanticismo, pero, por el buen nivel de calidad obtenido en alguna de sus grandes composiciones, hace que muchos críticos lo consideren «el Goya portugués». De su obra europea, que es la más importante por su calidad de toda su producción, se pueden destacar *Muerte de Camoens, Huida a Egipto, El descendimiento* y *Epifanía*.

SEROV, VALENTIN ALEXANDROVICH

(San Petersburgo, 1865-Moscú, 1911)

Pintor ruso, perteneciente a la corriente del **realismo**. Educado en un ambiente artístico, estudió en la Academia de San Petersburgo, siendo su maestro Ilya Riepin, que le influirá, especialmente, en su obra inicial. En esta primera fase se muestra como un impresionista e incluso se detectan ya algunos atisbos del **posimpresionismo** *(Niñi-*

Reclinado sobre el parapeto.
GEORGES SEURAT.

ta con melocotones, 1887). Posteriormente continúa su formación en París, donde participó en la Exposición Universal de 1900 en la que expone alguna de sus obras y que le supone un galardón. Producto de su relación con Europa,

su estilo se hace más íntimo y se acerca a la línea estética dominante en el momento en el occidente del continente (mostrando una inclinación más marcada hacia el estilo de Vouillar); aunque dentro del realismo, su arte se aproxima más al estilo elegante y refinado del modernismo. Se dedicó fundamentalmente al retrato, del

que fue un destacado practicante, dedicándose a partir de los años noventa, sobre todo, a retratar a personalidades del mundo de la cultura. También fue un excelente paisajista, con un estilo entre el realismo y el impresionismo. Como ilustrador realizó miniaturas de contenido costumbrista relacionado con escenas de caza, a la que era muy aficionada la familia real. De su producción pictórica hay que destacar *Retrato de Francesco Tamagno* (1891-1893), *Retrato del pintor Korovin* (1891), *Octubre* (1895), *Leviatán, Retrato de S. M. Botkina* (1899), *Pedro I* (1907), *Otoño, El crepúsculo* y *Retrato de la condesa de Yusopova.*

Joven sentado.
GEORGES SEURAT.

SEURAT, GEORGES

(París, 1859-1891)

Pintor francés, es el iniciador y máximo representante del movimiento neoimpresionista. Recibe su primera enseñanza artística en la Escuela de Bellas Artes de París, bajo la dirección de un discípulo de **Ingres** y

mientras estudia comienza a interesarse por la literatura científica, en
concreto por las teorías de Rood,
Helmholz y, especialmente, por las
de Chevreul, autor que expone sus

conocimientos sobre los efectos de
la luz en *La educación del espíritu de
las formas* y *Educación del espíritu de
los colores*. Desde 1882 aplica las teorías a su pintura y en 1884 com-

pone *Bañistas en Asnières*, grandiosa
escena de un domingo en los alre-

Joven empolvándose.
GEORGES SEURAT.

Canal Gravelines junto al mar.
GEORGES SEURAT.

dedores de París. Es el manifiesto de la pintura divisionista, puntillista o neoimpresionista, técnica que consiste en descomponer los colores en sus elementos primarios y aplicarlos con pinceladas diminutas, casi puntos, siguiendo un método sistemático, lento y reflexivo. La obra, sin embargo, es rechazada en el Salón oficial y Seurat la presenta en el Salón de los Independientes. La composición llama extraordinariamente la atención y de inmediato **Signac**, entre otros artistas, se une al nuevo movimiento plástico. En 1886 se instala en Honfleur y fi-

Grand-Camp atardecer.
GEORGES SEURAT.

expresividad y realismo. Tiene ciento treinta y seis estampas de gran originalidad y caracterizadas por el empleo de brillantes colores y pureza en los trazos, así como por su gran capacidad para captar la psicología de los retratados.

SHEE, Sir Martin Archer

(Dublín, 1769-Brighton, 1850)

Pintor, escritor y crítico de arte irlandés. Cursó estudios de pintura en la escuela de dibujo de su ciudad natal y posteriormente, con Reynolds como maestro, en la Royal Academy de Londres, ciudad en la que se instala desde 1788. Allí se dedicó a retratar personajes de las clases acomodadas de la ciudad, con lo que se convirtió en el más importante retratista después de Thomas Lawrence, y con un estilo que recuerda tanto a éste como a **West**, por su precisión; y durante

Pintor trabajando.
GEORGES SEURAT.

naliza lo que se considera su obra maestra, *Un domingo en la isla de la Grande-Jatte*, composición en la que aplica el puntillismo cromático con unos resultados de fría perfección. Otras obras a destacar son *Las presumidas*, finalizada en 1888, aunque para muchos historiadores sus obras más significativas son *La parada* (1887-1888) y *El circo*, composición que queda inacabada a su muerte.

SHARAKU, Toshusai

(Tokio, h. 1770-h. 1825)

Pintor y grabador en madera japonés, del que se desconoce casi todo lo relativo a su vida. Desde 1794 se dedicó al grabado. Pertenecía a la escuela de estampas policromas Ukiyo-e, que supusieron una renovación del paisaje, el retrato y las escenas de género, junto con **Hiroshige** y Korusai, entre otros, y conocido por sus retratos de actores del kabuki, ataviados y maquillados para la interpretación, para lo que realiza multitud de dibujos de gran

Comediante de teatro kabuki.
TOSHUSAI SHARAKU.

Bañistas en Dieppe.
WALTER RICHARD SICKERT.

muchos años fue también retratista de la corte. En 1800 es nombrado miembro de la Royal Academy y, en 1836, presidente. De su producción pictórica es necesario señalar *Mister Storer, Reina Adelaida, Reina Victoria, Guillermo IV, Carlos Keppel* y *Autorretrato.*

SICKERT, WALTER RICHARD

(Munich, 1860-Bathampton, 1942)

Pintor de paisajes, nacido en Alemania e hijo de un pintor danés afincado en Inglaterra. Se le considera un destacado representante del **impresionismo** inglés, aunque su evolución pictórica tiende a alejarse de este movimiento. Iniciado por su padre, en 1881 una beca le permite estudiar pintura en Londres, donde **Whistler** le anima a aprender la técnica del grabado y le recomienda a **Degas**, cuya obra le influye notablemente. Tras un viaje a Munich, Viena y Milán, durante el cual se dedica a la pintura al aire libre, inicia un estilo muy próximo al impresionismo que conoce a través de sucesivas visitas a París. Sus temas preferidos son escenas urbanas de Viena, Dieppe y Venecia, figuras femeninas e interiores de ca-

fés, *music-halls* y teatros, así como retratos. La influencia de Whistler le conduce a derroteros más próximos al **posimpresionismo**. El uso constante de colores oscuros y de tonalidades sombrías provocan una pintura de carácter pesimista. En 1911 funda el llamado grupo de Canden Town del cual nace una formación vanguardista de arte independiente. Durante la primera guerra mundial se establece en Bath y se concentra en el estudio de la luz y los efectos atmosféricos, como demuestra en los paisajes y vistas que hace de Bath y Brighton. En la década de 1920 es miembro y profesor de la Royal Academy de Londres, donde reside hasta su muerte. Entre sus obras destacan las numerosas *Vistas de Dieppe* y de Venecia, *El café concierto* y *Joven muchacha.*

SIGNAC, PAUL

(París, 1863-1935)

Pintor francés, forma parte del grupo de los neoimpresionistas, destacando su técnica divisionista o puntillista. Empieza a pintar a los 19 años, pero no se consagra por entero a la pintura hasta 1882 y a través de la influencia de **Monet** y **Guillaumin**. Funda en 1884, con **Redon** y **Seurat**, la Sociedad de Artistas Independientes, grupo al que se unen numerosos pintores del momento y exponen sus obras fuera de los círculos académicos y oficiales, rehabilitando así el desaparecido Salón de los Rechazados y convirtiéndose en el jefe de la sociedad, a la muerte de Seurat (1891), durante más de veinte años. En la exposición organizada en 1884 contempla asombrado la

El desayuno.
PAUL SIGNAC.

técnica realizada por Seurat en el cuadro *Un domingo por la tarde en la Grande-Jatte*, manifiesto del divisionismo, un proceso laborioso y lento en el que el pintor a través de infinitos puntos y diminutas pinceladas de colores puros y yuxtapuestos consigue mezclarlos en la mirada del espectador. Desde ese momento aplica esta técnica a todas sus composiciones y se convierte en el teórico del grupo, escribiendo un conocido texto que se publica en 1899: *De Éugene Delacroix al neoimpresionismo*. En su obra destacan las series dedicadas a los

Salida del puerto de Marsella.
PAUL SIGNAC.

muelles de París, al puerto de la Rochelle y a las vistas de Saint-Rafael o de Antibes, paisajes naturales y urbanos que va encontrando en sus numerosos y continuos viajes. Durante unos años se establece

Suburbio Porta Adriana en Ravenna.
TELÉMACO SIGNORINI.

S

en Saint-Tropez (desde 1892 a 1911). Sus cuadros son de un gran lirismo, y entre ellos cabe mencionar *Nuestra Señora de París*, *El puente de los papas* (1912), *El puente nuevo de París*, *El puente de las Artes* (1914) y *Antibes por la tarde* (1914).

Campos de trigo.
ALFRED SISLEY.

SIGNORINI, TELÉMACO

(Florencia, 1835-1901)

Pintor, grabador y escritor italiano, es uno de los principales artistas del grupo de los **Macchiaioli**, además de teórico y memorialista de esta escuela pictórica. De personalidad brillante y agitada, es un político activo del «risorgimento» italiano y destacado garibaldino. Pinta desde al aire libre muy joven, tanto paisajes como escenas de un acusado realismo, de tonos empastados que contrastan con ciertos motivos sombríos. En sus trabajos costumbristas roza la crítica social y refleja su postura de pintor comprometido. Destacan sus cuadros *Mercado viejo*, *Puerta de Ravena*, *El gheto*, *Riomaggiore* (1890) y *Niños dormidos* (1896), pero su obra

Paisaje.
ALFRED SISLEY.

$\int$

más conocida es *El asilo de las locas de San Bonifacio*, de 1865. Sus viajes a París y Londres, y sus contactos con pintores impresionistas hacen evolucionar su obra que deriva hacia una pintura más próxima a **Manet**.

SISLEY, ALFRED

(París, 1839-Moret-sur-Loing, 1899)

Pintor anglo-francés, está considerado uno de los artistas más puros del movimiento pictórico impresionista. De padres ingleses, nace en París y hasta 1870 su relación con la pintura es la de un aficionado. Su amistad con **Monet** influye en su estilo y pronto se integra con los impresionistas, mostrando su obra en la primera exposición del grupo, organizada en 1874 en el salón del estudio del fotógrafo Nadar. Sus obras son composiciones sencillas, paisajes casi siempre, que interpretan parajes de los alrede-

319

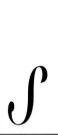

El canal Saint-Martin en París.
ALFRED SISLEY.

dores de París. Toda la comarca de L'Île-de-France se encuentra representada en sus cuadros al óleo con delicados colores y luces pálidas. Su interés se centra en la búsqueda de los efectos atmosféricos, en estudiar el reflejo del sol en el agua o el resplandor y la luminosidad de la nieve. Son significativos en este sentido *Inundación en Port-Marly* (1876), *Huerto y árboles en flor* (1877) y *Nieve en Louvecinnes* (1878). Otras obras son *El Sena en Saint-Mames*, *Puente de Moret-sur-Loing* o *Camino en tiempo de nieve*. En 1879 se establece en la pequeña localidad francesa de Moret-sur-Loing hasta

el fin de sus días, donde continúa su obra con un estilo que se amanera y adquiere ciertos rasgos melancólicos.

SOROLLA Y BASTIDA, JOAQUÍN

(Valencia, 1863-Cercedilla, 1923)

Pintor español vinculado al **impresionismo** y representante de la pintura «pleinairiste» o al aire libre. De familia de artesanos, su formación artística se inicia en Valencia, donde asiste a las clases del escultor Cayetano Capuz; en 1878 pasa a estudiar en la Escuela de Bellas Artes de San Carlos. En 1881

viaja a Madrid y se interesa por los grandes pintores del Siglo de Oro del Museo del Prado. Una beca le permite en 1884 ir a la Academia de Bellas Artes en Roma para continuar sus estudios. Un año después realiza su primer viaje a París y entra en contacto con los pintores que trabajan al aire libre, práctica que trae consigo a su vuelta a España y que se confirma en su estancia en Biarritz, donde pinta con **Beruete**. Su primer academicismo es, en consecuencia, desplazado por su creciente interés hacia los efectos lumínicos. Entre sus primeras obras destacan algunos temas de fuerte contenido social, como *Y aún dicen que el pescado es caro* (1894), cuadro que le reporta un prestigio impor-

Niña saliendo del baño.
JOAQUÍN SOROLLA.

tante en Madrid y París. Relacionado con el impresionismo, hace de esta corriente una interpretación personal basada en el protagonismo absoluto de la luz, el color y la plasmación del movimiento de las figuras. *Niños en la playa* o *Paseo a orillas del mar*, realizados en la primera década del siglo XX, son claros exponentes de su preferencia por las playas y los temas marinos, especialmente levantinos, creados con maestría en colores claros e intensos y una pincelada de gran libertad. Deja una profunda huella entre los pintores valencianos, incluso hasta el punto de configurarse espontáneamente una corriente

La venta del pescado.
JOAQUÍN SOROLLA.

El cartero de Rosenthal.
CARL SPITZWEG.

de «sorollistas». Entre las distinciones que se le otorgan trasciende su nombramiento como académico en la Academia Francesa de Bellas Artes y en la de San Fernando de Madrid. En 1911 recibe el encargo de decorar con grandes telas murales el edificio que alberga la Hispanic Society of America en Nueva York. Con ese fin, se abocó durante más de diez años a componer un gran friso de pinturas costumbristas y festivas de las diversas regiones españolas. En su abundante producción se incluyen numerosos retratos. Sin duda, lo más importante de su carrera ha sido la influencia que ha ejercido en la pintura española a través de su espíritu renovador, así como la vigorosa presencia de la luz en el tenebroso ambiente del siglo XIX. En 1920 una enfermedad interrumpe definitivamente su creatividad.

SPITZWEG, CARL

(Munich, 1808-1885)

Pintor, diseñador, grabador e ilustrador alemán, es el más destacado representante del **romanticismo Biedermeier**. Comenzó su carrera pictórica bastante tarde, y con una formación autodidacta, gracias a la observación y copia de los maestros holandeses del siglo XVII. Instalado en su ciudad natal, desde 1830 a 1840 colabora con ilustraciones y dibujos, sobre todo caricaturas, con distinta publicaciones de prensa. Pinta también cuadros de pequeño formato y carácter narrativo, en los que refleja la vida cotidiana de su ciudad, sobre todo

La playa de Boulougne.
PHILIP WILSON STEER.

la de la burguesía, en calles y plazas, con cantidad de detalles anecdóticos (que manifiesta su gran capacidad observadora) y en los que retrata con sentido del humor, alegría y agudeza psicológica los tipos humanos más característicos, tratados con ternura y amabilidad, en composiciones sencillas y con luces matizadas, que nos remontan a la pintura de los holandeses del siglo XVII. Después pintará también paisajes de sentido romántico y de agradables tonalidades y atrevidas composiciones, en los que se aprecia la influencia de la **Escuela de Barbizón**, sobre todo de **Díaz de la Peña** y de **Delacroix**, así como de **Constable**, cuyas obras estudió en sus viajes a Londres y París; en ellos la sensación atmosférica está perfectamente conseguida. Entre sus obras destacan *El poeta pobre* (1839), *Serenata del barbero de Sevilla*, *El cartero de Rosenthal*, *El aficionado a los cactus* (h. 1845), *La carta de amor* (1845-1846), *El bibliófilo* (1852), *El adiós* (1855), *Serenata española* (1864) y *Descanso al atardecer*.

STEER, PHILIP WILSON

(Birkenhead, 1860-Londres, 1942)

Pintor inglés, formado en París, en la Escuela de Bellas Artes y en la Academia Julian, su estilo pictórico queda ligado a la estética característica de los años en torno a 1900, con una clara influencia del pintor ecléctico y posimpresionista **Whistler**. Cultiva el paisaje y el

323

Georges Washington.
GILBERT STUART.

Alfredo y su madre y *Mary Ann, esposa de Leonard Collmann,* se aprecia una clara influencia de **Watts**.

STEVENS, ALFRED ÉMILE

(Bruselas, 1823-París, 1906)

Pintor belga. Criado en una familia de artistas, recibió formación en principio en Bruselas y en 1844 se instala en París, ciudad en la que aprende pintura con **Navez** y, al parecer, con **Ingres**, y en la que desarrolla casi toda su actividad artísti-

La playa de Walberswick.
PHILIP WILSON STEER.

retrato con una luminosidad y un ritmo decorativo de gran cromatismo.

STEVENS, ALFRED

(Blandford, 1817-Londres, 1875)

Escultor, pintor y diseñador inglés. En 1832 a 1842 estuvo en Italia para estudiar y allí conoció a Thovalsen y se dedicó con él a la escultura. También observó y estudió la obra de los grandes maestros del Renacimiento, sobre todo la de Rafael. Al volver a Londres fue profesor de dibujo y diseño en dicha ciudad, y desde 1856 se dedica a producir diseños industriales, que tendrán gran eco. En pintura se dedica fundamentalmente al retrato, en alguno de los cuales, como *El rey*

Escena de familia.
ALFRED STEVENS.

Madre e hijo.
THOMAS SULLY.

res con jóvenes mujeres, pertenecientes a la burguesía, en las que la clara influencia de **Courbet** que se apreciaba en sus primeros cuadros casi desaparece aquí, a pesar de que el **realismo** se mantenga, especialmente en el cuidado y perfecto tratamiento de las telas. Recibe múltiples encargos y realiza alguna exposición de su obra, como la de 1900, en la Escuela de Bellas Artes. Su pintura se ve influida por el arte japonés, tan de moda en su época, siendo uno de los primeros aficionados, junto con **Wistler**, a este arte en su faceta más decorativa, la de las estampas coloreadas de la escuela Ukiyo-e. Sus últimas obras son paisajes costeros y escenas marineras, de un estilo más suelto y libre, cercano al **impresionismo**. Influyó en **Tissot** y **Sargent**. De su producción pictórica cabe destacar *Flores de otoño* (1867), *Panorama del siglo* (1879-1889), hoy desaparecida, y *Entrada al baile.*

STUART, GILBERT

(North Kingston, Rode Island, 1755-Boston, 1828)

Pintor norteamericano, destacado retratista. Entre 1775 y 1792 se instala en Londres, donde acude a formarse con **West** y cultiva el retrato, siguiendo la tradición europea, que popularizará entre sus compañeros estadounidenses, y con él refleja fielmente, a su vez, la imagen de la sociedad de su época. Su estilo, caracterizado por la minuciosidad en el detalle, el exquisito tratamiento de los ropajes, y por su afición a un cromatismo bri-

ca. Sus cuadros, que representan el ambiente cortesano y burgués de la sociedad francesa, dentro del estilo realista aprendido de su maestro y en boga en el momento que le tocó vivir (el Segundo Imperio) consiguen una gran popularidad, a partir de 1860, sobre todo los de interio-

llante, así como por una pincelada suelta y cargada, que llega a aplicar directamente sobre la tela, sobre todo en la ultima etapa de su obra, le llevan a ser muy solicitado como retratista por los personajes de la época, junto a Thomas Gainsborough y sir Joshua Reynolds, de los que a su vez recibe una fuerte influencia pictórica, al igual que, en general, de la escuela inglesa del siglo XVIII. En su producción consigue crear a veces ambientes que apoyaban una cierta visión psicológica del modelo. La fama que alcanzó durante su estancia en Londres le acompaña a su vuelta a su país, en 1793, en el que trabajó en las ciudades de Filadelfia, Washington y Boston, siendo inmediatamente acogido como el retratista de la alta sociedad. De su producción cabe destacar los retratos de *Mrs. Richard Yates, Reynolds, Autorretrato, Benjamin West, Pérez Morton, John Henderson, John P. Remble, W. Woollett, Robert Shaw* y *Burton Conyngham,* así como la serie de retratos de *Georges Washington* que realiza a partir de 1795.

STUCK, FRANZ VON

(Tettenweis, 1863-Munich, 1928)

Pintor y escultor alemán, es uno de los artistas que se integran en la *sezession* vienesa fundada por **Klimt**. Formado en la Academia de Munich (1882-1884), sigue la línea de este creador vienés al realizar cuadros con un claro contenido simbólico y alegórico, como *El pecado, La guerra* o *La expulsión del Paraíso,* así como composiciones mitológicas que recuerdan el estilo pictórico de los simbolistas (*La amazona, Medusa* y *Orestes*) dentro de la tónica de-

cadentista que caracterizan los últimos años del siglo XIX.

SULLY, THOMAS

(Horncastle, 1783-1872)

Pintor de procedencia inglesa, que a temprana edad se traslada con su familia a Estados Unidos, donde inició su formación artística en la ciudad de Nueva York, trabajando con **Trumbull** y **Stuart**, entre otros pintores norteamericanos, y que posteriormente, en 1809, completa bajo la dirección de **West** y del retratista Thomas Lawrence en Londres, del que hereda el colorido delicado y la pincelada suelta. En 1811 se establece en la ciudad de Filadelfia, donde retrata a un buen número de personajes, entre ellos

El corro de primavera.
FRANZ VON STUCK.

los presidentes Thomas Jefferson, James Madison y Andrew Jackson, gracias a los cuales se revela como el más brillante retratista americano de entre los pintores de la primera mitad del siglo XIX, que experimentaron la influencia de Gilbert Stuart. Entre sus retratos, en los que destaca el **realismo** con que trata a los retratados, y hay ya un tono romántico en su empleo del color, con el que sugiere sensaciones de melancolía y un cierto aire ensoñador, cabe destacar los de *George Frederick Cooke, Thomas Jefferson, La Reina Victoria,* el general *Lafayette* y *La estudiante.* También se dedicó a la realización de cuadros de contenido histórico, cuya principal obra es *Washington pasando el Delaware.*

327

Retrato de Ángela Tejeo.
RAFAEL TEJEO

TEJEO, RAFAEL

(Carava, 1798- Madrid, 1856)

Pintor español de formación neoclásica, formado en la Academia de Bellas Artes de San Fernando con **Aparicio**. En 1822 se traslada a Roma, ciudad en la que reside hasta 1827. Sus primeras composiciones son de tema religioso, aunque también produce obras sobre asuntos mitológicos e históricos. Obras como *La última comunión de San Jerónimo* o *Hércules y Anteo* revelan su estilo dibujístico, frío y academicista. Desde 1846 hasta su muerte se dedica de lleno al retrato, pro-

ducción ya claramente romántica que adquiere un gran éxito entre la burguesía madrileña.

THOMA, HANS

(Bernau, 1839-Karlsruhe, 1924)

Pintor, litógrafo y grabador alemán. Estudió en la Escuela de Arte de Karlsruhe, siendo discípulo de Johann Wilhelm Schirmer, entre otros maestros. Más tarde trabaja en Düsseldorf, antes de marchar, en 1867, a París, donde entra en contacto con los grandes maestros del momento, entre ellos, **Courbet**, por el que se siente atraído y se deja influir, especialmente en su juventud, al igual que por los paisajistas

de la **Escuela de Barbizón,** aunque el estilo de Thoma es más lírico y romántico. Más tarde, hacia 1870, fija su residencia en Munich, siendo uno de los periodos más fecundos de su vida artística. En esta ciudad conoce al paisajista William J. Müller, que le influirá en los paisajes que él realiza, así como a **Friedrich**, **Richter** y **Schwind**, sumergiéndose entonces de lleno en la tendencia nacionalista del **romanticismo** alemán, con gusto por lo legendario, y realiza paisajes en los que mezcla **realismo** e idealismo, con un toque poético y romántico, y en los que aparecen, a veces, seres fabulosos mezclados con los reales (*Paisaje de la Selva Negra con cabras,* 1872; *La cascada,* 1875). En el tratamiento de los campesinos, en especial, practica un original naturalismo, de gran austeridad, representando con maestría los sentimientos más simples y primitivos, como se puede apreciar en *El corral* (1870), *La lección de la abuela* (1878), *Violinista de aldea,* etc., que lo convierte en uno de los más importantes representantes alemanes en esta corriente en su país. En Munich también conoce a **Böcklin** y **Leibl**, e influido por ellos pinta alegorías, como *Niños bailando la ronda* (1872). En 1874 viaja a Italia, donde estudia la obra de los grandes maestros del Renacimiento, cuya influencia incorpora a las ya recibidas, originando un estilo en el que las figuras están excesivamente estáticas, pero impregnado de poesía y misticismo. En 1876 cambia su residencia a Frankfurt, donde continúa trabajando el tema mitológico, tan del gusto de la época, como el religioso, al que tan bien se prestaba su estilo (*Cristo en el huerto de Getsemaní,* 1889). En 1899 fue nombrado profesor de la Academia de Bellas Artes de Karlsruhe y, posteriormente, director del museo de dicha ciudad. En su extensa producción, que tocó todos los géneros, incluso fue un gran ilustrador y decorador mural, también roza el modernismo y el simbolismo, corriente de gran repercusión en Alemania. Reprodujo la mayoría de sus cuadros en litografías y aguafuertes, para hacerla más accesible a la gente de menos recursos. Entre sus numerosas obras hay que citar *El artista con su madre y su hermana* (1866), *Al sol* (1867), *El poeta Martin Greif, Joven en la barandilla, El lago Garda* (1866), *Vista del Rhin en Laufenbour* (1870), *Idilio de Primavera* (1871), *El artista con el amor y la muerte* (1875), *Lección de la*

Vista del Rhin en Laufenbour.
HANS THOMA.

abuela (1878), *Flora* (1882), *Niño montado en un pájaro* (1885), *Autorretrato,*, *La soledad,* (1898), *Nacimiento de Cristo, Tentación de Cristo* y *Huida a Egipto.*

TISCHBEIN, FRIEDRICH AUGUST

(Maastricht, 1750-Heidelberg, 1812)

Pintor alemán, retratista de diversas cortes centroeuropeas, sus obras finales se inscriben dentro de la pintura neoclásica. Pertenece a una nu-

Goethe en la campiña romana.
JOHANN HEINRICH WILHEILM TISCHBEIN.

Retrato de James Tissot.
EDGAR DEGAS.

merosa familia de pintores de Essen. Sus primeros maestros son su padre, Johann Valentin Tischbein, y su tío, Johann Heinrich Wilhelm **Tischbein**, retratista de corte. Los viajes y estancias en el extranjero le ponen en contacto con las corrientes clasicistas, sobre todo en Roma, donde conoce a Mengs y **David**, así como a retratistas ingleses allí establecidos que influyen a lo largo de su trayectoria. Al regresar trabaja en Kassel, Dessau y Leipzig como retratista innovador para la familia del príncipe heredero de Weimar. Entre sus retratos destacan los de *Christiane Amalie de Anhalt-Dessau, Duque Karl August de Sajonia-Wei-*

mar y el de la *Condesa Theresia Fries.* En 1800 es nombrado director de la Academia de Leipzig.

TISCHBEIN, JOHANN HEINRICH WILHELM

(Haina, 1751-Eutin, 1829)

Pintor y grabador alemán, sobrino de Johann Heinrich Tischbein –pintor dedicado al retrato cortesano–, su producción abarca el retrato, el paisaje y los cuadros de historia. Su obra más conocida es *Goethe en la campiña romana,* retrato del escritor en un escenario natural, en actitud antigua y con ropajes muy teatrales, realizado en 1786-1787 en Nápoles, ciudad en que es nombrado director de la Academia. En 1800 se instala en Hamburgo y, en 1808, en Eutin para trabajar al servicio del duque de Oldenburgo. Destacan sus grabados y dibujos, inspirados en la Antigüedad clásica.

TISSOT, JAMES

(Nantes, 1836-Bouillon, 1902)

Pintor y artista gráfico francés. Discípulo de **Flandrin** y Louis Lamothe, sus primeras obras, de temática histórica la mayoría y de carácter romántico y medievalizante, las expuso en el Salón en 1859. Después, hacia 1864, y hasta finales de los setenta la temática preferida para sus obras será la de delicadas escenas de la vida cotidiana de la alta sociedad del momento, en las que la mujer desempeñaba un papel importante, ataviada a la moda, y que serían muy demandados por el público, como *Baile a*

Los pintores y sus mujeres.
JAMES TISSOT.

bordo (1874). En 1871 se ve obligado a exiliarse en Londres, donde alcanza también una gran fama gracias a sus cuadros de carácter mundano, en los que retrata a las capas altas de la sociedad, con un estilo realista y elegante, sin intención crítica ni reformista; especial mención merece el tratamiento que da a los vestidos de ricas telas de sus modelos. También alcanzó gran notoriedad como retratista, sobre todo desde 1880 y como caricatu-

rista de humor, colaborando con la revista *Vanity Fair.* En 1882 regresa a Francia y, después de ejecutar y exponer una serie de pinturas en París, cuyo tema era la mujer parisina y sus distintos modos de vida, *Mujer en París,* en 1888 una especie de «conversión» hace que se dedique desde entonces a la pintura de tema religioso, sobre todo saca-

Annie Hall.
JAN TOOROP.

dos de la Biblia, tanto en óleos como en «gouaches», cuya fama traspasó el Atlántico.

TOOROP, JAN

(Poerworedjo, 1859-La Haya, 1928)

Pintor y grabador holandés, formado en la Academia de Bellas Artes de La Haya. Viaja por Holanda, Bélgica —donde toma contacto con los pintores **Khnopff** y **Ensor**—, Francia, Inglaterra e Italia. Al principio su obra responde al movimiento impresionista (etapa en la

Mujer con vestido de noche.
HENRI DE TOULOUSE-LAUTREC.

que destaca *Músicos ambulantes en las calles de Londres*), pero posteriormente su temática es esencialmente religiosa relacionada con la corriente simbolista y modernista. *Venus en el mar* y *El jardín de los dolores* son representativos de esta última tendencia. Obtiene una medalla de oro en la Exposición Universal de 1900. También es un buen retratista, autor de *Madame van Zuylen, Madame van Nyevelt* y *El pintor G. Vogels.*

TOULOUSE-LAUTREC, HENRI-MARIE-RAYMOND DE

(Albi, 1864-Malromé, 1901)

Pintor, dibujante e ilustrador francés, su maestría en pintar temas de la vida mundana y bohemia de París, así como su original creatividad en el cartel publicitario –auténtico maestro en el género–, le convierten en un artista revolucionario, modelo y fuente de inspiración para el «art nouveau», y los pintores del primer tercio del siglo XX, entre ellos los expresionistas y especialmente de Pablo Picasso. De familia aristocrática, pasa su infan-

Condesa Adela.
HENRI DE TOULOUSE-LAUTREC.

cia en el castillo de Viaur, estudia con un preceptor y en un liceo parisiense. A su naturaleza enfermiza, se suman dos caídas sucesivas de caballos que le provocan varias fracturas en las piernas en plena adolescencia y, como consecuencia, una atrofia en las mismas y un desarrollo anatómico irregular que le convierte en un ser deforme, casi enano. Gran dibujante, interesado en la pintura y con una perspectiva psicológica de marginación y sole-

A la izquierda, *Pasajera nº 54.*
A la derecha, *Nouveau cirque.*
HENRI DE TOULOUSE-LAUTREC.

La gorda María.
HENRI DE TOULOUSE-LAUTREC.

expone con el grupo belga de Los Veinte y realiza dibujos y litografías para la *Revue Blanche*. Desde 1885 es residente en el popular barrio del placer de París, Montmartre, y un cliente asiduo de los cafés, cabarets, burdeles y teatros. Es aquí donde recoge la vida divertida y frívola de la sociedad, pero con un lápiz y una pluma de gran vivacidad con las que expresa las debilidades, la poesía y la ironía de muchos personajes de aquella vida bohemia, repleta de artistas, cantantes, marginados y adinerados clientes y camaradas... Su actividad pictórica es inmensa y variada en cuanto a medios, utilizando como soporte el lienzo, el papel, el cartón, incluso las tablas, mientras que para pintar usa indistintamente óleo, pastel, carboncillo o lápiz, retocado a veces con mancha de color. Entre sus cuadros, realizados siempre con una precisión dibujística y ágil, destacan *Mesaline* y *El señor Boileau en el*

dad, marcha a París en 1881 para asistir a una breve formación en varios talleres, al parecer siempre ayudado económicamente por su madre, su gran protectora en algunos de los momentos más dramáticos de su vida. Conoce la obra de **Cézanne**, trata personalmente a **Degas** (en 1885), a **Van Gogh** —cuyos cuadros le apasionan—, y queda fascinado ante la recién descubierta estampa japonesa, decisiva en su obra. En esa década de 1880

Las dos amigas.
HENRI DE TOULOUSE-LAUTREC.

T

T

El diván japonés.
HENRI DE TOULOUSE-LAUTREC.

café (1893), pero es sobre todo en la recién descubierta litografía de color donde se hace sentir su potente renovación. Cuando se inaugura el célebre Moulin Rouge, en la entrada está su famoso cartel *En el circo Fernando, amazona* (1885) realizado en el momento en que se interesa por las carreras, incluso las de bicicletas. Con el *Baile del Moulin Rouge* realiza una de sus obras maestras. A partir de 1890 se instala en un burdel de lujo; allí explora su tema pre-

Bastille Wenz.
HENRI DE TOULOUSE-LAUTREC.

ferido, la mujer. De estos años, destacan los lienzos y cartones *El diván, La visita médica, Mujer poniéndose unas medias, Marcela, Dos amigas,* etc. Sus carteles de anuncios son testimonios de su genialidad a la hora de plasmar un paso de baile o un ejercicio acrobático, la esencia en definitiva del «affiche», piezas hoy en día codiciadas por los coleccionistas. Entre sus viajes deben mencionarse los que realiza a Lisboa, Madrid y Toledo. Empieza a vender sus cuadros a partir de 1899, año en que sus excesos con la bebida le producen crisis agudas que le obligan a ingresar a una clínica de Neuilly. Aprovecha dos meses de convalecencia para componer una serie de dibujos, con lápices de colores, que tituló *Au cirque*. Salió de la clínica sólo en apariencia restablecido. Compone *Un examen en la facultad de medicina.* En agosto de 1901 es víctima de otra crisis. Tras dura agonía muere a los 37 años.

TRESGUERRAS, FRANCISCO EDUARDO

(Celaya, Guanajuato, 1759-1833)

Arquitecto, grabador y pintor mexicano. Antes de dedicarse de modo prioritario a la arquitectura, tras conocer a Vignola, adquiere los necesarios conocimientos pictóricos de la mano de maestros mexicanos. Su trabajo como pintor, dentro del estilo neoclásico, fue pronto bien acogido por el público, lo que le permitió gozar de una gran popularidad en su época. Se dedicó al retrato, al paisaje y a la temática religiosa, tanto en cuadros, como el *Santa Ana y la Virgen Niña,* como en frescos, como los de la capilla de los Cofrades de Celaya.

TROPININ, VASILI

(1776-1857)

Pintor ruso, de origen ucraniano, de cuya vida y maestros se sabe poco, pero sí del importante papel que tuvo en el arte pictórico del siglo XIX. Fue siervo del conde I. I. Morkov, pero, debido a sus aptitudes para la pintura, se le permitió asistir por libre a la Academia de Bellas Artes de San Petersburgo, lo que, junto con el estudio de las obras de Jean Baptiste Greuze, de las que realizó múltiples copias, así como de las de otros pintores europeos, perfeccionó su estilo, permitiéndole realizar una obra de gran calidad. En 1823 el conde le manumite y, debido a la alta valoración de su producción, es nombrado académico, instalándose entonces definitivamente en Moscú. En su obra, de marcado clasicismo, hay que destacar la naturalidad y objetividad con que trata, sobre todo, las escenas populares *(Muchacha con maceta de rosas)*, pero también en sus retratos, y la huida de la artificiosidad, así como el

Autorretrato en la ventana.
VASILI TROPININ.

tono clasicista y tradicional, aunque cronológicamente esté en plena época romántica. Retratista importante, sus modelos, de perfecto acabado y benévola suavidad en sus rasgos fisonómicos, aparecen plasmados en estado sereno, y en ellos se entreve, en su verismo, más su condición social que la suya propia como individuo *(El General Nechliondoff*; el de *Bulajov,* 1823), apreciándose ya en los que realizó a partir de 1820 ciertos rasgos románticos, como en el de *A. S.*

Pushkin (1827). Otras obras de su producción pictórica son *Cabeza de viejo, Niña con una muñeca, La encajera, Un cazador, L. S. Borodska* y su hijo *Gal.*

TROYON, CONSTANT

(Sevres, 1810-París, 1865)

Pintor francés, es el primer pintor animalista de su época. Aprendió a dibujar en la manufactura de por-

Retrato de Bujalov.
VASILI TROPININ.

celanas de Sevres, para a continuación estudiar con Victor Bertin, pintor de historia. Hacia 1830 se inició en el paisaje, en el que representa los alrededores de París, Normandía y Turena, y pronto su afición a realizar estudios de la naturaleza le lleva a tomar contacto con los paisajistas de la **Escuela de Barbizón**, de la que pronto fue considerado uno de sus miembros más notables. Más adelante, decide introducir enormes animales domésticos en sus paisajes, especialmente reses, inspirado en los pintores animalistas holandeses Aelbert Cuyp y Paulus Potter, cuyas obras conoce en un viaje que realiza a Holanda en 1847 (*Vuelta a la granja*, 1859). Sus últimas obras fueron marinas, pintadas con gran libertad, que influyeron en **Manet** y **Boudin**. Con un estilo naturalista, seguro en la ejecución y de gran colorido, realizó una abundante obra debido a la habilidad con la que trabajaba.

El mayor William Lithgow.
JOHN TRUMBULL.

campo mostraba grandes aptitudes, hasta el punto de haber realizado en su etapa escolar un cuadro, *La batalla de Cannas*, en el que se pueden ver ya sus capacidades pictóricas. En 1773 acaba sus estudios y posteriormente se ve implicado en el conflicto bélico de la independencia americana (1775-1783), lo que

se traduce en que durante cuatro años permanece como ayudante de Georges Washington. Producto de esta experiencia es una producción pictórica en la que se inmortaliza a los personajes que participaron en la mencionada guerra, con un tratamiento de exaltación, y dentro de la amplia corriente temática propia del siglo XIX norteamericano, en el que la Guerra de la Independencia ocupa un lugar privilegiado. En 1780 viaja a Londres, aún sin concluir el conflicto bélico que se desarrolla en su país, donde su implicación en el mismo le hace ser sospechoso y acusado de espionaje contra la potencia administradora de la colonia. Aquí realiza estudios en el taller de West, del que adquiere su visión de la pintura histórica, que practicará a lo largo de toda su producción. Gracias a su familia cuando regresa a su país es nombrado director de la Academia de Bellas Artes de Pensilvania. Fue

TRUMBULL, JOHN

(Lebanon, 1756-Nueva York, 1843)

Pintor de historia norteamericano. Discípulo de **West**, es quizá el que más destacó en la introducción de las nuevas corrientes pictóricas, que, procedentes de Europa, se desarrollaron en su país. Nacido en el seno de una familia pudiente, encontró grandes facilidades para conseguir una esmerada formación en el campo de la pintura, hacia la cual se había sentido atraído desde la más temprana edad y en cuyo

Muerte del general Montgomery en el ataque a Quebec.
JOHN TRUMBULL.

en París donde realiza su primer gran cuadro histórico, *Firma de la declaración de la Independencia,* y a partir de éste aparece una copiosa obra, de la que cabe destacar *La resignación de Washington en Annapolis, Capitulación de Burgoyne, Batalla de Bunkerhill,* etc., en la que se manifiestan las principales características de su obra: la excelente composición y colorido y su acentuado realismo. Hacia 1786 realiza una serie de estudios para murales caracterizados tanto por su complejidad en la composición, en la que se aprecia la influencia de Rubens, como en el tratamiento de la luz, herencia de West, y en el marcado realismo tomado de John Singleton Copley. Como la mayoría de los pintores coetáneos de su país, también realizó algún retrato, ejemplos de los cuales son los de *Georges*

Washington, Duque de Wellington y *Jonathan Trumbull.*

TURNER, JOSEPH WILLIAM MALLORD

(Londres, 1775-Chelsea, 1851)

Pintor inglés, está considerado uno de los más grandes paisajistas de la historia. Su mensaje pictórico tiene una magnitud decisiva en los artistas posteriores, especialmente en los impresionistas. Hijo de un barbero del barrio londinense de Covent Garden, su vocación surge muy pronto, pues desde los 9 años expone dibujos y pinturas en la barbería paterna. El interés por el paisaje y la naturaleza es también muy precoz, procedente posiblemente del pueblo de Brentford,

El «Temerario» remolcado en su último fondeo.
JOSEPH WILLIAM TURNER.

donde pasa temporadas por razones de salud. A los 14 años entra como aprendiz en el taller de un topógrafo, afamado acuarelista con quien está un año y aprende a amar la naturaleza, estudiando el terreno y el paisaje. Se matricula en 1789 en la Royal Academy y es alumno de **Ruskin**; sin embargo, las enseñanzas académicas no le dejan huella perdurable. Autodidacto el resto de su vida, su aprendizaje se basa en la observación y apuntes del natural, estudios que traslada a sus cuadros sin apenas presencia del dibujo y, por el contrario, resaltando la validez del color como elemento plástico fundamental. Son rasgos absolutamente inauditos para la

339

Lluvia, vapor y velocidad.
JOSEPH WILLIAM TURNER.

época, la última década del siglo
XVIII, cuando realiza su primer
óleo, *Claro de luna sobre el Támesis* y,
más tarde, *El lago de Buttermere.* En
ambas ya se observan las características peculiares de su pintura: un
imaginativo aporte en la elección
del espacio y el estudio de la luz,
del fenómeno luminoso, tanto natural como artificial. Por consejo
del pintor inglés Reynolds comienza a estudiar el paisaje clásico

Tours: Atardecer.
JOSEPH WILLIAM TURNER.

Barcos carboneros a la luz de la luna.
JOSEPH WILLIAM TURNER.

y a pintores como Claudio de Lorena y Nicolás Poussin, artistas que descubre cuando realiza su primer viaje al continente, en 1802, viaje que repite, en la segunda y tercera década del siglo. Francia, Holanda, Bélgica, el valle del Rin e Italia le proporcionan una serie de museos para estudiar y paisajes nuevos para plasmar, como las nevadas montañas de los Alpes, las brumas y lluvias de las costas francesas y de los Países Bajos o la placidez luminosa de la geografía meridional. Resultado de estos periplos son la mayoría de sus paisajes montañosos, como *Tempestad de nieve: Aníbal cruzando los Alpes*, expuesto en 1812, y realizado con una visión heroica de la naturaleza,

Venecia.
JOSEPH WILLIAM TURNER.

una naturaleza que el hombre no puede dominar por la fuerza suprema de sus efectos. En este cuadro se resumen muy bien los dos componentes que se integran en su obra: por un lado, la plasmación directa de la naturaleza, estudiada con sus apuntes y observaciones, y por otro

su interés por una temática histórica y poética, como, por ejemplo, en sus composiciones, *Eneas y la Sibila*, *La quinta plaga de Egipto*, *Dido construyendo Cartago* o *Ulises desafiando a Polifemo*, obras que deben enmarcase dentro del paisaje heroico. Los torbellinos de lluvia y

El vapor de Dort a Rotterdam.
JOSEPH WILLIAM TURNER.

Rocío matutino en Petworth.
JOSEPH WILLIAM TURNER.

nieve, las tormentas y sus rayos, el espesor de la niebla, atravesada por la luz del sol o el mar enfurecido son los efectos atmosféricos y naturales preferidos que recoge y plasma en composiciones de elaborados ejercicios cromáticos. Realiza una serie de cuadros dedicados a «tempestades» a la vez que continúa con la atracción por el paisaje de montaña. *La batalla de Fort Rock en el Valle de Aosta* (1815) es un ejemplo expresivo de la aportación de Turner al paisajismo romántico. El conocimiento del colorido de la escuela veneciana en sus viajes y la luz de Roma y de Nápoles aclaran su paleta y abandona el gusto por los tonos oscuros y grises, algo palpable en sus creaciones italianas, como *Vista de Orvieto* (1828), Vene-

cia: *el Gran Canal* (1835) o *En las cercanías de Venecia* (1835). Más interés puede ofrecer un óleo realizado en su última época y conocido como *Lluvia, vapor y velocidad* (1844), uno de los primeros paisajes de la sociedad industrial y en el que consigue

la fusión de la naturaleza y la máquina, al captar a la perfección la niebla, elemento natural que se confunde con el dinámico movimiento del ferrocarril y su vapor industrial. Si bien su labor impresiona positivamente a sus contemporáneos, se mantiene distante de las opiniones y nunca llegan a importarle las críticas. Se aferra a su estilo, con una tenacidad reconocida por Ruskin, quien le dedica importantes elogios en su obra *Pintores modernos* (1843). Otros ejemplos destacables de su producción son *Negreros tirando por la borda a muertos y moribundos* (1842) o *Heidelberg* (1846). Sus últimos años los vive aquejado de gota, recluido en la localidad de Chelsea, a orillas del Támesis, dedicado a pintar los paisajes que ve y que tamiza a través de su personal universo. **Pissarro** y **Monet**, como otros muchos artistas, al descubrir su obra creen encontrar el verdadero lenguaje de la pintura moderna.

Yate acercándose a la costa.
JOSEPH WILLIAM TURNER.

Mujer pelando patatas.
FRITZ VON UHDE.

UHDE, FRITZ VON

(Wolkenburg, 1848-Berlín, 1911)

Pintor alemán, dentro del **impresionismo**. En 1866 inicia sus estudios en la Academia de Bellas Artes de Dresde, pero no comenzó a pintar en realidad hasta los veintitrés años, dedicándose al principio a la pintura histórica, bajo la influencia de **Makart**. En 1880 se establece en Munich, donde entra a formar parte del grupo Secesión de esa ciudad, encabezado por el pintor **Stuck**, que se revelan contra el historicismo academicista del momento, y pretenden la perfecta síntesis entre todas las artes; conoce a **Liebermann**, del que imita su manera de realizar la pintura al aire libre, a la que se dedicará con entusiasmo hasta el final de su vida, pudiéndose considerar su pintura ya dentro del impresionismo. Pintó temas de géneros, históricos y religiosos, tratados éstos últimos también a la manera de las escenas de costumbres, con un gran sentido realista y con una pincelada bastante suelta, y tuvieron una muy buena acogida por parte del público. Entre sus cuadros hay que citar *Noli me tángere, Cena de Emaús, San José y la Virgen, Dejad que los niños se acerquen a mí, El joven Tobías* y *Paisaje a la caída de la noche.*

VALLOTON, FÉLIX-ÉDOUARD

(Lausana, 1865-París, 1920)

Pintor y grabador francés de origen suizo. En 1882 marcha a París y estudia en la Academia Julian con Lefebvre, donde conoció a **Bonnard**, Édouard Vouillard, **Denis** y Charles Maurin, representante del simbolismo. Expone por primera vez, a los 20 años, en el Salón de 1885, sus primeras obras, que delatan la influencia de **Manet** y **Courbet**. Pero posteriormente su estilo se decanta por el **puntillismo**, para más tarde, en 1892, entrar a formar aparte de los **Nabis**, asumiendo las características de dicho grupo, que mantendrá con pequeñas incorporaciones hasta el final de su vida. Su estilo se caracteriza entonces por una simplificación, que a veces llega al esquematismo, tanto de la composición como de los elementos del cuadro; por la homogeneización de la luz y por un atrevido neoprimitivismo en los paisajes. A partir de 1894, comienza a dedicarse al trabajo de grabador e ilustrador de libros y revistas. Desde 1900, ya conocido internacionalmente, expone en todos los salones una obra que investiga en la línea de una nueva forma de expresión, en consonancia con fórmulas muy realistas, casi dentro del «hiperrealismo», muy cercanas al objetivismo y muchas veces plena-

La señora Valloton aseándose.
FÉLIX VALLOTTON.

mente dentro de lo caricaturesco, y cuya temática fundamental es la vida cotidiana. Desde 1911 pasa dos años viajando por Alemania, Italia y Rusia, país este último en el que realiza abundantes cuadros de sus ciudades *(Ansicht des Kreml in Moskau,* 1913). En su obra, además de las pinturas, de carácter simbólico y decorativo y a veces impregnada de misterio, hay que mencionar sus xilografías, algunas de gran mordacidad, como las que critican la hipocresía de la clase burguesa o las realizadas con motivo de la Gran Guerra, en las que critica con crudeza la postura bélica de Alemania. Entre sus escasas obras hay que destacar *Interior, Autorretrato, El estuario de Honfleur, ¡Es la guerra!, La Señora Vallanton aseándose* y *El baño en una tarde de verano.*

VAN GOGH, VINCENT

(Groot-Zundert, 1853-Auvers-sur-Oise, 1890)

Pintor holandés, es uno de los cuatro pintores más significativos de la generación posimpresionista, junto con **Seurat**, **Gauguin** y **Cézanne**. Su personalísima y angustiada obra tiene una influencia determinante en el fauvismo francés y en desarrollo de las tendencias del **expresionismo** europeo. Nace en el seno de una familia muy religiosa, su padre es pastor protestante y su primera vocación es la de ser misionero. Comienza a trabajar para

Agostina Segatori en el Café du Tambouri.
VINCENT VAN GOGH.

V

Arriba, *Catorce girasoles.*
A la derecha, *Terraza en el café Arlés.*
VINCENT VAN GOGH.

una galería de marchantes afincados en La Haya y París, donde permanece durante siete años. En

1878 inicia estudios de teología, pero no llega a graduarse debido a un empeño exageradamente místi-

V

co de seguir la «huella de Cristo», pero su afán por salvar las almas y ayudar a los pobres le encaminan a trabajar como evangelista en una de las zonas mineras más miserables de Bélgica, de donde es expulsado en 1880, año en que decide ser pintor. Inicia su carrera artística gracias a la ayuda moral y financie-

347

El retrato del doctor Gachet.
VINCENT VAN GOGH.

V

ra de su hermano Theo, con quien tiene a lo largo de su vida una correspondencia continua; cientos de cartas que se convierten en un instrumento de investigación de primera mano y en un prolijo manifiesto de las ideas y metas artísticas del pintor. Pasa unos meses del año 1880 viviendo en Bruselas con sus padres; posteriormente, entre 1881 y 1885, reside en Holanda dedicado a la pintura y, un año después, estudia en la Academia de Amberes. De esta época son sus primeros dibujos, de maestría impecable y temática social dedicada a campesinos, tejedores y gente humilde. El dibujo de *La campesina espigando* (1885) o los cuadros *Cabeza de aldeana* (1885) y *Los comedores de patatas* (1885) son exponentes de la influencia de Rembrandt y su interés por el claroscuro y los tonos monocromos y sombríos, rasgos que también están en la **Escuela de Barbizón**. En 1886 se traslada a

París para vivir con su hermano Theo, cuya profesión de galerista le permite entrar en contacto con los impresionistas y posimpresionistas. Entabla amistad con Gauguin y aclara su paleta con colores más vivos y luminosos. Ejemplos de obras de su paso por París son *El restaurante de la sirena* y *Jardincillos en la colina de Montmartre*. Tiene una extraordinaria avidez colorista que le empuja a buscar la luz y el sol en el sur de Francia. Concibe la idea de fundar una colonia de pintores. Se traslada a Arlés, en la Provenza francesa, en 1888, y allí encuentra

su verdadero estilo, reflejo de su carácter angustiado y depresivo, pero también de su revolucionaria interpretación del color. En ese mismo año le visita Gauguin, pero comienzan las discusiones entre ambos, disputas que pueden entenderse en función de su diferente visión de la pintura. Sufre su primera crisis de locura, se amputa una oreja y es internado unos meses de forma voluntaria. Van Gogh intenta expresar el estado anímico a través del color y lo explota a través de una materia densa, con una pincelada agitada y un dibujo sinuoso

Campo de trigo con cipreses.
VINCENT VAN GOGH.

Muchacha de blanco.
VINCENT VAN GOGH.

V

Autorretrato.
VINCENT VAN GOGH.

y ligero que en ocasiones adquiere una forma flamígera y retorcida, dando a sus composiciones una vi-sión alucinada del paisaje y las fi-guras. *Café nocturno* (1888), *Retrato del cartero Roulin*, *El sembrador*, *Autorretrato* (1889), *Los Olivos* (1889) *El puente de Langlois*, *La carretera de cipreses* (1890) o los *Campos de trigo* con cuervos (1890) son un ejemplo de entre los centenares de cuadros que realiza en los dos últimos años de su vida y de los cuales tan sólo ven-de uno, *La viña roja*, expuesto en la Salón de Los Veinte de Bruselas en

su muerte, es donada a la ciudad de Amsterdam. Diez años después de su desaparición gran parte de la obra se expone en el Salón de los Independientes y los cuadros comienzan una carrera imparable en las cotas de subastas y galerías durante todo el siglo XX.

VAN RYSSELBERGHE, THEO

(Gante, 1862-Saint-Clair, 1926)

Pintor y grabador belga, su producción se inserta en el movimiento posimpresionista. Hijo de un arquitecto, inicia sus estudios artísticos en Gante y los acaba en Bruselas. Su trayectoria parte de la admiración al pintor simbolista **Puvis de Chavannes** y muy pronto conoce la tendencia divisionista y la técnica puntillista de **Seurat**; sin embargo, su interés por la luz y el color hace que su obra final esté más asociada a los fauvistas. Es miembro del grupo belga de Los Veinte desde 1884. Entre sus retratos destaca el que hizo al pintor

V

1890. Tras una nueva crisis es hospitalizado en la Casa de Salud de Saint-Remy y aunque sigue pintando numerosos cuadros *(Noche estrellada, Segadores en el sembrado* o *El retrato del Doctor Gachet*, su médico) la desesperación le lleva al suicidio. Se dispara un tiro en el pecho el 27 de julio de 1890 y agoniza hasta la mañana del 29, en que su hermano llega a su lado. Casi toda su producción pasa a manos de Theo y, a

Entrada en el parque de Arlés.
VINCENT VAN GOGH.

V

Los Bogatyri.
VIKTOR M. VASNETSOV.

español **Regoyos**. Sus motivos preferidos son escenas de paisajes tranquilos y de figuras femeninas. Destacan *El paseo, La lectura, En la playa* y *Todos al baño.*

VASNETSOV, VIKTOR M.

(1848-1926)

Pintor ruso, perteneciente al modernismo. Ingresa en la Academia en 1868 y más tarde, en los años ochenta, formará parte de una comunidad de inquietos y creativos artistas vanguardistas, acogida por

el mecenas S. I. Mamontov; en ella se encontraban también Vrubel, **Serov** y Korovin. Realiza una abundante obra de gran calidad, que le reportará fama internacional, y que ejecuta sobre todo y de forma intensiva desde 1874, presentando, de acuerdo con los nuevos tiempos en la pintura, una gran riqueza temática, en la que abundan los cuadros de asuntos religiosos y los de costumbres rusas; pero también realiza retratos y un género histórico-legendario, en el que se inspira en las leyendas y en el mundo épico de Rusia. En su obra religiosa, a cuya dedicación influiría el hecho de ser hijo de un pope y el de haber estudiado en el seminario de Viatca, combina las características

de la pintura tradicional rusa, los iconos, con la corriente moderna europea, como se puede apreciar en los frescos que ejecuta para decorar la iglesia de San Vladimiro de Kiev, entre 1885 y 1895, trabajo que fue muy loado, y que constituye una grandiosa apología religiosa. En ella, aunque en estilo bizantino, humaniza los iconos, que pierden su rigidez hierática, tratándolos con un cierto realismo. En el mismo estilo realiza los frescos de Nogorov. Muestra del historicismo del siglo XIX, y más destacables que las anteriores, son sus cuadros históricos, que ilustran fundamentalmente leyendas rusas, tratados con un tono poético y abundando en ellos los motivos decorativos y las formas tradicionales populares. Entre ellos destacan *Después de la batalla de Igor Sviatoslavich con los Polovtsianos* (1880), *Las Bogatyrs, Alionuchka, Las tres reinas del imperio subterráneo* (1884); *Héroes*, etc. También realizó trabajos como arquitecto, además de decorados para teatro y restauración de pinturas religiosas. Otras obras importantes son *Telegrama militar, El emperador llegando a Moscú por la noche, Ivan Zarevitch sobre un lobo gris* y *El juicio final*.

VAYREDA VILA, Joaquín

(Gerona, 1843-Olot, 1894)

Pintor español. Su obra ocupa un lugar destacado en el paisajismo catalán del siglo XIX. Estudia dibujo en su ciudad natal y en la Escuela de Bellas Artes de Olot. Continúa su formación en Barcelona, donde entra en contacto con **Martí Alsina**

Figura en el jardín.
JOAQUÍN VAYREDA VILA.

y colabora en su taller. Tras una primera etapa de temática religiosa y costumbrista, Vayreda se interesa por el paisaje. En 1868 se establece en Olot y un año después funda

el Centro Artístico, posteriormente denominado Escuela de Olot, dedicado al paisaje. Con la tercera guerra carlista se exilia en Francia, donde permanece de 1871 a 1874. Allí entra en contacto con los pintores de la **Escuela de Barbizón** cuyos avances en los valores cromáticos y atmosféricos harán variar su pintura hacia postulados más modernos. De regreso en Olot consigue cierto éxito con su obra y compagina la pintura con un cargo de diputado provincial en Gerona. Son de destacar cuadros como *La siega* y *La primavera*, obras que demuestran una tímida asimilación de las novedades impresionistas y una relación más fuerte con el realismo pictórico. También cultivó la figura y dejó una numerosa colección de dibujos al lápiz, aguatintas y aguafuertes. Cerca de 250 cuadros suyos se exhiben en diferentes mu-

Procesión de colegialas.
JOAQUÍN VAYREDA VILA.

seos. Otras obras de renombre son *Los primeros pantalones* (1871), *El bautizo y el verano* (1877) y *Flores de abril* (1881).

VAYREDA VILA, Mariano

(Olot, 1853-Barcelona, 1903)

Pintor y escritor español, hermano de **Joaquín Vayreda**. Discípulo de **Gerôme** en París, cultivó una temática similar a la de su hermano, dando más valor a la figura, como en las *Lavanderas* (1881, Museo de Arte Moderno de Barcelona), lienzo en el que Joaquín realizó la parte de paisaje; cultivó también el tema histórico. De su labor como pintor destacan *Figura* y *El viático en la montaña*.

VEIT, Philipp

(Berlín, 1793-Maguncia, 1877)

Artista alemán, es uno de los representantes que mejor divulgaron las ideas estéticas del movimiento nazareno. Formado entre los años 1809 y 1811 en Dresde, donde conoce al pintor **Koch**, marcha a Roma en 1815; un año después ingresa en la hermandad nazarena de San Lucas, fundada por **Pforr** y **Overbeck**. Como muchos de los artistas alemanes afincados en Roma, se especializa en la pintura al fresco, técnica que aplica en la decoración de la Casa Bartholdy en Roma durante 1816-1817. Al año siguiente interviene en la decoración pictórica del Casino del Marqués Carlo Massimo con composiciones dedicadas al poeta Dante. Sin embargo, su obra más conocida es el ciclo de frescos que realiza para el Museo Municipal de Arte de

La mañana de la propietaria.
ALEXIS VENETSIANOV.

Francfort del Main, tras ser nombrado director del mismo en 1830. Se trata de uno de los conjuntos pictóricos más hermosos del **romanticismo** alemán tardío, compuesto por composiciones históricas y alegorías como *Italia: la introducción de las artes en Alemania a través del cristianismo* (1833). *Germania* (1848), obra de rasgos patrióticos, propio de los ideales nazarenos, fue pintada para presidir la Asamblea Nacional de Francfort y

trasladada después al Museo Nacional de Alemania en Nuremberg. En 1854 asume el puesto de director de la Galería Municipal de Maguncia, ciudad en la que reside hasta su muerte.

VENETSIANOV, Alexis

(Moscú, 1780-Tver, 1847)

Pintor ruso. Su nombre se debe a que era hijo de un emigrante griego llamado Veneciano. Estudió en la Academia de Moscú, con Borovikovski, y completó su aprendizaje observando y copiando en El Ermitage de San Petersburgo a los maestros holandeses del siglo XVII; también contribuyó a su formación artística la influencia manifiesta del francés **Granet**, concretamente en su manera de representar la pintura de género. Su estilo, en el que predomina la nitidez de los contornos y el suave modelado de las formas, está dentro del clasicismo, aunque también se le ha considera-

do un claro precursor de la escuela realista rusa de 1860, en los cuadros que pinta en su finca de Safonkovo, en Tver, representando a sus siervos en diversas situaciones de la vida campesina, que constituyen auténticas escenas de género, con una gran perfección técnica y delicadeza en los colores, inspirándose para ellos en la naturaleza y usándola muchas veces como fondo de los cuadros, que copia del natural. Claros ejemplos de lo dicho son

sus obras de esta época: *La era de trillar* (1821-1823), *La Granja* (1823), *Muchacho calzándose* (1823), *Aldeana dando de comer a un becerro* (1829), *Verano* (h. 1830), etc. Además de por el **realismo** de algunos de sus cuadros, también fue un innovador en su país al pintar desnudos al aire libre, como en *Bañistas,* cuadro en el que se aparta total-

La cosecha. Verano.
ALEXIS VENETSIANOV.

V

Pastor dormido.
ALEXIS VENETSIANOV.

mente de la estética académica. En la primera fase de su obra realiza retratos, entre los que cabe destacar su *Autorretrato* (1811).

VERKADE, JAN

(Zaandan, 1868-Amsterdam, 1946)

Pintor, escultor y escritor holandés. Gran parte de su producción está en relación con su condición de religioso benedictino, destacando en la decoración de muchas iglesias y abadías de Suiza y Checoslovaquia. Viajero infatigable y gran lector, pasa la década de 1880 en París conviviendo con los artistas y literatos más destacados del momento. En 1898 decide dedicarse a la vida monástica y dentro de esos muros silenciosos y místicos, al arte. Sus cuadros, expuestos en Viena, Munich y Copenhague, son una mezcla de los estilos aprendidos en sus viajes aunque, no obstante, se aproxima a la corriente pictórica del simbolismo.

VERNET, EMILE-JEAN-HORACE

(1789-1863)

Pintor francés neoclasicista del Primer y Segundo imperio. Perteneciente a una familia de pintores, se formó con su padre y ya desde muy niño pintaba sin cesar soldados, de forma que cuando creció su tema preferido sería el de las batallas, casi exclusivamente napoleónicas, siendo el pintor militar francés más prolífico; a este tema hay que añadir el de las marinas y los temas mitológicos y animalísticos (fundamentalmente ecuestres), así como escenas de género orientales, en los que debido a su exotismo recuerda a **Fortuny** (*La toma de la Amalah de Abd-el-Kader,* 1845). Su precocidad fue tan grande que ya con 13 años recibía abundantes encargos, siendo el dibujante titular del *Journal des Modes*, con el que colaboró también con caricaturas. En sus cuadros, el primero de los cuales fue *La toma de un campo atrincherado*, que le proporcionó un gran éxito, el montaje escenográfico tiene un papel fundamental, habiendo

La defensa de París.
ÉMILE-JEAN-HORACE VERNET.

Madame Vigée-Lebrun y su hija.
ELISABETH VIGÉE-LEBRUN.

en ellos una tendencia a lo «sublime», por estar al servicio de Napoleón, y un cuidado detallismo; en ellos se aprecian varias influencias que fue asimilando su estilo a lo largo de su vida, como la de su padre, sobre todo en los temas ecuestres, y la de **Delacroix**, especialmente en sus batallas *(Las batallas de Jemmapes)* y marinas, que tienen gran sentido del movimiento y de la observación. Es considerado el pintor oficial de Segundo Imperio Francés, trabajó para Luis Felipe, y en 1827 fue nombrado director de la Academia de Francia en Roma. Otras obras importantes son *Toma de Malakoff* (1855), *Mazeppa, Brigadas y carabineros, Retrato ecuestre de Napoleón III, Jerónimo Bonaparte* y *El soldado de Waterloo.*

VIGÉE-LEBRUN, ELISABETH

(París, 1755-1842)

Pintora francesa dentro del **neoclasicismo**. Tras la muerte de su padre, retratista y pastelista, y con

el que aprendió los primeros nociones de la pintura, continúa sus estudios, primero, con Gabriel Briard, y después con **Vernet** y **Greuze**, asistiendo a los museos para observar a los grandes maestros e igualmente en la naturaleza.

La reina María Antonieta.
ELISABETH VIGÉE-LEBRUN.

Su precocidad pronto se puso de manifiesto con un estilo poco convencional, aunque neoclásico, que la hizo famosa como retratista ya a los quince años. Se dedicó fundamentalmente a este género, para el que fue muy demandada por la alta sociedad parisina, de tal manera que a veces tenía que acudir a ayudantes para satisfacer los encar-

Aparición mística.
JOSÉ VILLEGAS CORDERO.

gos. Los de mayor calidad los pinta a partir de 1776, siendo en 1779 nombrada pintora oficial de la reina María Antonieta, a la que realiza sus mejores retratos. En 1782 viaja a Flandes, donde contempla cuadros de Rubens. A raíz de la Revolución Francesa viaja por varios ciudades europeas, sin dejar de ejercer su oficio de retratista, cosechando éxitos. Retrata sobre todo a gran número de mujeres, produciendo obras de gran elegancia. En 1783, debido a su merecida fama, es nombrada miembro de la Academia. Entre sus numerosos retratos hay que señalar *Condesa de Briones, Duquesa de Orleans, María Antonieta, Príncipe de Gales, Lord Byron, Lady*

Fumador marroquí.
JOSÉ VILLEGAS CORDERO.

Hamilton, Un niño, Autorretrato con su hija, que son probablemente sus obras maestras, y *Madame de Staël.*

VILLEGAS CORDERO, JOSÉ

(Sevilla, 1844-Madrid, 1921)

Pintor español, creador de una obra muy versátil que responde tanto a temas históricos como costumbristas y anecdóticos. Muy joven se traslada a Madrid para estudiar a los grandes maestros del Museo del Prado, donde se aficiona a la obra de Velázquez y adopta su pincelada suelta y espontánea. Formado en Roma e influido por

Fortuny y, en menor medida, por **Madrazo** y **Rosales**, tiene una obra muy personal y muy valorada en su tiempo. Entre sus trabajos destacan *La muerte del maestro* (1882) y *Baile por bulerías* (1884). En 1901 es nombrado director del Museo del Prado, cargo que ocupa hasta 1918.

VRUBEL, MIKHAIL ALEXANDROVITCH

(Omsk, Siberia, 1856-San Petersburgo, 1910)

Pintor ruso de origen polaco, ceramista, decorador y con alguna realización en la arquitectura, muy en el modelo del artista modernista, que abarca diferentes disciplinas, aunque su actividad fundamental estuviese centrada en la pintura. Desde 1880 a 1884 estudia en la Academia de Bellas Artes de San Petersburgo y posteriormente encontró un gran mecenas en Mamontov. Mostró una gran solvencia téc-

La princesa cisne.
MIKHAIL A. VRUBEL.

La pitonisa.
MIKHAIL A. VRUBEL.

nica y compositiva como decorador y ceramista, y este modo de hacer se plasmó en sus cuadros de gran formato, caracterizados por presentar una gran abundancia de formas y colores en los que busca ya la belleza, al contrario de la idea de los realistas rusos, que buscan la verdad de lo representado dejando en un segundo plano las consideraciones estéticas. En 1889 se establece en Moscú, donde asiste a la profunda renovación que para la pintura significó el modernismo. La temática de su obra refleja la fascinación e interés que sentía por las leyendas del medievo y por la mitología. Hacia 1902 se empiezan a manifestar los primeros síntomas de la enfermedad mental que le acompañaría desde entonces. Destacan sus frescos realizados para la iglesia de Santa Cirila y la catedral de San Vladimiro, en Kiev, y sobre tela el expresivo *Demonio sentado* (1890).

V

mucho debido a una serie de problemas que tuvo con las autoridades y sobre todo a su hostilidad hacia el academicismo, con el que rompe en su pintura en busca de un **realismo**, especialmente paisajístico. Sus muy notables y numerosos retratos, todavía con impronta clásica, de gran calado psicológico, le proporcionan la fama, como su *Autorretrato,* de 1828, o el que se considera su obra maestra, el del *Conde Razumowski.* Pero fundamentalmente realiza excelentes paisajes, tanto de la ciudad de Viena como de su entorno, en los que destaca su sentido del detalle y la luz, de la que es un especialista, representando muchas veces la de pleno sol, que junto con el fuerte colorido, a veces proporciona cierta crudeza a sus cuadros; para él el único modelo de la pintura es la naturaleza, que él capta con su estilo naturalista y detallista. Muchas veces introduce en sus paisajes alegres grupos de niños y jóvenes. Hacia 1830 la luz y los colores de sus cuadros evolucionan hacia la manera impresionista,

La venta obligada.
FERDINAND WALDMÜLLER.

La mesa del aniversario.
FERDINAND WALDMÜLLER.

WALDMÜLLER, FERDINAND GEORG

(Viena, 1793-1865)

Pintor austriaco. Después de estudiar en la Academia vienesa, inició su carrera de artística como pintor de miniaturas y de escenarios de teatro, en Brün y Praga. Viaja por Alemania e Italia, y en 1830 es nombrado profesor de la Academia de Viena, puesto en el que no dura

W

pintando al aire libre numerosas obras, como *Comienzo de la primavera en el bosque.* También cultivo el bodegón, siguiendo la línea de los clásicos del barroco, y la pintura de género, que recuerda a **Boilly**, y con la que pretende destacar la moral pequeño burguesa. Es considerado como uno de los más importantes representantes del Biedermeier vienés, debido en gran parte a su estilo naturalista y detallista, de líneas precisas (*La familia de J. August Eltz en Isch,* 1835; *La familia del consejero Ritter von Neuhaus,* 1827). En sus últimas obras su técnica se hizo más

libre y suelta *(Vista de Cobenzl).* Otras obras suyas son *Paisaje del Prater* (1830*), Bosque de Viena antes de la primavera, La mesa del aniversario, Leñador en la selva de Viena* (1855), *La primera comunión* y *La esposa del pintor.*

WAPPERS, GUSTAVE

(Amberes, 1803-París, 1874)

Pintor de historia belga. Se formó en principio en la Academia de Pintura de su ciudad natal con

Primavera en el bosque de Viena.
FERDINAND WALDMÜLLER.

Bree, y en París estudió fundamentalmente a los maestros de la escuela veneciana y a los flamencos Peter Paul Rubens y Jacob Jordaens, que le influyeron notablemente, especialmente el primero. Pintor de historia, representa, con un estilo naturalista y de gran detallismo, escenas dramáticas con numerosas figuras, que recuerdan a la pintura histórica de **Delaroche**, pero también a P. P. Rubens, en sus elaboradas reconstrucciones histó-

361

ricas a la manera barroca. Muchos de sus temas son patrióticos, por lo que gozaron de gran popularidad, al estar tan cercana su independencia, como *Episodio durante la rebelión belga de 1830* (1834). También realizó escenas costumbristas y retratos. Otras obras a resaltar son *Despedida de Carlos I a sus hijos*, *Abnegación de los burgomaestres de Leiden* (1830) y *La toma de Rodas por los turcos*.

WARD, JAMES

(Londres, 1769-Cheshunt, 1858)

Pintor y grabador inglés. Estudió en la Royal Academy. Hasta casi los 30 años pintó escenas de género, de carácter anecdótico, con un estilo suelto de amplia pincelada, a la manera de George Morland, y un colorido rubensiano. Posteriormente, hacia 1790, en la Acade-

El desfiladero de Goredale.
JAMES WARD.

La copa circense de Ulises.
JOHN WILLIAM WATERHOUSE.

mia, comienza a inclinarse por el paisaje como escenario de animales (vacas, caballos y toros, especialmente), que le harían popular y con los que se revela como un gran animalista. También trató, sin éxito, el tema histórico, como *El genio de*

Wellington, y el religioso, en cuyos cuadros incluyó también gran cantidad de animales *(Estrella de Belén* y *La piscina de Bethseda)*. En 1800 es nombrado pintor oficial del príncipe de Gales y en 1811, académico. Su obra fue muy admirada, contándose entre sus fieles a **Delacroix** y **Géricault**, pero murió pobre, tras haberse retirado a vivir a Cheshunt en 1830 y haber conseguido títulos y honores. Otras obras a destacar son *Desfiladero de Gordale* (1811-1815), *Ganado vacuno*, *Vista de Harlech Castle*, *Toros luchando* (h. 1804), *Cobertizo de la vaca*, *Paisaje con carneros* y *Vista de la costa, tempestad*.

WATERHOUSE, JOHN WILLIAM

(Roma, 1849-Londres, 1917)

Pintor inglés, su obra fluctúa entre el género histórico y la temática religiosa. Hijo de un pintor inglés afincado en Roma y dedicado a las

Garza herida.
GEORGE FREDERICK WATTS.

copias de los grandes maestros del clasicismo, se forma al amparo de los conocimientos de su padre, dedicándose también a la copia de obras maestra en la National Gallery y otras grandes colecciones. Socio y académico de la Royal Academy, donde consigue algún premio, se da a conocer en la Exposición Universal de París en 1889. Dignos de reseñar son sus cuadros *La Anunciación, Eco y Narciso, Ulises y las sirenas* y *Diógenes.*

WATTS, GEORGE FREDERICK

(Londres, 1817-1904)

Pintor y escultor inglés, parte de su producción remite a la estética del clasicismo griego dentro de una estética simbólica y poética. Abandona sus estudios en la Royal Academy para formarse como autodidacto. Practica todos los géneros y entre sus primeros cuadros destacan los temas mitológicos e históricos, como *Vertumno y Pomona* y *Caractaco llevado en triunfo por las calles de Roma* (1842), obra esta úl-

tima que gana un premio dentro del concurso de la decoración del nuevo Parlamento londinense, y le permite financiarse un viaje a Italia, residiendo en Florencia y aprendiendo la técnica al fresco. A su vuelta en 1846 vuelve a ser galardonado con *Alfredo incitando a sus súbditos a impedir el desembarco de los daneses* (1847). Encargado de decorar el Salón de los Poetas, realiza una serie de frescos en torno al tema de *San Jorge y el dragón*. El reconocimiento que adquiere tanto en su país como en el continente europeo en general, le avalan su entrada como académico en la Royal

Las tres diosas.
GEORGE FREDERICK WATTS.

Academy y la medalla de honor de la Exposición Universal de París de 1900. Entre sus numerosos retratos sobresalen los de personajes famosos de su tiempo, como *Gladstone, Lord Salisbury, Swinburne* y *Garibaldi*, y entre sus composiciones más libres, *Amor y vida* (1885), *Amor y muerte* (1877-1896), *Amor triunfante* (1898) y la *Trilogía de Eva*. De su labor escultórica, caracterizada por una gran audacia, destaca *El obispo Consdale.*

363

WEST, BENJAMIN

(Springfield, 1738-Londres, 1820)

Pintor y dibujante norteamericano conocido internacionalmente, y al que se considera el creador y cabeza de la pintura de historia moderna. Comienza sus estudios de pintura en Nueva York, dedicándose en un principio, y ya con gran éxito, al retrato. En 1760 marcha a Roma, aunque también viaja por Venecia, Florencia y Bolonia, siendo el primer pintor norteamericano que tiene esa posibilidad, gracias, fundamentalmente, a la generosa contribución de sus mecenas. Este viaje le permite entrar en contacto con el clasicismo a través de la obra de Anton R. Mengs, Gavin Hamilton, Johann Joachim Winckelmann y otros autores presentes en la Roma de la época. En 1763 marcha a Londres, donde la buena acogida que le dispensa su sociedad hace que se establezca definitivamente en ella, convirtiéndose en un retratista

La edad de oro.
BENJAMIN WEST.

El coronel Guy Johnson.
BENJAMIN WEST.

de renombre y uno de los más cotizados del momento, junto con Thomas Gainsboroug y sir Joshua Reynolds, contribuyendo con este último a la fundación de la Real Academia de Londres (1769), de la que fue presidente en 1792. Su fama le proporcionó la protección de Jorge III, que le nombra pintor de historia de la corte y le encarga numerosos proyectos, entre ellos, una serie de composiciones históricas y religiosas para el Palacio de Windsor. La magnitud de la popularidad alcanzada le hizo acreedor de ciertos títulos nobiliarios, que él rechazó a causa de las creencias propias de la religión cuáquera que profesaba, y a su muerte, en 1820, sus restos recibieron sepultura en la catedral de San Pablo. Su estilo se encuentra a caballo entre el **neoclasicismo** y el **romanticismo**, presentando del primero el gusto por la precisión del dibujo y la pureza de los tonos y del segundo el sentido teatral en la utilización de la luz, el halo de misterio, que suele rodear las escenas y la composición dramática de los cuadros. Es un producto ecléctico, fruto de una serie de influencias, por un lado la de los antiguos maestros italianos, y por otro la de Rubens y Van Dyck, pero casi siempre imbuido de un carácter solemne. En sus obras representa temas religiosos y profanos y tanto de la historia antigua como de la contemporánea. De entre sus obras de temática religiosa y de historia antigua, las más convencionales y académicas, hay que destacar los retablos y las vidrieras del palacio de Windsor, encargadas por Jorge III, *Orestes y Pílades ante Ifigenia*, *Agripina con las cenizas de Germánico*, etc. Mucho más importantes son sus cuadros de historia contemporánea, que unen retrato y paisaje y en los que introduce una variante muy extendida en el país, que consiste en representar a personajes del momento en composiciones y actitudes más propias del mundo clásico, aunque con ropajes contemporáneos. Entre ellas está *La muerte del general Wolfe*, que constituye la primera gran obra que representa una escena de la historia norteamericana del momento; *La muerte del almirante Nelson*, *La batalla del Boyne*, etc. Entre sus obras de madurez, en las que se hace más patente la dicotomía clasicismo-romanticismo de su estilo, destacan sus distintas versiones de *La Muerte sobre un caballo blanco* (1796-1817). Muy prolífico en la producción, en su taller se formaron los más grandes pintores americanos que, sin embargo, asumieron de él fundamentalmente sólo sus conocimientos técnicos, ya que su estilo no creó escuela. No obstante, ejerció una gran influencia sobre los pintores de historia moderna en Francia y contribuyó al triunfo del realismo en la pintura.

Autorretrato.
BENJAMIN WEST.

Rosa y plata: La princesa en el país de porcelana.
JAMES ABBOT MCNEILL WHISTLER.

WHISTLER, JAMES ABOTT MCNEILL

(Boston, 1834-Londres, 1903)

Pintor, grabador e ilustrador estadounidense, su obra queda enmarcada dentro del **impresionismo** aunque se vincula progresivamente hacia otras tendencias que yuxtapone y fusiona. Abandona su país en 1855 para trasladarse a Europa y residir en Inglaterra. En ese mis-

Sinfonía en blanco nº 2: la muchacha de blanco.
JAMES ABBOT MCNEILL WHISTLER.

mo año expone sus cuadros en la Royal Academy de Londres, pero los que envía dos años después al Salón de París no son admitidos, rechazo que continúa hasta 1863, año en que gracias a su amistad con **Fantin-Latour** y a su cuadro *La muchacha blanca*, se le permite formar parte de los pintores independientes que exponen en el denominado Salón de los Rechazados. Viaja a Francia y en la ciudad

de Trouville conoce a **Manet**, **Boudin** y a uno de los pintores que más admira, **Courbet**. Se integra con los impresionistas, aunque su producción difiere de las rectoras del grupo. Sus paisajes suelen ser un mundo nocturno coloreado con superficies muy planas, mientras que las figuras presentan un toque muy refinado. La influencia de la estampa japonesa influye en el grafismo de sus composiciones que cada vez son más decorativas. En la evolución que sufre tiene especial incidencia la influencia de **Rossetti**, de quien se hace amigo en torno al año 1867. Decide establecerse de nuevo en Londres y se relaciona con los artistas ligados al grupo de los prerrafaelistas. No obstante, sus obras presentan unas peculiaridades que

Retrato de la madre del artista.
JAMES ABBOT MCNEILL WHISTLER.

impiden cualquier asociación a una tendencia determinada. *Azul y plata* (1870), *Miss Alexander* (1872) y *Thomas Carlyle* (1874) pueden citarse como ejemplos de los paisajes y retratos que realiza por entonces. Uno de sus mejores óleos, *La madre del artista*, es exhibido en 1872 en la Royal Academy y doce años después en el Salón de París, donde consigue una medalla de oro. También le interesa la relación de la pintura con la música, de modo que muchos de sus cuadros —como *Sinfonía en blanco*, *Scherzo* o *Variaciones*—, son ensayos en los que

intenta asociar la composición musical con el color. En su biografía es destacable el público altercado con **Ruskin**, el ideólogo de los prerrafaelistas, quien le critica una de sus exposiciones en Londres, la de la galería Grosvenor de 1877, y que da lugar al panfleto *Whistler versus Ruskin*, escrito por el propio Whistler. La disputa, sin embargo, no le impide realizar cuadros de paralelismos evidentes con el **prerrafaelismo**, como la decoración conocida como *La sala de los pavos reales*, muy en la línea de **Morris**. Desde 1892 reside en Francia, don-

Nocturno en azul y oro.
JAMES ABBOT McNEILL WHISTLER.

de expone novedosas litografías y aguafuertes de vistas de Venecia. En París enseña desde 1898 en la Academia Carmen, que él mismo inaugura y dirige. Sus últimas obras se relacionan con las posiciones estéticas de los simbolistas. En 1901 vuelve a Londres, ciudad en la que fallece a dos años después.

Retrato de Théodore Duret.
JAMES ABBOT McNEILL WHISTLER.

Armonía en gris y verde.
JAMES ABBOT McNEILL WHISTLER.

WIERTZ, ANTOINE

(Dinart, 1806-Bruselas, 1865)

Pintor belga. Inició en Amberes su formación, que continuó en París y en Roma, a donde fue becado en 1832; allí estudia la pintura de Miguel Ángel, que junto con Peter Paul Rubens influirán en gran me-

dida en la formación de su estilo. Pintó enormes cuadros de tema histórico, mitológico, alegórico y religioso, con un estilo, dentro del **romanticismo**, ampuloso, melodramático y de gran barroquismo, como se aprecia en *Combate alrededor de Patroclo* (1836) y *Rebelión del infierno contra el cielo* (h. 1840), en los que se rastrea fácilmente la influencia de P. P. Rubens y Miguel Ángel. La mayoría son composiciones de gran movimiento y muchas

con escenas fantásticas y simbólicas, a veces eróticas y de terror. Estas obras extrañas hacen que se le considere como precursor de los simbolistas y de los surrealistas, aunque también se aprecia en algunas ciertas analogías con el **expresionismo** moderno. Este pintor provocador y chocante, para ganarse la vida y poder seguir realizando su peculiar obra, pintaba retratos. Entre su producción hay que destacar *Bella Rosina* (1847), *Un segundo después de la muerte* (1847), *Sublevación de los ángeles* (1842), *Triunfo de Cristo en sus consecuencias para la cultura de la humanidad, Niña en llamas, Locura y crimen* y *Lectura de novelas.*

Bella Rosina.
ANTOINE WIERTZ.

WILKIE, DAVID

(Cults, 1785-cerca de Gibraltar, 1841)

Pintor escocés, uno de los maestros del **romanticismo** británico. Estudió primero en Edimburgo y en 1805 marcha a Londres, donde ingresa en la Real Academia. Realiza

El violinista ciego.
DAVID WILKIE.

W

largos viajes por varios países europeos, Francia, Alemania, Suiza y España (donde recibe, en especial, la influencia de Murillo y Velázquez), estudiando la pintura de sus grandes maestros, que le ayudarán a formar su estilo. Su consideración como pintor en la socie-

La Emperatriz Eugenia y sus damas.
FRANZ WINTERHALTER.

dad inglesa era muy alta, por lo que recibió múltiples encargos y fue nombrado pintor de cámara, sucediendo en el cargo a sir Thomas Lawrence. Ejecutó escenas costumbristas, en los que se aprecia la influencia de los pintores flamencos y holandeses del siglo XVII, especialmente de Teniers y de Ostende, y que le proporcionaron grandes éxitos *(El menestral ciego, Los jugadores de cartas,* etc.). También se dedicó a la pintura histórica, de gran viveza y brillante colorido, con la que comenzó su carrera pictórica, pero que no le proporcionó tanta fama como la de género, a pesar lo cual se dedicaría a ella casi en exclusiva desde 1825, año en que su estilo se ve influido en parte por la pintura española. Igualmente practicaría el retrato, los primeros de los cuales muestran una clara influencia de Henry Raeburn, que posteriormente se atenua o desaparece, al ma-

La carta de presentación.
DAVID WILKIE.

durar su estilo. También pintó algún paisaje. Entre sus obras destacan *El violinista ciego* (1806), *Los inválidos de Chelsea leyendo la Gaceta de la batalla de Waterloo* (1818-1822),

Señora en la pradera.
FEDERICO ZANDOMENEGUI.

Retrato de Guillermo IV (1832-1833) y *La doncella de Zaragoza.*

WINTERHALTER, FRANZ XAVER

(Menzens-Chwand, 1805-Frankfurt del Main, 1873)

Pintor alemán, es el retratista de corte más conocido en su época. También estuvo al servicio de otras realezas europeas, como la emperatriz Eugenia de Montijo y la corte de Napoleón III. Desde 1834 hasta el inicio de la guerra franco-prusiana, en 1870, vivió en París, siendo protegido de la reina María Amelia, y donde es el retratista más cotizado. Ya en Karlsruhe, es nombrado pintor de cámara del duque Leopoldo y su popularidad hace que todas las familias reales le soliciten retratos. Son retratos objetivos y realizados con una técnica magistral. Así mismo pinta cuadros de género, como *Familia de pescadores* o *Dulce far niente,* de estilo romántico. También fue un buen litógrafo. De sus obras hay que

mencionar especialmente *Duque Leopoldo de Baden, Decamerón de Bocaccio*, *La Emperatriz Eugenia y sus damas, Madame Rimski-Korsakov, Luis Felipe* y *Napoleón III*

ZANDOMENEGUI, FEDERICO

(Venecia, 1841-París, 1917)

Pintor italiano, hijo de un modesto escultor, su obra se puede calificar de impresionista. Formado en Florencia, abandona Italia y se instala en París en 1874, uniéndose a las nuevas tendencias imperantes y al movimiento impresionista. Ex-

Pescando en el Sena.
FEDERICO ZANDOMENEGUI.

Z

Izquierda, *Retrato de una muchacha joven.*
Arriba, *Juegos en el Parque Monceau.*
FEDERICO ZANDOMENEGUI.

pone sus cuadros en el Salón de los Independientes, demostrando un colorido sensible y una técnica que se aproxima a la de **Renoir** con influencias de **Degas**. Entre sus obras destacan *La lectura, Sesión matinal de música, La Roussotte* y, de 1872, *Los pobres en las gradas del convento del Ara Coeli de Roma.*

ZORN, ANDERS

(Mora, Suecia, 1860-1920)

Pintor, escultor y grabador sueco. Estudia en Estocolmo y realiza numerosos viajes de estudios por España, América, Hungría y Turquía. En España, país que visita en 1881, conoció la pintura de Velázquez y

Plaza de Amberes en París.
FEDERICO ZANDOMENEGUI.

pintó abundantes acuarelas y retratos. Desde 1888 residió en París, donde consiguió el premio de la Exposición de 1900, y en 1896 vuelve a su país. Además de los retratos, que es la parte más abundante en su obra, y a la que se dedicará sobre todo entre 1880 y 1890 con gran éxito, también tiene escenas de género de la vida cotidiana, en la que representa tipos populares suecos, como campesinos y trabajadores, y desnudos en la naturaleza, así como aguafuertes de temas marinos. La concepción de su obra es realista, a veces naturalista, aunque la técnica que utiliza es muy suelta, especialmente en sus últimos cuadros, en los que emplea una amplia pincelada, afín a la de Sorolla, y en los que representa escenarios al aire libre, buscando en ellos efectos luminosos que reflejen la luz deslumbrante del sur de Europa, aunque sin llegar al **impresionismo**. Del conjunto de su obra lo más valioso son los desnudos femeninos y los grabados, que muestran una mayor

espontaneidad en la captación de los diversos motivos que los óleos. Destacan *Las primas, Maja, Fábrica de cervezas, Goces maternales, Oscar II, rey de Suecia, Baile de verano* (1892) y *La señora Gadner en Venecia* (1894).

Arriba, *Mañana de domingo.*
Abajo, *En la planta de embotellado.*
ANDERS ZORN.

En la página siguiente, *Baile de una noche de verano.*
ANDERS ZORN.

Z

W